ФРИДРИХ НЕЗНАНСКИЙ

ФРИДРИХ НЕЗНАНСКИЙ

СТАЯ БЕШЕНЫХ

издательство АСТ ОЛИМП

МОСКВА
2001

УДК 882
ББК 84(2Рос-Рус)6-44
Н 44

Серия основана в 1998 году

Серийное оформление и компьютерный дизайн
А.А. Воробьева

Незнанский Ф.Е.

Н44   Стая бешеных: Роман /Ф.Е. Незнанский. — М.: ООО «Издательство АСТ»: «Олимп», 2001. — 380 с. — (Господин
адвокат).

ISBN 5-17-004019-9 (ООО «Издательство АСТ»)
ISBN 5-7390-1052-7 («Олимп»)

Ее бросили в тюрьму за преступление, которого она не совершала. Вчера
у нее было все, а сегодня она — на грани гибели. Свидетели, которым
известна правда, исчезают. Улики, указывающие на настоящего преступника,
похищены. У нее осталась одна надежда — «ГОСПОДИН АДВОКАТ».

УДК 882
ББК 84(2Рос-Рус)6-44

Глава 1

СТАЯ

— Ой, какая собачка!

— Не трогай.

— Почему?

— Она может быть больная.

— Простудилась?

— Не знаю. Может быть. Хотя, кажется, собаки не простужаются.

— Мам, а давай ее домой возьмем и вылечим.

— Оставь, кому сказано.

— Ой, мам, еще одна, смотри, какая волосатая. Можно ее погладить?

— Не волосатая, а лохматая. Не трогай!

— Ей, наверное, тепло. Она не простудилась. Давай эту домой возьмем.

— Нет, и эту мы домой не возьмем. У тебя дома есть кошка, собаки с кошками не уживаются.

— А я по телевизору видела, как кошка с собакой жили. Мультфильм... Ой, мама, смотри, еще две. Ну, мам, ну, пожалуйста, ну давай хоть одну возьмем.

— Все, пора домой. Пошли.

— Мам, смотри, сколько их! Собачки-собачки! Идите ко мне!

— Пошли, пошли...

— Ой, мам, их, наверное, тысяча миллионов, да?

— Дай руку. Иди сюда.

— Мам, а почему они на нас так смотрят?

— Не знаю. Пошли, только тихонько.

— Мама, а почему они рычат? Они злятся, да?

— Наверное.

— А что мы им плохого сделали?

— Ничего. Иди ко мне на руки.

— Не пойду, я уже взрослая девочка. Мама, а они нас не пускают, да?

— Иди ко мне на руки, кому я сказала! Быстро!

— Мама, а они нас укусят?

— Да что ж это делается? Среди бела дня... Я тебя сейчас подсажу на дерево, и ты там будешь сидеть и не слезать, поняла?

— Я не хочу на дерево. Ты сама говорила, что на деревья лазят только плохие мальчишки.

— Помогите!

— Мама, я боюсь! Мама, не бросай меня. Мама, почему они гавкают на нас? Мама!

— Помогите!!!

— Мама!!!

«Жигули» взвизгнули на повороте и на скорости врезались в стаю псов, обступивших женщину и девочку на дереве.

Стая бросилась врассыпную, но отбежала недалеко.

— Садитесь, быстро! — закричал мужчина, распахивая дверцу машины.

Женщина сдернула с дерева дочь и нырнула в салон.

Еле успела захлопнуть дверцу, собаки уже налетали рычащей стаей.

— Вы плохой дядя, — сказала девочка. — Вы чуть не задавили собачку.

— Ты что, глупая, дядя нас спас. Спасибо вам.

— Да не за что. Вы где живете?

— Вот здесь, вот в этом подъезде. Мы просто во двор вышли погулять. Господи, откуда их столько? И какие злые...

Собаки за тонкими стенками машины заходились в лае и рыке.

— Придется подождать, — сказал мужчина.

— Нет, мы домой сейчас не пойдем. Давайте поедем в милицию, если можно.

— Вы так считаете?

— А вы как считаете?

Лохматый пес, который так понравился девочке, вскочил на капот и злобно лаял теперь в самое лицо женщине.

— Мама, они хотели нас укусить?

— Да.

— Ну что ж, поехали.

Машина тронулась с места, собаки снова отбежали и снова недалеко. Они огромной стаей провожали «жигуленок» до дороги. Потом разом остановились и помчались куда-то в глубину дворов.

Глава 2

БИЗНЕС-ЛЕДИ

Она просто измучилась, пока летела из Праги. Нет, самолет ее вполне устраивал, это был настоящий «Боинг», не страшный аэрофлотовский «Ил», который разве что подталкивать не приходится при взлете. Тихая прохлада в салоне, кресло, с угодливой нежностью откидывающее спинку, всегдашние мятные пастилки у стюардесс. К счастью, ее соседи были неразговорчивы. У окна сидел надушенный толстяк с курчавой бородой, стыдливо поджимавший ноги, чтобы ненароком не коснуться ее жирным коленом, со стороны прохода аккуратная пожилая дама с фиолетовыми волосами — видимо, иностранка. Ирина достала плейер и включила музыку, чтобы хоть как-то снять напряжение. Но обычно любимая музыка (она слушала Верди, и ей действительно нравилась несложная классика) скользила мимо слуха. Внимание ее было рассеянно, мысли путались в голове, перескакивая с предмета на предмет, то и дело возвращаясь к событиям последних дней в Праге. Ощущение близкого счастья не оставляло Ирину, и, хотя дожидаться радости — тоже радость, она томилась сейчас в этом комфортабельном американском салоне, сознавая, что от Москвы ее отделяют несколько лишенных событий часов, а от окончательного счастья не меньше недели. Счастье на этот раз ей, обычно идеалистке, представлялось тридцатью тысячами зеленых долларов, которые с легкостью превращались в ремонт, полную и шикарную смену гардероба и отпуск в Италии. Ирина была горда и нисколько не стыдилась перед собой, что она, натура возвышенная и даже в чем-то поэтическая, радуется деньгам самой большой радостью последних лет. Вслед за Пушкиным она полюбила повторять: «Я люблю не деньги, а свободу, которую они дают». Свободы в деньгах ей недоставало, особенно последнее время. По московским понятиям она зарабатывала, что называется, «очень прилично», но «очень приличного» не хватало девушке, которая хотела жить в Москве, как в Европе. Квартира в старом арбатском доме тихо разваливалась, текли гнилые трубы; прорву денег сжирал автомобиль — хорошо выглядеть, давая понять сослуживцам, все больше гражданам иных держав, что и она не лаптем щи хлебает, было временами сложновато. Но она не унывала, зная, что со своим умом и талантом пробьется на службе. Кроме того, Ирина была остроумна, добра и, пожалуй, весьма хороша собой. Красавицей она себя оправданно не считала. Несмотря на то что все ее знакомые, упоминая о ней в компании, где ее не знали, говорили — «очаровашка» или еще что-нибудь в этом роде, ее красота не вписывалась в стандарт. У нее, пожалуй, были широковаты плечи, и завистливая ресепшионистка как-то, якобы восхищенно, но с тайным ядом спросила: «Ты, наверное, хорошо плаваешь? У тебя такие плечи широкие, как у пловчихи». Ирина никогда не занималась плаванием профессионально, но плавала она действительно хорошо, и только коротко ответила: «Да». В талии она тоже была широка, но умело это скрывала. Зато у нее была совершенно голливудская грудь, хореографическая осанка и замечательно длинные стройные ноги. Если учесть, что она не курила, имела от природы чистую, сухую кожу, при темных волосах была голубоглаза, она производила впечатление на мужчин, обычно готовых впечатлиться и меньшим списком достоинств.

Ирина работала в фирме «Эрикссон» — всемирном лидере по производству телекоммуникационного оборудования. Представить себе, что она окажется менеджером одного из крупнейших подразделений фирмы с видами на повышение, Ирина, еще не так давно выпускница института связи и заурядный инженер МГТС, не могла. И вдруг, поменяв несколько прибыльных, но скучных работ, она негаданно воцарилась в «Эрикссоне», за недолгое время привязавшемся к ней всей душой. Оптимистичные пожилые иностранцы привозили ей гостинцы из поездок, на вечерах для сотрудников она танцевала с Мигелем Эрнандесом, статным начальником отдела N, а теперь первое же из порученных ей дел было с успехом завершено и открывало блестящую перспективу приумножения капитала и почестей.

Холод прошел по ее спине, когда она вспомнила, как, уже оказавшись в самолете по пути на конференцию в Праге, она обнаружила, что забыла впопыхах слайды, над составлением которых едва не потеряла зрение в последний месяц. Разноцветные диаграммы, графики, так заботливо и педантично выведенные на компьютере, остались на столе в кабинете — теперь уж ни на что не годные. Кроме того, доклад, который она планировала доработать в самолете на ноутбуке, не желал открываться с дискеты. Компьютер бессердечно сообщал о каких-то повреждениях в сетевом ресурсе, о неустранимой ошибке на дискете и предлагал утопические меры к устранению означенной. Ирине в тот момент показалось, что фортуна глумится над ней. Как только она поняла, что на конференцию едет фактически вовсе без материалов, вся ее жизнь пронеслась у нее перед глазами. И тут — негаданный успех. Видимо, с перепугу, Ирина, выйдя на кафедру, так четко и ловко представила политику «Эрикссона» в области внутрироссийских поставок, так точно и приманчиво живописала выгоды нового оборудования, что превыше меры возбудила представителей сибирского региона. Заключив с сибиряками предварительный договор, она натянула длиннющий нос конкурирующему «Алкателю», где ей некогда было отказано в месте. Теперь пять процентов от сделки всенепременно должны были оказаться в ее владении, чему она была рада незамутненной, чистой, детской радостью.

Мелодичный английский голос любезно попросил Ирину пристегнуть ремень и объявил посадку. Самолет стал снижать скорость, внутренности содрогнулись, словно в каком-то хихикающем восторге — Ирина интенсивнее засосала мятную карамельку.

Конечно, досадно, что сегодня будний день. Сейчас бы в самый раз поехать домой, поваляться в ванне с косметической маской на лице, потом пойти в солярий и на массаж, а к вечеру встретиться с подругами в баре, хвастаться и строить планы. Но и то, что сегодня прямо с самолета надо будет ехать в офис, до некоторой степени радовало Ирину. В самом деле — она улыбалась, когда представляла себе, как вытянутся физиономии у ее патрона, у начальников отделов, секретарей и даже у мерзкой ресепшионистки, когда будет представлен отчет о поездке!

Она не заметила, как шасси коснулись взлетной полосы, и очнулась только от аплодисментов пассажиров. На выходе из «зеленого коридора» ее поджидал водитель Серега — крупный улыбчивый парень с глупой и добродушной мордахой.

— Ну что, Ируха, как дела? — спросил он скорее дружески, чем фамильярно. Серега не желал признавать Иринину бо́льшую, по сравнению с собой, социальную значимость. Для него она была девчонка, ровесница, и это было действительно так, не поспоришь. Но все-таки в двадцать восемь лет бизнес-леди может требовать бо́льшего к себе уважения. Ирину, однако, не покоробил вопрос, и, радостно улыбнувшись, она собрала пальцы у губ, пустив в пространство воздушный поцелуй.

— Чудо, что такое, просто персик! — пояснила она жест. — Все обалдеют.

Серега несвязно и солидарно сказал что-то бессодержательное типа «ну-ну» или «гы-гы» — Ирина не вслушивалась. Она беззаботно кинула сумку под ноги Сереге и уселась на переднее сиденье роскошной казенной «вольво». Водила сунул сумку в багажник, крякнув, уселся за руль и включил какую-то сиротскую песню.

— Послушай, поменяй музыку. Хочешь, мою? — робко спросила Ирина, потянувшись к плейеру.

— Нет, нет, — замахал руками Серега, — от твоей у меня мозги преют. У тебя там всякие оперы разные, ну тебя.

Ирина вздохнула и стала глядеть в окно. Радостное настроение ее не убывало от минуты к минуте, а все только прибавлялось. Она уже так привыкла за последние сутки ощущать себя счастливой, что была близка к непониманию — как же она раньше жила? Все обиды и горести прежних лет сейчас, когда она вспоминала про них, казались ей когда-то давно виденным сновидением, от которого память сохранила лишь зыбкие, смазанные картины. Даже нынешние ее нелады с Руфатом, докучные приставания начальника на работе казались ей смешны и легко решаемы. Она чувствовала себя так прочно счастливой, что не сомневалась в счастье завтрашнего дня, и послезавтрашнего, и дальше вперед неделями, если не годами.

Пробравшись к офису через пробки на Ленинградском шоссе, Ирина выпорхнула из машины, распорядилась относительно сумки и поспешно вошла в вестибюль. Для того чтобы попасть на место работы, ей пришлось дотронуться бедром до фотоэлемента — громадная карточка с магнитным индикатором «ИРИНА АЛЕКСЕЕВНА ПАСТУХОВА» болталась, пристегнутая к ремню. Ирине всякий раз лень было ее отстегивать, и она, привстав на цыпочки, прислонялась к фотоэлементу. Дверь с мелодичным звуком отворилась, впустив Ирину в чисто выметенный, наэлектризованный мир европейской фирмы.

— С приездом, как съездили? — просипела кобра-ресепшионистка.

— Прекрасно! — светски ответила Ирина, повторив поцелуйный жест. Обмениваясь кивками и улыбками с коллегами, она прошла к своему столу и включила компьютер. Заиграла шотландская мелодия, на экране высветилась смуглая девушка в лиловом купальнике, погружающая себя в поросший кувшинками пруд. Тут же раздался звуковой сигнал, и на экране высветилось: «У Гордеева день рождения. Подари сувенир из Праги. У бабки Зины тоже. Купи ей слуховой аппарат, старуха просит уже два года, а ты, змея бессердечная, хоть бы почесалась. Целую крепко — твоя репка». Ирина имела обыкновение переписываться сама с собой посредством компьютера, неизменно выдерживая глумливый стиль. Сейчас она напряглась, потому что в пражских хлопотах совершенно позабыла и про любимого юриста, и про бабку. Не размышляя, она вытащила из подоспевшей с Серегой сумки бутыль одеколона, которую везла Руфату, и пошла между шкафами в кабинет к юристам, где иногда сидел Гордеев.

С Юрием Петровичем Гордеевым ее связывали нежные братские отношения. Этот умный и честный человек как-то по-родственному опекал ее, и она — такая свободолюбивая — не смущалась этой опекой. Ей нравились серьезность, обстоятельность и глубоко затаенная ирония, всегда сопровождавшие разговоры с этим человеком. Ей нравилась его не деланная простота и легкость в общении с людьми, а также и то, что ему совершенно чужда была гордыня — ведь у него, как она небезосновательно полагала, была более чем солидная клиентура, которой он никогда не кичился, даже избегал разговоров на эту тему. Ее начальник Владимир Дмитриевич всегда хвалил Гордеева, прибавляя при этом ласкательные эпитеты, вроде «этот пройдоха», «этот ушлый хитрый лис» и прочее. В ее представлении называемые шефом качества изобличали несомненную честность адвоката, долг которого, как считала Ирина, заключался не в следовании абстрактной общественной морали, а в защите клиента. Известно было, что Гордеев не провалил ни одного из взятых им на себя дел, в том числе и сомнительных в нравственном отношении. Ирина, как мудрая женщина, никак не могла осудить его за это — юриспруденцию она числила за науку грязную, но необходимую, как медицина. Однако кроме названных достоинств он еще и просто был ей симпатичен, даже весьма симпатичен, и она рассчитывала на продолжение и углубление их дружбы. То, что она позабыла о его дне рождения, показалось ей сейчас странным и даже стыдным, поэтому Ирина, войдя в кабинет к юристам, чувствовала себя несколько скованно и неуклюже.

— Юра! — нарочито бодро попыталась она скрыть смущение.

— Ирочка! — Гордеев, широко разулыбавшись, оторвался от монитора и встал ей навстречу. — Уже вернулась? Ну, как?

— Чудесно. Это тебе.

Она поставила на стол бутыль туалетной воды, упакованную в малахитового цвета коробку.

— Да что ты, спасибо...

— Поздравляю с днем рожденья, желаю, чтобы ты всегда был... — она судорожно задумалась, что бы ей пожелать, избегая банальностей, но не удержалась и ляпнула: — Таким же здоровым, веселым и удачливым.

«Вот дура!» — подумала она про себя. Гордеев, однако, был, видимо, рад, что Ира помнит о его празднике.

— Ты сегодня первая, кто меня поздравил.

— Почему? — Ирина сокрушенно подняла брови.

— Кажется, они все позабыли. Впрочем, это и неудивительно. Я здесь все-таки не совсем свой. Обо мне обычно вспоминают, когда проштрафятся перед государством или хотят кого-нибудь незаметно обжулить. Я, так сказать, не в штате. Как индивидуальность я мало кого волную. Хочешь конфет?

Он вынул упаковку дорогих конфет, еще не тронутую, и снял с нее целлофановое покрытие. Ирина засунула в рот конфету и принялась рассказывать про свои успехи. Гордеев слушал, как казалось, внимательно, все больше улыбался и кстати кивал, но Ирине показалось (и это не вызвало в ней негодования), что он больше улыбается и кивает факту того, что она, молодая, цветущая, сидит сейчас перед ним, закинув ногу на ногу, и тараторит о чем-то своем. Рассказ получался довольно долгий, а она видела, что на столе у Гордеева невпроворот всякой документации, поэтому закончила неожиданно фразой:

— Так что теперь я богата.

И встала. Он тоже встал.

— Ну что ж, поздравляю. Теперь, я думаю, ты поднимешься еще выше и перестанешь подавать мне руку.

Ирина засмеялась:

— Посмотрим, посмотрим, не уверена, что не возгоржусь.

Вежливо посмеявшись, они расстались. Гордеев сел к столу, Ирина выпорхнула из кабинета и ускоренной походкой, хотя никуда торопиться было не надо, двинулась к своему месту. Там ее ждал первый посетитель — подруга и сослуживец Маша Ободовская. Ободовская, натура разносторонне и богато одаренная, поступила в «Эрикссон» вместе с Ириной, но из-за скверного характера не сумела сделать столь блестящего зачина в карьере. Она два дня тому назад вернулась из командировки в Женеву и теперь по неясным для коллег причинам находилась в состоянии горестного изнеможения.

— Ну, как дела? — разбитым голосом спросила Ободовская.

Ирина повторила машинально звук поцелуя.

— Так я и думала. А у меня полная финансовая задница. Ты знаешь, что такое финансовая задница? Это когда ты потратил с корпоративной карточки шестьсот баксов и не знаешь, как отчитываться.

— Шестьсот баксов? — в ошеломлении повторила Ирина. У Ободовской и без того было две тысячи неоплатных долгов. Несмотря на хорошее настроение, Ира нашла в себе немного сострадания.

— Посмотри, — уныло продолжила Ободовская, — я тут поправила кое-что.

Она протянула Ире несколько счетов из ресторанов и от таксистов. В них неумело подобранной ручкой были дописаны единицы к сумме.

— Как ты считаешь, похоже? — понуро спросила Ободовская.

— Н-ну, на мой взгляд, не очень. Да кто там будет в бухгалтерии разбираться? — оптимистически прибавила Ира.

— Найдется кому, — мрачно оппонировала Ободовская.

— Слушай, ты что, всю Женеву по периметру объездила? — спросила Ирина, ошеломившись астрономической цифрой в счете.

— Нет, просто я решила не дописывать ноль в конце, а дописала спереди девятку. По-моему, этот самый удачный. Другое дело вот этот...

Маша протянула неврастеническим почерком заполненный счет на пятнадцать франков.

— Я так никогда не сумею, — сокрушилась Ободовская, глядя на бумагу, — он, по-моему, эпилептик был.

— Кто?

— Ну, этот водитель. Разве здоровый человек может так написать?

— Не уверена. Но, вообще-то говоря, у меня почерк не лучше.

— Да? — оживилась Ободовская. — Ну-ка, покажи.

Ирина взяла перо и, задумавшись на мгновение, выписала неловко, путая буквы «ш» и «ж»: «Игумен Пафнутий руку приложил».

— Здорово, — призналась Ободовская. — Так же коряво. А кто такой был этот Пафнутий?

— Это из Достоевского, — пояснила Ирина.

— А-а... Так, может быть, ты мне напишешь вот здесь нолик? — с простоватым лукавством попросила Ободовская.

Ирина улыбнулась ей, достала из карандашницы ручку подходящего цвета и, склонившись над бланком счета, вывела вполне истерический ноль под стать записи.

— Как дела? — раздалось над ее ухом. Ободовская от неожиданности подпрыгнула. Ирина ловко засунула счет в стол.

— Ах, Владимир Дмитриевич, — притворно обрадованно защебетала она, — только вернулась!

Это был Владимир Дмитриевич, ее босс, ее ближайшее начальство. Скучнейший амбициозный тип. У него ко всем этим «достоинствам» были еще большие и вечно влажные руки, которые он тайно вытирал платком. Кроме того, он был баснословно жаден до денег и имел имперские амбиции. В настоящий момент его тщеславие было удовлетворено занимаемой должностью, и единственным предметом тайных его комплексов было отсутствие респектабельной любовницы, в каковые он однозначно предполагал Ирину. Несколько раз его рука, недобросовестно вытертая платком, уже ложилась ей на колено. Приходилось дипломатически лавировать, чтобы удержать ситуацию возможно долее нерешенной в надежде, что шеф остынет или изберет другой объект для своих вожделений. Но начальник длил осаду, не помышляя отступать. Вот и сейчас он присел на край стола и, как ему казалось, возбудительно посмотрел в глаза Ирине своими тусклыми глазами. Маша делала из-за его плеча отчаянные знаки, чтобы Ирина убрала рассыпавшиеся по столу счета, чем очень Иру стесняла. Начальник, казалось, вовсе и не заметил, чем занимались подруги, но исступленная возня Машки на заднем плане могла серьезно испортить ситуацию. Всячески завлекая шефа разговором о поездке, Ира словно ненароком взяла гроссбух и попыталась накрыть им компрометирующую документацию. Но, о ужас! Только она опустила книгу, как по не известному ей физическому закону бумажки выпорхнули из-под нее и, кружась в воздухе, попадали на пол. Ободовская в возбуждении, граничащем с помешательством, пала на четвереньки, а предупредительный (иногда) начальник подобрал парочку с пола и, не читая, положил на клавиатуру компьютера.

— Пойдем ко мне, — сказал он Ирине, видимо, недовольный присутствием Ободовской.

— Да, да, — рассеянно откликнулась Ирина, сделав Машке страшные глаза.

Они вошли в кабинет Владимира Дмитриевича. Тот подошел к шкафу, вынул оттуда что-то и, пряча за спину, подошел опять к Ире. Она стояла, внутренне собравшись. Кабинет начальника был отделен от основного офиса стеклянной стеной, но, как назло, в этот момент никого поблизости не было, так что они действительно остались одни.

— Так ты говоришь, — продолжил начальник начатый разговор, отчетливо выговаривая слова, — они подписывают с нами контракт?

Ирина кивнула.

Он опять сел на стол, глядя на нее своими тусклыми глазами.

— Это очень хорошо, — сообщил он, словно это была новость для Ирины. — А это тебе.

Он протянул руку — в ней оказалась игрушка — маленькая нерпа, белячок с живыми и сердитыми стеклянными глазами. Нерпа серьезно смотрела на Иру и словно на что-то негодовала. Она была такая миленькая, пушистая, эта нерпа, и так по-человечески смотрели ее стеклянные глаза, что Ирина невольно улыбнулась. Она забрала игрушку, словно спасая ее от мокрой руки начальника. Но рука потянулась вслед за нерпой и легла на оголенное Ирино предплечье. Губы Владимира Дмитриевича тотчас потянулись к ее щеке. Ирина понимала, что профессиональная этика, по которой Владимир Дмитриевич был ее боссом, и компанейская этика, по которой он должен быть ее приятелем, не позволяют ей отстраниться, и она только задержала дыхание, чтобы не прочувствовать его запах. Он прикоснулся губами к ее щеке и положил руку ей на затылок.

— Так какой состав оборудования они желают? — спросил он бытовой скороговоркой, словно его руки и губы не имели к нему никакого отношения.

— Владимир Дмитриевич, не надо, — отстранилась она наконец, посчитав, что уже достаточно натерпелась.

— Почему? — спросил он с деланной наивностью.

Сквозь стекло стены послышалось, как что-то упало. Ира обернулась: Машка с весьма озабоченным видом рылась в папках, словно ей что-то срочно было необходимо, но она никак не может найти. «Настоящий друг!» — с благодарностью подумала Ирина.

— Владимир Дмитриевич, отпустите, — зашептала она, — вы меня... — она не могла подобрать нужное слово, — ...компрометируете.

Она развернулась к начальнику спиной и быстро вышла. Нерпа, однако, осталась у нее в руке. Шеф ошибочно истолковал это как ласкательный для себя знак, на деле же нерпа полностью заняла в сердце Ирины то место, которое начальник готовил для себя.

— Ну что, — не размыкая губ и не поднимая взгляда, обратилась Ободовская, — опять приставал, старый перец?

— С меня бутылка, — ответила так же Ирина, проходя к рабочему месту. Счета с него уже исчезли в ведомом одной Ободовской направлении. Маша вскоре подошла к ней.

— Кстати, насчет бутылки. Может быть, устроить сегодня маленькую суарею? Можно нажраться вдвоем, как свиньи, а хочешь, возьмем пару каких-нибудь импотентов?

Ободовская, чья наружность обрекала ее на длительные периоды вынужденного целомудрия, именовала мужчин не иначе как импотентами.

— А что, нет? — оптимистически отозвалась Ирина. — Я, ты знаешь, тяпнуть не дура. К тому же у меня все поводы. Соберем девиц. Я позову Бурляеву и Штенберг, распишем пулю. Да и вообще, идти пора. Засиделись мы с тобой.

— Гляди, кто-то еще не ушел, — показала Маша в направлении кабинета юристов, из-под двери которого пробивался свет. — Может, позовем?

Они заглянули в полуоткрытую дверь — за столом трудился Гордеев.

— Ой, нет, нет, не сейчас, — отшатнулась Ирина. — Я его, честно сказать, стесняюсь.

— А я думала, что ты планируешь с ним роман, — сказала Маша, сообщив взгляду проницательность.

— Да какой роман... Совсем ты сбрендила, эротоманка!

И Ирина принялась собирать сумку.

Глава 3

КРОВАВАЯ ВЕЧЕРИНКА

— Точно предков нет?
— Обижаешь! Еще вчера свалили на дачу.
— Они у тебя что, «моржи»?
— Какие моржи?

— Кто по такой погоде на дачу ездит? Колотун же.

— У них небось дача с паровым отоплением.

— Вась, ты что, крутой?

— Какой я крутой?

— Нин, а Васька твой «новый русский», не иначе.

— Хи-хи...

— Ну долго еще?

— Да тут рядом, вон за тем домом.

— Вась, если ты нас надул и твои предки дома, ты нам больше не друг, а портянка. Как мы домой доберемся — последняя электричка ушла.

— Да нету их, успокойтесь. Сами увидите, окна на восьмом этаже.

— Вон в том доме?

— Да.

— Вася, а там как раз на восьмом какие-то окна горят.

— Вась, ты где, чего молчишь? Нинка, Вася возле тебя?

— Хи-хи...

— Хватит лизаться. Вася, это ваши окна? Чего молчишь?

— Да нет, это не наши окна, кажется... Или я случайно оставил, когда уходил...

— Вась, постой, так это ваши окна?

— Да это я забыл выключить. Нет, не могли они вернуться.

— Та-а-ак... Ну, Василий, спасибо...

— Да, я тоже думал, ты человек, а ты...

— Нинка, а твой Вася совсем не «новый русский».

— Хи-хи...

— Так, Галя, куда подадимся?

— Да погодите вы, я сейчас посмотрю. Это, наверное, я оставил...

— О, блин! Это что такое?

— Собака Баскервилей!

— Хи-хи...

— Вась, не твой песик? Жучка, Жучка!

— Вась, ты где? У вас тут что, принято собак самих отпускать во двор по нужде?

— Ага! Не двор, а кинологический центр какой-то.

— Я сейчас, я быстро. Вы в подъезде подождите, ладно? Нин, я быстро. Только туда и обратно.

— Давай-давай. Никуда твоя Нинка не денется.

— Галь, давай хоть поцелуемся.

— Нашли место — здесь кошатиной воняет.

— И не только кошатиной. У нас на подъезде уже давно поставили кодовый замок, а здесь... Э-э, собачка, ты чего? Погреться? Занято. И потом — здесь такая же холодрыга, как и на улице.

— Ребята, пойдемте отсюда.

— Вот, я же говорил, что не только кошатиной воняет. Собаки тоже здесь... Ну хорош, пошла на фиг!

— Э-э, нечего тут гавкать!

— Ребята, пошли отсюда! Ну, ребята!

— У кого спички есть? Зажгите!

— Зажигалка!

— Ох, мама родная! Сколько ж их тут?!

— Где Васька?!

— Да дай ты ей ногой по морде, сразу заглохнет!

— Ребята, давайте постучим в дверь, мне страшно!

— А-а! Ух, сволочь! Цапнула! На тебе!

— Галя!

— К лифту скорее!!! Кнопку жми!

— Занято!

— Это Васька едет! Гад такой! Развел тут собачатник!

— Звоните в дверь!

— Стучите!

— Бей их! Девчонки, ломитесь в двери! Есть что-нибудь тяжелое?!

— Бутылка!

— Дай!

— Ага, ты разобьешь!!

— Идиот! Хочешь, чтобы нас загрызли?!

— Кто там?!

— Пустите нас, тут собаки!

— Вы кто?

— Мы в гости пришли, а на нас собаки напали!

— К нам в гости?!

— Пустите, нас загрызут!

— Васька! Дверь не открывай! Тут собаки! Поднимись на третий этаж!

— Уходите, пока милицию не позвал!

— Тут собаки! Умоляем вас!

— Васька! На третий этаж!

— Ребята... Ой!

— Нинка, Галя, Таня, бегом на третий, держите дверь!

— Дай бутылку!

— Ага, а я чем?!

Лифт распахнулся на третьем этаже, влетели испуганные девушки, одна из них сняла туфель с острым каблуком, нацелилась на дверь.

Собачий лай приближался.

Парни вскочили в лифт. Но последний, у которого в руках была окровавленная бутылка шампанского, притащил с собой вцепившуюся в его спину огромную собаку.

— Жми! — закричали все.

Но дверь не закрывалась — мешала собака.

Парень с бутылкой кричал диким голосом.

Собачья стая уже заполнила лестничную клетку. Еще один пес повис у парня на спине.

— Васька, ударь их!!! Васька, убей!

В тесноте лифта никак не могли сообразить, что же делать?

Наконец парень с бутылкой ухитрился развернуться и со всего маху ударил повисшую на его окровавленных лохмотьях собаку по голове, та взвизгнула и отлетела, другая на секунду ослабила хватку. Эта секунда ребят спасла. Дверь закрылась. Лифт пополз на восьмой этаж.

— Что это было?! Что вообще происходит?! — причитала девушка.

Парни стонали, стряхивая кровь с обкусанных рук.

— Это я свет оставил. Нету родителей.

— Гад, ты, Васька, какой же ты гад!

— А я при чем?!

— При том, что свет выключать надо!

— Как думаете? Они до восьмого этажа еще не добежали?

— Увидим. Дверь не открывай.

— Как? Она сама откроется.

— Нажми «Стоп»!

— Красная кнопка!

— Тихо.

— Тебе очень больно?

— А ты как думала? Кусок мяса вырвали, суки!

— А если бешеные?

— Типун тебе на язык.

— Подождем еще.

— Нет, они нас учуют!

— Им надоест ждать, они и уйдут!

— А если не надоест?

— Возьми платок хоть... Кровью истечешь...

— Тихо. Их нет.

— Хочешь открыть дверь?

— Нет.

— Так что, нам тут всю ночь торчать?

— А ты что предлагаешь?

— Слушай, тут же должна быть кнопка вызова.

— Есть.

— Жми! И скажи, чтобы вызвали милицию — на нас напали собаки...

Глава 4

СЫНОК

— ...Ну и, короче, взяли мы этих мандолин и поволокли к себе на хату. Одна, значит, гнать чего-то стала, что у нее жених скоро там откуда-то возвращается, что она его очень, типа того, любит, а с нами идет потому, что по мужским ласкам соскучилась — короче, ураган полный. — Высосав остатки пива из очередной бутылки, паренек поставил ее под лавку, где уже находилась целая батарея таких же опустошенных сосудов.

Компания прыщавых подростков сидела на лавке и слушала рассказы пухленького веснушчатого паренька в толстенных очках. Любой взрослый человек при одном взгляде на это жалкое подобие мужчины сразу догадался бы, что все его донжуанские похождения, которые паренек так ярко живописал перед дружками, лишь плод его болезненного воображения. Но соседи по лавке, потягивавшие пиво, и не подозревали, что толстячок просто-напросто неумело варьирует содержание очередного порнографического рассказа, вычитанного в журнале, украденном из стола папаши. Им важнее были подробности, чем правдивость.

— Ну вот, после третьей рюмки она как кинется на меня и давай стягивать с себя платье. А под платьем ничего нету. Прикинь, голая совсем!

Между тем количество пустых бутылок все пополнялось. Вокруг лавочки, как грифы над падалью, стали кружить люди в потрепанной одежде и с лицами неопределенного цвета, плавно, спектр за спектром, переходящего из желтого в фиолетовый. Рассказы парня их мало волновали. На компанию вообще не стоит обращать внимания, по крайней мере до тех пор, пока не прогоняют.

Компания тоже не обращала внимания на бомжей, как не обращают внимания на голубей или воробьев, клюющих что-то неподалеку. Пусть себе клюют, лишь бы не гадили на голову, у птиц свое занятие, у людей — свое.

— Ну, значит, стаскивает она с меня штаны, в трусы уже лезет, а вокруг же народу полно... — Толстяк допил следующую бутылку и швырнул ее в траву. — Ну я ее, значит, в охапку, и тащу в ванную. А там, блин...

И тут он заметил, что его уже никто не слушает. Все с интересом наблюдают за двумя бродягами, бросившимися за этой вожделенной бутылкой. Один из них, поменьше и пошустрее, ухватил ее первым. Но тут подоспел второй, побольше и посильнее. Завязалась тихая возня.

— Ну вот, значит, затаскиваю я ее в ванную, стягиваю с нее трусы и...

— Слушай, заткнись! — грубо оборвал его один из прыщавых ровесников. — Секи, цирк!

Двое бомжей тянули бутылку в разные стороны, пока кто-то из ребят не догадался вынуть из-под лавки еще одну и швырнуть ее в сторону дерущихся. Бродяги тут же бросились за второй подачкой, стараясь оттолкнуть друг друга.

— Ну вот, значит, стаскиваю я с нее трусы... — очкарик все не оставлял попыток вновь привлечь внимание к рассказу.

— Какие на фиг трусы?! — зло воскликнул длинный лысый парень. — Ты только что гнал, что она под платьем голая была! Хорош заливать!

Больше на очкарика внимания никто не обращал. Все увлеченно расшвыривали в разные стороны бутылки, наблюдая, как потешно носятся взад-вперед два вонючих патлатых оборвыша.

— Я ставлю на маленького! — воскликнул кто-то, и все стали делать ставки.

И у маленького, и у большого шансы были примерно равны. Оба они хватали добычу и шустро прятали в многочисленных складках одежды. Скоро оба они при каждом шаге стали глухо позвякивать. Всеобщее веселье захватило даже их, и они только посмеивались, когда один опережал другого.

— Гляди, еще один прилетел! — воскликнул рыжий и швырнул бутылку куда-то в сторону.

Все оглянулись и действительно заметили еще одного охотника за стеклотарой. Этот третий был намного больше обоих бомжей. Но у него было два существенных недостатка — во-первых, он еле держался на ногах, а во-вторых, у него не было левой руки. Тем не менее он, словно не замечая двух опередивших его братьев по профессии, медленно нагнулся и поднял вожделенную бутылку.

Оба его предшественника от такой наглости даже на какое-то время потеряли дар речи. Опомнились они только тогда, когда в сторону однорукого полетела вторая бутылка и он предпринял попытку, правда, не очень успешную, ее поднять.

— Эй, ты че, охренел совсем! — возмущенно воскликнул тот, что побольше, оглядываясь по сторонам в поисках какого-либо тяжелого предмета.

Однорукий никак не отреагировал. Чуть не свалившись и насилу обретя равновесие, он опять потянулся за лежащей под ногами бутылкой.

Прыщавые с интересом наблюдали за неуклюжими манипуляциями однорукого.

Бутылку он поднять так и не смог. Потому что в самый последний момент к нему подскочил шустрый и со всего размаху саданул ногой в зад. Неуклюже крякнув, однорукий под гогот и улюлюканье подростков кубарем покатился в траву.

— Вы что, разве так можно? — возмутился один из подростков. — Он же инвалид!

Подростки издевательски заржали.

Однорукий между тем с трудом встал на ноги и, не сказав ни слова, направился к бутылке. Но на месте ее не оказалось — она стала добычей шустрого. Заметив, что бутылка исчезла, однорукий огляделся по сторонам и, сфокусировав взгляд на шустром, тихо пробормотал:

— Отдай!

— Да пошел ты на хер, мудак однорукий! Еще раз сунешься — я тебе вторую руку выдерну, и ноги, и яйца! — разразился ругательствами шустрый, чувствуя поддержку со стороны зрителей.

— Отдай, это моя бутылка, — спокойно повторил однорукий.

— Твоя?! Твое дерьмо в штанах! — шустрому нравилось играть на публику, да еще и чувствуя свою безнаказанность. — Меньше щелкал бы клювом — может, и была бы твоя!

Большой между тем нашел какую-то дубину и решил, что тоже должен принять участие в изгнании однорукого, тем более что это так весело. Нимало не задумываясь, он подошел сзади и со всей дури шарахнул однорукого по затылку. Но тот только пошатнулся, повернулся и как-то удивленно посмотрел на большого.

— Зачем ты дерешься, что я тебе сделал? — спросил он.

Большой решил, что лучшим ответом будет еще один удар дубиной, и замахнулся еще раз. Но в следующий момент получил такой увесистый удар в челюсть, что пролетел метров пять, плюясь осколками зубов. Однорукий медленно подошел к нему и стал выуживать из карманов бутылки. Большой только мотал головой, изо рта текла кровь.

— Сука! — завизжал шустрый, подпрыгивая на месте, словно кто-то невидимый удерживал его в его порыве броситься на однорукого и разорвать его в клочья. — Сука! Да я с тобой за Стасика знаешь, что сделаю?! Знаешь, что я с тобой сделаю за Стасика?!

Однорукий не обращал на его визги никакого внимания, продолжая деловито выворачивать карманы теперь уже совсем беззубого Стасика.

— Смотри, у него нож! — воскликнул вдруг кто-то из подростков, и все замолчали, растерянно оглядываясь по сторонам.

В руке у шустрого вдруг тускло блеснул длинный старый кухонный нож. Как известно, ни одним ножом не было совершено за всю историю человечества столько убийств, сколько было совершено кухонным.

Достав нож, шустрый тоже замолчал, словно наконец успокоился. Глаза его сузились, тело перестало дергаться от страха и напряжения и, наоборот, приобрело какую-то ленивую кошачью пластику. Мягко ступая по траве, он медленно двинулся к однорукому, который совсем не отреагировал на вопль из «зрительного зала», словно не слышал.

— Эй, у него нож! — закричали ребята еще громче. — Баран, обернись! Он тебя сейчас покоцает!

Но однорукий продолжал как ни в чем не бывало подсчитывать трофеи, бережно поднося каждый к глазам и проверяя, не надбито ли драгоценное горлышко.

— Сука, одну надбили... — тихо пробормотал он и выпрямился в самый последний момент, когда нож шустрого, как меч Фемиды, уже был занесен в воздухе. И нож этот просвистел прямо перед носом однорукого.

— Ты чего, совсем обалдел? — как-то очень даже ловко он ухватил шустрого за шиворот и, приподняв в воздухе одной рукой, за неимением второй принялся лупцевать его ногами. Нож отлетел куда-то в сторону, а шустрый заверещал, как годовалый поросенок, которого волокут резать.

— Давай! Давай, так его! — дружно заорали прыщавые парни, которым в принципе все равно было, за кого болеть в этом поединке. В подобном случае всегда болеют за сильнейшего. — По яйцам ему дай! По яйцам.

Большой вдруг вскочил и бросился в кусты, но на него никто не обратил внимания.

— Ты меня зарезать хотел? — пыхтел однорукий, отчаянно работая ногами. — Ну и за что? А вот теперь и получи.

Бил он довольно крепко, потому что шустрый после пятого удара перестал верещать и только крякал.

Зато детишки просто из себя выходили от перевозбуждения. Так и тянуло подбежать и тоже врезать разок ногой. Хоть разок.

После очередного удара однорукий бросил шустрого на землю и поднял нож.

И опять наступила полная тишина. Только шустрый тихо стонал, пытаясь подняться на ноги. Нет, подросткам уже не было страшно того, что сейчас случится. Даже наоборот, им очень хотелось, чтобы убийство произошло, просто никто пока не смел в этом признаться.

— Ну, давай... — тихо, почти шепотом сказал очкарик. — Вколи ему.

И словно плотину какую-то прорвало.

— Убей его! — закричали все хором. — Засунь ему в живот! Выпусти ему кишки! Горло ему перережь, горло! Давай!

Они кричали так громко, что даже не сразу услышали

милицейский свисток. Только когда неизвестно откуда на однорукого прыгнули два милиционера, свалили с ног и принялись методично колотить резиновыми дубинками, все бросились врассыпную. Но милиционеры и не собирались никого ловить. У них было занятие поинтереснее, чем беготня за пацанвой.

Однорукий не кричал, не сопротивлялся, вообще не шевелился. Он тихо лежал, уткнувшись лицом в траву и прикрывая единственной рукой затылок, и ждал, когда они устанут.

Рядом наконец поднялся на четвереньки шустрый. Он хотел потихонечку уползти в кусты, но разве от милиции уползешь?

— Куда? — поинтересовался один из стражей порядка и со спины однорукого переключился на спину шустрого.

Когда ни тот ни другой уже не подавали никаких признаков жизни, милиционеры остановились. Один из них, сержант, толкнул однорукого ногой и, вытерев пот со лба, достал из кармана сигарету.

— Ну что, грузим?

— Грузим. — Второй включил рацию. — Эй, у нас еще двое! Давай, мы возле старого фонтана.

Минут через десять подкатил «уазик». Шустрый к тому времени уже пришел в себя и плакал, лежа в траве.

— Он меня зарезать хотел! Отпустите меня, пожалуйста, я больше так не буду!

Милиционеры сидели на лавочке и мирно курили.

— Звать-то тебя как? — спросил молоденький милиционер.

— Ванюша... Я бутылки собирал, а он первый начал! — продолжал скулить шустрый.

— А что ж ты ему не дал как следует, Ванюша? — по-отечески поинтересовался сержант. — У него ж всего одна грабля, а у тебя целых две.

— Ага, две!.. Он, знаете, какой сильный! Как схватит меня за шкирку, да как давай... лупить. Отпустите меня, я больше не буду.

— Не-е, мы тебя отпустить не можем, — вздохнул сержант. — Никак не можем.

— Ну почему?

— А у нас план! — ответил он, и оба мента закатились веселым смехом.

— Ты чего так долго? — спросил сержант у водителя,

когда «уазик» остановился неподалеку и тот вышел из машины.

— Да за водкой останавливался, — махнул рукой тот. — Прикинь, сдачи у нее не было!

Все трое переглянулись и расхохотались еще больше.

— Давай, подъем! — сержант подскочил к однорукому и саданул его ногой по ребрам. — Я тебя, что ли, тащить буду?

До участка трястись пришлось недолго, он был на соседней улице. Там, в участке, во дворе, бомжей опять долго били. Сначала били те, кто привез, потом били те, кто должен сторожить, потом все, кому больше нечем было заняться. Ванюша при этом визжал и плакал, доставляя милиционерам массу удовольствия. А однорукий все время молчал, бить его было неинтересно. Может быть, именно поэтому и досталось ему намного меньше.

— Ладно, давай их оформлять, — сказал старшина, когда выяснилось, что бить больше никто не хочет, — волоки их в клетку.

Дежурный по участку, старый толстый прапорщик, однорукого узнал. Заулыбался, увидев на пороге, и воскликнул:

— Эй, Сынок, а ты тут как оказался? Что, опять помидоры воровал? Это ж Сынок!

— Не-е, он человека зарезал, — ответил за Сынка сержант.

— Зарезал? — прапорщик недоверчиво покосился на Сынка, молча разглядывавшего носки своих ботинок. — Гонишь, не может быть.

— Ну почти зарезал, — отшутился сержант. — Еще бы чуть-чуть и точно бы кишки из вон того парня выпустил. — Он кивнул на Ванюшу, стоявшего рядом.

— Чуть-чуть не считается, — ухмыльнулся прапорщик. — Этого я знаю, он зарезать не может. Украсть там, морду набить — еще куда ни шло. А чтоб зарезать...

— Ладно, мог, не мог... Мне некогда. Давай, Данилыч, оформляй их обоих за хулиганку. На меня и на Васькова запиши. Только не забудь.

Сказав это, сержант еще раз стукнул Сынка и вышел на улицу.

— Ладно, не забуду, — пробормотал прапорщик Данилыч, вынимая пустые бланки и шариковую ручку. —

Имя, фамилия, год рождения, домаш... ах да, какой у вас дом.

Ванюша быстро оттараторил свои анкетные данные и попросился в туалет.

— В туалет? — Данилыч ухмыльнулся. — А ты знаешь, что это такое?.. Ладно, теперь ты, Сынок, давай, колись, что стряслось?

— Ничего. — Сынок пожал плечами.

— Ты ж уже за этот месяц третий раз у нас. — Данилыч покачал головой. — Ты что, на скотобойню захотел?

— Нет, не захотел. — Сынку явно было не очень интересно отвечать на глупые вопросы милиционера.

— Ладно, какой с тебя толк? — прапорщик махнул рукой и закричал: — Эй, Григорьев, веди их в клетку!

Из коридора выскочил взлохмаченный заспанный Григорьев и потащил бомжей за решетку. Из камеры до Данилыча донеслись возмущенные возгласы арестантов:

— Эй, заберите их! Мы от них блох нахватаемся или еще чего! От них мочой воняет, дышать нечем!

Повертев в руках бланк Сынка, Данилыч вдруг скомкал его и швырнул в корзину для мусора. Найдя в блокноте нужное имя, снял трубку и набрал номер.

— Алло, Роман Ильич? Это вас Данилов беспокоит... Да, можете подъехать, есть кое-что... Хорошо, жду.

Минут через двадцать к милицейскому участку подкатил джип. Дежурный без единого вопроса пропустил машину через ворота. Из машины вышел мужчина лет сорока. Прапорщик уже встречал его на пороге здания.

— Сейчас выведу, Роман Ильич. Постойте тут минутку.

Через минутку Сынка выволокли на свет божий.

— Имя... — коротко спросил у бомжа Роман Ильич.

— Сынок, — за него ответил прапорщик.

— Сколько лет?

— Тридцать три, — на этот раз заговорил сам Сынок.

— Граблю где потерял?

— Твое какое дело? — Сынок спокойно посмотрел мужчине прямо в глаза.

— Хорошо, я его беру, — сказал Роман Ильич, вынул бумажник и достал сотенную купюру. — Есть еще что-нибудь?

— Не-а, больше ничего нету подходящего. — При виде денег у прапорщика заблестели глаза.

май

9 лариса
~~773 - 529 -~~
~~25ц~~

15 Миша Р.
р11 - 972
52 - 603 - 972

16 люда Куз.

лариса Д°
773 - 412 -
6176

июнь

2 лариса Б

6 капелева

14 санда

5 Тюмина

26 Мутенова

14 люда ?

— Как только появится, сразу звони. — Роман Ильич отдал деньги прапорщику и повернулся к Сынку: — Давай, лезь в машину.

— В машину лезь, скотина! — закричал вдруг Данилыч и принялся усердно пинать Сынка ногами. — Бегом, кому сказано, падла!

Через минуту джип выехал из участка так же беспрепятственно, как и въехал в него. А еще минут через десять Сынка пересадили в небольшой автобус, битком набитый такими же, как и он, бомжами. Не обращая внимания на остальных пассажиров, он пробился к окну и сел, столкнув с сиденья какого-то спящего ханыгу. Ханыга повалился на пол ко всеобщему удовольствию, но так и не проснулся. Автобус тронулся.

Сынок сидел у окна и безо всякого интереса смотрел, как проносятся мимо дома, машины, люди. Любой, кто посмотрел бы на него, сразу увидел бы, что все происходящее, как, впрочем, и сама жизнь, Сынку абсолютно безразличны.

Автобус остановился у Казанского вокзала.

Глава 5

ЛОГОВО

— Пожалуйста... Потом сама приползешь... А я скажу — сама этого хотела, сама получила... Что, я не зарабатываю, чтоб отдохнуть по-нормальному? Имею право. И посмотрим еще, как ты без меня проживешь? Видел я таких. В дом она меня не пускает! В мой дом меня не пускают! И Вовка, тоже, называется, сын! Не сын, а засранец. На родного отца! Ну погоди, попросишь ты у меня мотоцикл! Хрен я тебе дам, а не мотоцикл. Весь в мать, отличник чертов. Мы еще посмотрим, как ты на хлеб заработаешь, когда вы с твоей матерью одни останетесь, без меня. А я вам вот денег дам! «Алкоголик»! Сами вы! Что я, права не имею?! На свои пью! От вас фиг дождешься! Испугали — не пустим в дом! Да пошли вы! Меня, вон, везде с праспрас... распрас... прастертыми объятьями. Вон к Виталику пойду... Или к Борьке... Или просто в гараже переночую. Ничего, не замерзнем, русские не сдаются. Мы идем по пути Ленина...

Где тут моя ракушка? Где тут мой гаражик? Вот он, родимый. Вот моя деревня, вот мой дом родной... Ничего, перезимуем...

Вот суки, куда телогрейку дели? Где моя телогрейка, спрашивается!

А холодно... Так за ночь дуба дашь...

О, песик, пойди сюда. Давай вместе спать ляжем, ты меня будешь греть, а я тебя. Никому мы, песик, не нужны... Как две бездомные собаки. Ничего, они потом сами пожалеют. Давай, прижмись ко мне, иди сюда...

Э, все, хорош. Одного хватит. Куда лезете? А ну пошли отсюда, шавки поганые!

Ах, сука, ты тоже на меня?! Я его пригрел, а он на ме...

Х-р-р-р...

Собачников из санэпидстанции приглашали уже четвертый день. Они рыскали по микрорайону, но изловили только трех бездомных собак. Никаких громадных стай, о которых каждый день сообщали жители, они не нашли.

В отделении милиции ко все учащающимся жалобам жильцов относились скептически. До тех пор, пока не нашли разорванное тело гражданина Суковнина в его собственном гараже. Зрелище было не для слабонервных — у Суковнина отсутствовали руки, а голова валялась в кустах, изгрызенная до неузнаваемости.

Тогда дали задание всем участковым, патрульным отслеживать собачьи стаи и тут же докладывать в отделение.

Жильцов попросили без нужды не выходить на улицу, особенно в темное время, а детей вообще не подпускать к дверям.

Но до семи вечера никаких сообщений о собачьих стаях не поступило.

В девятнадцать пятнадцать участковый Игнатов возвращался домой. Он проводил так называемую профилактическую беседу с пацанами из десятого дома. Эти придурки взялись «очищать Москву от черножопых», как они сами формулировали свои цели. Попросту нападали на жителей Кавказа, торгующих на местном оптовом рынке. Избивали нещадно, отбирали деньги, часы, кожаные куртки, даже документы. Кавказцы тоже в долгу оставаться не хотели. Они сколотили собственную «бригаду» и теперь охотились на маленьких расистов.

Игнатов и сам недолюбливал «лиц кавказской национальности», но в данном случае имело место нарушение правопорядка, которое участковый и собирался пресечь.

Беседа с пацанами ничего не дала.

— А мы че?! Мы ниче! — тупо твердили они, не внимая мудрому слову милиционера. — Кто сказал?! Когда? А вы докажите! Ниче не знаем!

Игнатов их все-таки предупредил об ответственности, добавив, что, если кавказцы найдут пацанов и отомстят, он попросту закроет на это глаза.

— Пусть токо сунутся! — ответили пацаны, которые в предупреждении участкового увидели лишь перспективу новых боевых действий.

— Я вам сказал, — закончил разговор участковый. — Если еще раз услышу, пеняйте на себя. Загремите все, как один.

До дома быстрее было идти напрямик, через пустырь, поэтому участковый свернул на еле видную в темноте, осклизлую от тающего грязного льда тропинку. Конечно, он помнил предупреждение о собачьих стаях, о том, что ходить в темноте одному опасно, но именно поэтому и свернул. Он знал, что собачники из СЭСа сюда, на пустырь, не заезжали, вот и надеялся, что найдет тут собачью стаю.

Но на пустыре не было ни одной живой души. Игнатов даже постоял несколько минут, посвистел, приманивая собак, — ни одна не показалась. Он двинулся дальше, поплотнее ставя ноги на коварную тропинку. Пожалел, что не захватил фонарик, потому что в двух шагах впереди уже ничего видно не было.

Как ни крепки были нервы у старого участкового, а он аж охнул, когда нога наступила на что-то, показавшееся участковому сначала веткой и скользнувшее под ногой. Уже в тот момент, когда нога предательски поехала вперед, Игнатов понял, что наступил на оторванную человеческую руку.

Игнатов наклонился к руке, еще не зная, как поступить, и в тот же момент скорее почувствовал, чем услышал, пролетевшее над его спиной мохнатое тело.

Игнатов невольно отшатнулся назад, когда пустырь вдруг ожил оглушительным собачьим хрипящим лаем. Теперь Игнатов разглядел — вокруг были сотни собак.

Они мчались на него, они скалили зубастые пасти, они хотели Игнатова убить.

Еще и потому участковый не побоялся идти через пустырь, что как раз сегодня положил в кобуру не ветошь, а тяжеленького «макарова». С полным боезарядом.

Через мгновение пистолет был в руке, затвор легко передернулся и грянул выстрел, сбивший в полете бешеного пса, метившего Игнатову прямо в горло.

Второго пса Игнатов только подранил, тот завертелся на снегу, разбрызгивая черную кровь. Третьему участковый попал прямо в глаз, и тот ткнулся мордой в снег, еще по инерции прокатившись почти до самых ног милиционера.

— Ну что, сволочи, взяли?! — зарычал милиционер. Охотничий азарт заставил все его тело дрожать лихорадкой. — Ловите!

Он выстрелил еще два раза, убив еще одного пса.

Стая замерла только на секунду, а потом, словно забыв о человеке, бросилась на мертвых своих сородичей и стала рвать их в клочья.

Игнатов выстрелил еще раз в сплетшийся клубок рычащих тел. И собачья стая бросилась куда-то в сторону оврага, унося за собой ошметки разорванных дохлых псов.

Человеческую руку Игнатов отнес в отделение.

На следующее утро стало известно, что рука, найденная Игнатовым, гражданину Суковнину не принадлежит.

Днем на пустырь пришла рота курсантов школы милиции с автоматами. По следам крови искали, куда скрылась стая. Но следы терялись возле оврага. Прочесали все вдоль и поперек — ничего похожего на укрытие собак не нашли.

Когда собрались уже уходить, прибежал участковый Игнатов.

— Я нашел! Это в заброшенном бомбоубежище.

Сделали стремительный марш-бросок к бомбоубежищу.

Бетонная будочка во дворе школы с решетчатыми деревянными окнами. Посветили внутрь — глубокий колодец со скобяной железной лестницей, а внизу кишит собачьими спинами.

— Гранату бы туда бросить, — предложил кто-то.

Уже собрались палить вниз из автоматов, когда кто-то сообразил:

— А как они сюда забираются? По лестнице, что ли?

— У них другой выход должен быть, — догадался Игнатов. — На пустыре. Если мы отсюда пальнем, они туда и смоются.

Снова часть курсантов отправилась на пустырь. Окружили овраг с автоматами на изготовку.

Все уже было готово к тотальному уничтожению бешеных диких собак, когда вдруг стали собираться вокруг жители соседних домов. Откуда-то даже журналисты появились с телекамерами.

— Вот смотрите! — кричал какой-то бородатый дядечка. — Так в нашей стране воспитывают детей — убивают среди бела дня беззащитных животных.

— Это дикость!

— Варварство!

— Кто позволил?!

— Мы на вас в суд подадим! За жестокое отношение к животным!

Телевизионщики все это усердно снимали, явно сочувствуя протестующим.

Пришлось вызывать дополнительные наряды, создавать оцепление, оттеснять толпу, прибыло начальство, словом, суета и неразбериха. Потом приехал вдруг заместитель префекта.

— Остановить убийство животных! — закричал он.

Хорошо, что начальник отделения успел подхватить заместителя и увести в свою машину, здесь и показал фотографии покусанных граждан, показал и фото тела растерзанного Суковнина.

Пришлось заместителю, скрипя зубами, согласиться на варварскую акцию.

План был такой — бросить в колодец газовую шашку, а саму акцию по уничтожению провести на пустыре, подальше от людских глаз.

— Успокойтесь, граждане, мы не собираемся убивать собак, мы хотим их только усыпить! — убедительно врал какой-то милицейский начальник.

Из оцепления видели, как человек в противогазе бросил в колодец бомбоубежища круглый предмет.

Ничего после этого не произошло.

— Ну, видите, собачки уснули, теперь их можно перевезти в специальный центр, — говорил в телекамеру милицейский чин. — Мы гуманные люди...

Договорить он не успел.

Треск автоматных очередей донесся с пустыря.

Толпа замерла. А потом взвыла с новой силой:

— Убийцы! Варвары! Дикари!

А на пустыре разыгралось настоящее побоище.

Из незаметной норы в овраге вдруг выкатились на курсантов испуганные псы, те стали поливать их из автоматов. Через минуту нору завалило собачьими трупами. Визг и лай стояли до самых серых небес.

Но еще через минуту все стихло. Собаки больше не лезли из норы.

— У них еще один выход есть, — сказал кто-то. — Мы их упустили.

Возле бомбоубежища толпа наседала на милиционеров. Крик тоже стоял несусветный. Стражи порядка уже готовились пустить в ход дубинки, потому что толпа разъярилась не на шутку.

Милицейский начальник сел в машину и укатил от греха подальше. Заместитель префекта срочно куда-то звонил по мобильному телефону.

И в этот момент случилось необъяснимое. Из колодца бомбоубежища сначала выскочила первая собака, а за ней вторая, третья...

На мгновение все замерли от неожиданности. А собак все прибывало. Обезумевшие от страха псы совершали невозможное, они карабкались по железным скобам и вырывались наружу, где были люди.

Первым они повалили на землю милиционера, который оказался у них на пути. Бедняга еле успел достать пистолет. Но стрелять побоялся — мог попасть в людей.

Коллеги сапогами отбили его, окровавленного, у разъяренных псов. А те бросились на толпу. Началась дикая паника.

— Стреляйте! — кричал бородач, защитник прав животных. — Стреляйте!

— Убейте их! — орали остальные.

Телевизионщики бросились врассыпную, спасаясь от бешеных собак.

В конце концов милиционеры стали стрелять в собак,

не жалея патронов. Собаки метались в узком пространстве двора школы, погибая от безжалостных пуль.

Через полчаса все было кончено.

Потом, когда увозили на грузовиках трупы собак, оказалось, что их около тысячи.

Но на этом ужасы не закончились. Можно сказать, что они только начались.

Добив всех собак снаружи, несколько добровольцев спустились в бомбоубежище. Здесь уже было проще — оставшиеся псы не бросались на людей. Они покорно ждали пули и, получив ее, тихо умирали. Потом поняли, что здесь остались только недавно ощенившиеся суки.

Очистив от собак подземелье, милиционеры решили обследовать его. Хотелось узнать, что же заставило четвероногих «друзей» собраться здесь в таком количестве.

Участковый Игнатов, который тоже был среди добровольцев, держа на руках попискивающего щенка — рука не поднялась пристрелить, — дошел до самого дальнего коридора, толкнул полусломанную дверь, посветил фонариком и обомлел.

В огромной комнате лежала груда человеческих костей: ребра, черепа, берцовые кости... Наверное, собаки не смогли растащить их потому, что в полусломанной двери была только узкая щель.

На следующий день приехали эксперты.

Выводы их оказались ошеломляющими.

Пятнадцать трупов. Семь мужчин и восемь женщин.

Но убили этих людей не собаки — у всех черепов в затылке была маленькая дырка от пули. Кто-то этих мужчин и женщин расстрелял.

И самое странное, что никто не искал погибших.

Глава 6
ВОЗДУШНЫЙ ШАР

— У тебя все готово? Ты где?

— Дома... Ты мне по домашнему звонишь...

— Ах да... Так у тебя все готово? А мэр будет?

— Будет.

— Точно?

Потом позвонили еще человек восемь, и всех интересовал прежде всего мэр.

Сегодня Иринины сборы на работу проходили с трубкой у уха.

— Я распорядилась...

Колготки запутались — гадкая примета...

— Этим Сафонов занимается, у него спрашивай. Как заболел? Когда? Сафонов заболел?

Вот тебе раз... Это не примета, но приятного мало.

— Привет, это Сафонов.

— Нашел когда болеть!

— Кто тебе сказал? Я в приемной у Нагатина с шести утра!

Бардак! Только пусти наших людей в иностранную фирму — сразу бардак!

— Йес! Гуд морнинг, Петер! Донт ворри, ай шел ду май бест!

Начальство засуетилось. Много, много она на себя взвалила! Если не справится, на нее всех собак спустят.

— Да, слушаю! Кто это? А вы кто? Нет, к стоматологу не записываем, правильно номер набирайте!

Чайник не закипает. Что с головой делать? Швабра какая-то, а не голова.

— Светка, привет! Тебе щипцы электрические очень сейчас нужны? Тогда я заскочу!..

Воды нет! Нет горячей воды! И холодная капает кое-как.

— Алло, здравствуйте. В пятнадцатом доме нет горячей воды, что случилось, это надолго? Что?! Когда?! Через три недели?! Нет, не читала... Да не висит у нас никакое объявление! Да, значит, сорвали...

Почему? Почему летом отключают воду? Люди летом потеют меньше? Почему ее вообще отключают?

Чайник закипел. Чашку на кофе, а остальное на голову. Нет, на кофе — полчашки...

— Ирка, я тебе по секрету. Свенссон беспокоится.

— Он звонил мне пять минут назад, я ему все по полочкам разложила.

— А он как раз после разговора с тобой и забеспокоился...

— Да ну тебя! Будь что будет...

— Как знаешь... Я предупредила...

Все в подруги набивается. Знаем мы, какая из тебя подруга. За «Голден леди» мать родную продашь.

А у бабули теперь занято. И с кем можно трепаться в такую рань?

— Малыш, здравствуй... Разбудил?..

И сердце затрепыхалось пуще прежнего. И ковшик с теплой водой завис в воздухе над головой.

Руфат. Они вчера собирались сходить на «Годзиллу». Она обещала позвонить и не позвонила. Замоталась. Так всегда, о самом близком человеке вспоминаешь в последнюю очередь.

— Руфик, я не могу сейчас говорить. Ни минутки не могу. Простишь?

Он простит. Он простил ее даже тогда, когда она заявила, что не любит его. Улыбнулся только, жалобно так. И в тот момент Ирина вдруг ощутила, что любит. Вроде бы... Во всяком случае, она пыталась себя в этом убедить.

Эх, взять бы отпуск и запереться с Руфатом на целый месяц! Уж за месяц можно будет разобраться в своих чувствах. Да какое там!.. В конце недели опять надо в Прагу лететь.

Бабуля опять трубку не поднимает. Только что занято было! Наверное, на кухню ушла и не слышит. Глухомань!..

— Алло! Стоматолог сегодня не принимает! И гинеколог тоже! А вот так!

Перед выходом, а вернее, вылетом у зеркала задержалась, чтобы полюбоваться собой. Хороша! Никакой мэр не устоит...

В лифте опять лампочку выкрутили. Или сама перегорела. В темноте кромешной не разберешь. Раздолье для маньяка, хоть свечку с собой носи.

— Ну ты сегодня ва-аще! — восхищенно воскликнул парнишка лет восемнадцати, новый сторож с автостоянки. Имени его Ирина не помнила, хоть тот пару раз и пытался к ней поклеиться. Лицом совсем неплох, но уровень, увы, не тот. Сторож автостоянки... Этого Ирина позволить себе не могла.

Двигатель завелся с первого оборота. Наконец-то добрая примета!

В узкий двор задом пыталась въехать длинная фура. Водитель по пояс высунулся из окна, пытаясь рассмотреть, много ли осталось до мусорного контейнера. Если проедет еще метра три — все, перегородит дорогу.

Ирина вдавила педаль газа и рискованно проскочила между фурой и мусоркой.

— Дура! — донеслось ей вслед.

В ответ Ирина выставила в окно руку с вытянутым средним пальцем. Кажется, она поймала кураж.

По пути к Маяковке успела переговорить с дюжиной бестолковых мужиков. Одного так просто послала на три буквы. Достал... А бабушка опять на телефоне повисла. Ну и ладно.

Прямо под памятником Маяковского Ирину уже ждали в полной боевой готовности несколько высоких милицейских чинов. У каждого в руке хрипела рация.

Вот с этими все легко и понятно. Белое, это белое. Черное, это черное. Надо перекрыть Тверскую? Что ж, перекроем, будьте спокойны.

В ту минуту главным человеком для них была Ирина, и офицеры никоим образом не нарушали эту субординацию. Только один полковник постоянно задавался тихим вопросом в пустоту:

— И кому все это надо?..

Идея в будний день перекрыть главную улицу столицы и пройтись по ней веселым карнавалом принадлежала Ирине. Она ляпнула об этом на селекторном совещании фирмы. Именно что ляпнула, только чтобы не молчать. А Свенссону понравилось. И он распорядился начать подготовку. И назначил Ирину ответственной за это рекламное мероприятие. Он из своей заграницы не видел перекошенную рожу Владимира Дмитриевича.

Сколько порогов пришлось ей обить, в скольких важных кабинетах перебывать, со сколькими чиновниками пообщаться, какую сумму наговорить по мобильному — теперь уже и подсчитать невозможно. Ирина не знала отдыха, вкалывала и днем и ночью все эту неделю. Сначала от страха, что проколется, а затем втянулась и даже стала удовольствие получать от этого немыслимого круговорота событий. Она ощутила себя настоящей «бизнесвумен». Завистников на работе конечно же поприбавилось, ну да черт с ними, с завистниками.

— Вот эта кнопочка для разговора, — инструктировал Ирину милицейский чин, протягивая ей рацию. — И держите ее крепко-крепко, не отпускайте.

— Хорошо...

— А в остальном — все, как договаривались. Не волнуйтесь, не подведем. Но и вы уж постарайтесь...

Рация оказалась невероятно тяжелой и большой, в сумочку не влезала. Придется повсюду таскать ее в руке.

— Да, вот еще что... Мы сегодня в баньке собираемся попариться всем командным составом, — продолжал как бы на ту же тему чин, только теперь уже почти шепотом. — У нас традиция такая, по вторникам... А банька хорошая, ведомственная, вам понравится.

— Вы приглашаете меня в баню? — уточнила Ирина.

— Ну так... — засиял чин. — Не подумайте чего плохого. Мы люди немолодые, серьезные.

Кажется, ее окончательно признали за свою.

— Спасибо, конечно... Я подумаю.

Ровно в полдень на опустевшую Тверскую тягач выкатил платформу, выполненную в форме огромного сотового телефона. Верхушка его антенны раскачивалась на уровне второго этажа. Из чего эта махина была сделана, Ирина толком не знала, то ли из гипса, то ли из каучука, но средств в нее фирма вбухала немерено. Как и во все остальное. А остальное — это духовой оркестр, девушки-барабанщицы, клоуны на ходулях и без ходуль, танцоры, жонглеры, фокусники, акробаты, детишки с воздушными шариками. Вся эта толпа дудела, гудела, шумела и всячески пыталась изобразить некий праздник телефонизирования.

— Пусть ваши мысли услышат! — возбужденно неслось из динамиков. — Позвоните родителям из любой точки света!

Прохожие невольно останавливались и кто с улыбкой, а кто насупленно пытались понять, что происходит.

Ирина шла перед тягачом с видом военачальника, расправив плечи и чеканя шаг. В одной руке — мобильный, в другой — милицейская рация, из которой ежесекундно доносились чьи-то хриплые команды. Ей почему-то казалось, что все вокруг смотрят только на нее. И была недалека от истины.

Колонна медленно продвигалась к мэрии. Настолько медленно, что старушки, стоявшие на троллейбусных остановках, приходили в отчаяние и осыпали шествующих проклятиями. Впрочем, когда клоуны начали в разные стороны разбрасывать пластиковые пакеты с символикой фирмы, противников карнавала поубавилось. Хватали целыми пачками.

Группка подростков с гиканьем выбежала на мостовую и попыталась присоединиться к шествию, но пацанов в момент отогнали бдительные милиционеры.

— Пусть идут! — закричала Ирина. — Это же хорошо! Но ее не слушали, теснили мальчишек к тротуару.

А на Пушкинской творилось что-то невообразимое. Автомобили облепили площадь, звуки клаксонов слились в единый какофонический вой, но вскоре и он потонул в бодреньком марше духового оркестра.

— Запускайте шар! — скомандовала Ирина в мобильный.

И через минуту над Тверской, прямо между мэрией и памятником Юрию Долгорукому тяжело поднялась наполненная гелием резиновая телефонная трубка размером с небольшой крейсер.

Перед мэрией за ночь успели сколотить небольшую трибуну. Возле нее столпились телевизионщики и фотокорреспонденты. Все ждали мэра. Он появился, когда колонна поравнялась с трибуной. Легко взбежал по ступенькам и, поправив кепку, приветственно замахал руками. Затем на трибуну поднялся напыщенный Петер Свенссон, специально по такому случаю прикативший в Москву, и торжественно преподнес мэру новейшую продукцию своей фирмы. Защелкали фотокамеры. Настал момент истины. Акция удалась.

Затем мэр что-то долго и запальчиво говорил о важности делового сотрудничества, к чему-то призывал инвесторов, грозил противникам реформ... Свенссон улыбался, не выпуская руки мэра из своих рук, а фотокамеры все щелкали и щелкали.

Ирина махнула водителю тягача, чтобы он ехал дальше, а сама остановилась, завороженно глядя на запруженную людьми и телевизионной техникой площадь перед мэрией. Как-то не верилось, что все это организовала она сама. Практически в одиночку, без чьей-либо помощи. Справилась. Осилила. Чудо свершилось.

— На Пушкинской транспорт можно запускать, — сказала она в рацию.

— Понял, — ответил знакомый голос. — А как насчет баньки?

— Думаю... — улыбнулась Ирина.

На самом деле она думала о том, как бы познакомить-

40

ся с мэром. Другой такой возможности может и не быть. А он уже вроде как отговорил свою речь и, еще раз крепко пожав руку Свенссону, начал спускаться по лесенке.

Расталкивая репортеров, Ирина приблизилась к трибуне, и тут ее заметил Петер. Он поднял над головой большой палец, мол, все в полном порядке.

А еще через секунду прогремел выстрел.

— На землю! — закричал кто-то.

И несколько крепких парней повалили мэра на землю, закрывая его своими телами. Толпа вздрогнула, громко ахнула, затем на какое-то мгновение над площадью воцарилась мертвая тишина, после чего началась безумная паника. Люди бросились врассыпную, сбивая друг друга с ног. Вопили женщины, орали мужики, плакали дети...

Лишь телеоператоры не двигались с места, хладнокровно фиксируя события на пленку. Через несколько минут этот кошмар покажут по телевизору. Если уже не показывают в прямом эфире.

— Что там происходит? — взволнованно спросила рация.

Ирина смотрела на Свенссона. Тот стоял на трибуне, накрепко вцепившись побелевшими пальцами в поручни и дико вращая глазами, в которых легко читалось беспомощное отчаяние. Наверное, пытался вспомнить, когда ближайший рейс на Стокгольм.

— Всем постам! К мэрии! Быстро! — приказывала кому-то рация. — Черт побери, что вы там натворили?

— Это вы мне? — переспросила Ирина.

И в этот момент к ее ногам упал огромный кусок красной резины.

— Тебе, Пастухова, тебе! Что там у вас?

— Кажется, это просто шарик лопнул...

— Что?! Кто лопнул? — недоуменно закашляла рация.

— Шар... Воздушный...

Глава 7

МОНАСТЫРЬ

Везли на простой электричке. Набили полный вагон калек, уродов, старых и малых, в дверях встали по двое крепких мужиков и покатили по рязанской дороге.

Хоть все окна в вагоне были открыты, через час езды

дышать уже было нечем. Впрочем, это мало кого волновало. Народ привычный и не к таким «прелестям». Люди вокруг Сынка сидели поначалу притихшие, испуганные, а потом потихоньку развеселились. Слепой гармонист начал даже наигрывать что-то веселенькое, «Камаринского», что ли. Сынок в музыке плохо разбирался. Он больше думал о том, что реклама называет красивым словом «имидж».

С детства еще знал, что везде и всегда держаться надо независимо, обособленно, на вопросы отвечать не сразу, а лучше вообще не отвечать. Тогда кажется, что ты мудрее и основательнее. К Сынку сразу же подкатили двое пронырливых и крикливых мужичков. Обоим лет за пятьдесят. У обоих не было по уху и по руке. Только у Саши справа, а у Паши слева. А в остальном они были похожи, как родные братья-близнецы.

— Ага, мы инвалиды с детства, — опередил догадки Сынка Паша. — Мы родились сросшимися, как сиамские близнецы, а великие советские хирурги нас разрезали.

— Чтоб им пусто было, — неожиданно добавил Саша. — У нас на двоих три руки было. Им бы, сукам-коновалам, хоть одному эту руку оставить...

— Мне.

— А почему это тебе? Мне!

— Ага, у тебя нет левой, а у меня — правой! Кому нужнее?

— Тебе какая разница? Ты левша!

— А у меня был выбор?

Близнецы уже чуть не подрались, когда вошел здоровяк из тамбура и цыкнул на них:

— А ну-ка, тихо, мелочь.

Братья тут же успокоились.

— Могли бы кому-нибудь руку оставить, так нет, — продолжал Саша, — равноправие, мать их так.

— Хорошо, пускай руку тебе, а ухо мне!

— Почему тебе ухо?

— Потому что тебе руку!

Сынку уже надоел этот дурацкий спор, и он спросил:

— А куда нас везут, знаете?

Сиамские близнецы задумались и ответили чуть не хором:

— На курорт. — И сами же рассмеялись собственной шутке.

— Не знаем мы, — отсмеявшись, сказал Паша. — И какая разница? Кормят, платят — хуже не будет.

— Я слышал, — понизил голос Паша, — американцы построили такое место для инвалидов. И там людей не хватает. Вот нас и везут.

В добродетельных американцев Сынок не очень-то верил, хотя эту версию выдвигали уже несколько его попутчиков. Но уж слишком не походили на помощников благотворителей крепкие ребята, охранявшие бомжей.

— А не понравится — смоемся, — оптимистично заявил Саша.

«Действительно, — подумал и Сынок, — чего я дергаюсь? Не покатит — уйду и все».

Скоро уставшие от монотонности дороги бомжи в вагоне задремали. Сынок тоже поклевал носом, даже увидел какой-то замысловатый сон почему-то из жизни Древней Греции. Кажется, если ему не изменяла память, это было что-то о Спарте. Еще когда-то учитель истории, которого обожали все — и пацаны и девчонки, — рассказал им историю о пареньке, который в этой самой Спарте нашел лисенка и принес его на урок, спрятав за пазуху. Лисенок, зараза такая, начал его кусать, а он не мог виду подать, чтобы учителя не заметили. Так лисенок прогрыз ему живот до самых кишок. Вот Сынок себе и приснился этим пацаном...

— Подъем! — гаркнули над самым ухом. — На выход!

Электричка подкатывала к какой-то небольшой станции. Какой, Сынок не разглядел — на улице уже был вечер.

Бомжи стали хватать свои пожитки и тянуться к выходу, но крепкие парни эти мешки, котомки, рваные сумки и пакеты у бомжей вырывали из рук и выбрасывали.

— Нечего, нечего, там вам все новое дадут.

У Сынка никаких пожитков не было, поэтому ему волноваться было нечего, а вот с сиамскими близнецами повозились — те вцепились в свой небольшой солдатский мешок и ни за что не хотели его отдавать. Стояли плечом к плечу и довольно ловко отбивались от крепкого парня.

— Не тронь! Не отдадим!

На помощь пришли другие парни, близнецов расцепили и, отобрав мешок, вышвырнули на платформу.

Мешок упал прямо под ноги Сынку, и он незаметно

43

сунул его под пиджак. Зачем он это сделал, он и сам не знал.

Электричка стояла, пока не вышли все бомжи. Просто один из парней сдернул стоп-кран и не отпускал его, пока вагон не освободился.

«Они тут, как хозяева, — подумал Сынок. — С ними шутить не стоит».

Выстроив бомжей на платформе и пересчитав их, парни произнесли напутственную речь, смысл которой сводился к простому — идти недолго, в пути не отставать, если кто отстанет, мы поможем.

Как потом оказалось, все нехитрые тезисы этой речи были сплошным враньем.

Бомжи тащились сначала по дороге, а потом по лесной тропе часа три. Скоро многие стали отставать, падать от усталости, особенно калеки. Но парни с этим справлялись лихо — просто начали отставших бить почем зря. Да весело так бить, с шутками-прибаутками.

— Шоковая терапия, ребятки!
— Дают — бери, бьют — беги!
— На земле лежать — вредно для здоровья!
— Не спи, простудишься!

Безропотные бомжи кричали, стонали, но поднимались и шли. Сынок тащил на плече Сашу, который тихонько ныл:

— Лучше бы я сдох в канаве... Лучше бы меня менты загребли... Лучше б я стал гомосеком...

Последняя перспектива рассмешила Сынка, а оказывается — зря. Обиженный почему-то Саша с горячей обидой и не менее горячей, но тщательно скрываемой гордостью рассказал, что к нему на Савеловском рынке, где он промышлял попрошайничеством, не раз подкатывался какой-то «приличный человек», как выразился сам Саша, со странным предложением — «участвовать в судьбе».

— Это что значит? — спросил Сынок.
— А ты сам не сечешь? Трахнуть он меня хотел. Извращенец хренов. А с виду — приличный человек. Эх, лучше бы я гомосеком стал.

Когда наконец вышли из леса, шумная компания была тиха и жалка.

— Все, ребята, пришли! — приободрили бомжей крепкие парни. — Ну-ка, построились, веселее.

Посреди огромной поляны в темноте ночи белели высокие белые стены. Почему-то казалось, что эти стены невероятной толщины. Прямо-таки крепостные. За стенами угадывались церковные купола. Огромные чугунные ворота были закрыты.

— Э-э... — протянул Паша. — Это че, монастырь? Я в монахи не пойду. Я че, дурной? Я и в Бога не верю.

Наверное, такие же мысли осенили головы и других бомжей, потому что и так не очень бодрый ход толпы сначала замедлился, а потом и вовсе остановился.

— Вот тут, Сашка, тебя гомосеком сделают точно, — мрачно предрек Паша. — Монахи же все пидоры.

— Чего встали? Вперед.

Но толпа угрюмо молчала. Эти несчастные, полуголодные, больные люди, будущее которых было беспросветным и ничтожным, ни за что не хотели променять свою никчемную жизнь на благочестивую.

— Мы в монастырь не пойдем! — наконец решился кто-то высказать общую мысль.

— Кончай бузить! Какой это монастырь? Тут нормальные люди живут, — расхохотались парни. — Вас там, придурков, оденут, обуют, вымоют и накормят.

Но толпа уже парням не верила.

Неизвестно, чем бы кончился этот молчаливый бунт, если бы ворота вдруг со скрипом не распахнулись и не вышли бы к толпе прибывших несколько человек с фонарями.

Это тоже были одноногие, однорукие, ущербные люди, но куда более сытые, здоровые и счастливые на вид.

— Картавый! Вовка! — радостно закричал один из них, увидев кого-то в толпе. — И ты здесь?! Канай сюда, обнимемся! Чего мнешься, дурак, ты знаешь, как тебе подвезло! В рай попал!

Он обнял одного из пришедших, а тут и другие разыскали своих знакомых по прежней нищей жизни. Началось живое общение, которое всегда убедительнее всяких призывов. Обитатели странного монастыря расписывали нынешнюю свою жизнь в таких лучезарных красках, так убедительно, что вновь прибывшие постепенно оттаивали.

— Ну хватит тут разговоры разговаривать, — вышла из ворот пышногрудая тетка, почему-то со скалкой в руке, — ужин стынет! Есть-то хотите?

Вид у нее был такой уютный, вкусный, домашний, что бомжи сразу признали в ней то ли мамашу, то ли любимую жену. Наверное, еще и скалка в ее руках придавала образу давно забытое нищими ощущение семейного тепла.

Уже размягченная толпа бомжей потянулась в ворота, а Пашка подскочил к пышногрудой и наябедничал:

— А нас в дороге били!

— Как били? — не поняла тетка. — Кто?

— Да вот эти! — он ткнул пальцем в крепких парней.

— Вас били?! — ахнула тетка.

— Били! — закричали бомжи. — Вот эти фашисты!

И скалке тут было найдено применение. Как же тетка охаживала по бокам крепких парней — ну прямо тебе строгая жена привечает пьяного мужа.

Бомжи зашлись в злорадном хохоте, который окончательно успокоил их.

Только Сынок подумал: «Чего-то слишком мягко стелят».

Впрочем, вслух не высказался, держал «имидж».

Действительно, постригли, продезинфицировали, вымыли, дали более или менее приличную одежонку и накормили просто, но от пуза. И тут увидел Сынок, что люди вокруг него обычные. Конечно, инвалиды, конечно, калеки, но физические недостатки перестали быть так видны, а высветились лица — нормальные лица нормальных людей. Даже откуда-то из забытых загашников достали приличные манеры: пропускали вперед женщин, помогали безногим, не бросали объедки на пол, даже не чавкали. И разговоры вдруг пошли вполне человеческие, даже задушевные. Конечно, вспоминали милые времена, когда были физически здоровыми, когда могли работать и любить.

Сынок улучил минутку и заглянул в мешок, столь рьяно оберегаемый Сашей и Пашей. Были там, как у хорошего солдата, — ложка, нож, котелок, теплые портянки, сточенные лезвия и несколько парных фотографий, очевидно, родители близнецов, хотя почему-то пар этих было несколько.

Чего уж сиамские близнецы так за этот мешок держались, разве что фотографии жалко было?..

Сынок вернул нехитрый скарб Саше и Паше, которые чуть руку ему не обцеловали за это.

Изнутри монастырь оказался... монастырем. Только в церквах были столовые, какие-то мастерские, огромные спальни, еще что-то, чего Сынок рассмотреть не успел или не смог — многие помещения были закрыты.

Когда поели и покурили на улице, повели всю компанию размещаться на ночлег.

Женщин в одну сторону, мужчин — в другую.

— Ты рядом с нами просись, — советовали близнецы. — Ты нам теперь кореш по гроб жизни.

Но просить и не пришлось. Их завели в небольшую церковку, где уже стояли у стены разобранные железные кровати, свалены были в углу матрасы, на входе выдали каждому комплект постельного белья и полотенце. Бомжи сами собрали кровати, которые очень напоминали солдатские, сами поставили, как считали нужным.

Сынок расположился рядом с окном, на верхней койке, а близнецы еще долго спорили, кто будет спать под ним, впрочем, конца спора он уже не слышал, уснул. Даже подумать не успел...

Глава 8

ДЕНЬ ОГОРЧЕНИЙ

Ирина подхватила Руфата у метро.

Обнялись. Поцеловались.

— Ты чего такая горячая? — проведя ладонью по ее щеке, проворковал Руфат.

— В бане была.

— В какой бане? Ты же не ходишь в баню...

— В ведомственной.

— А зачем?

— Дома воду горячую отключили.

Парень не смог уловить, шутит она или говорит правду. Вроде шутит. А глаза при этом серьезные.

— Есть хочешь? — спросила Ирина.

— Нет.

— А я хочу есть.

У входа в ресторан Руфат замялся. Заведение было швейцарское, очень дорогое.

— Не бойся, сегодня я угощаю, — хлопнула его по плечу Ирина.

— Нет, погоди... Кто из нас мужчина?

— Ты мужчина, ты. А я эмансипе. Идешь или нет?

Их провели в зал, усадили за столик у окна, зажгли свечку, подали аперитив. Все это время Руфат насупленно молчал.

— Ну? — Ирина подняла бокал.

— За тебя, — скупо молвил Руфат. — Верней, за нас.

— Банально, но если нет других предложений...

Чокнулись, выпили.

— Я соскучился.

Он еще не знает, что она все решила. Как ему сказать? Он же не отпустит.

— Я тоже...

— Мы не виделись больше месяца. У меня поллюции начались.

— Фи.

— А у тебя все работа, работа... Я больше не могу так... Я хочу быть рядом... Каждую минуту... Или хотя бы каждую ночь...

— Тише.

— Ты переедешь ко мне?

— Налей еще вина.

— Переедешь?

— Нет.

— Почему?

Он смотрел на нее зло, почти с ненавистью.

— Долго до работы добираться.

— Опять эта работа... Развалилась бы эта фирма к чертовой матери...

— Да? А жить на что?

— Я буду зарабатывать.

— Вот когда начнешь, тогда и поговорим...

— Значит, все дело в деньгах? — догадался Руфат, и эта догадка привела его в ужас.

— Ты хотел налить мне вина.

— Ну да, конечно... Я мало зарабатываю, вот в чем дело... А то, что я тебя люблю, что думаю о тебе постоянно, — это так, пустяки...

— Руфаш, деньги здесь ни при чем... — она положила ладонь на его запястье. — И не говори больше такие глупости, пожалуйста... Мы сейчас поужинаем, потом поедем ко мне, и мир сразу станет прекрасней...

— Ну вот. Опять ты все за меня решила.

Нет, она не сможет ему сегодня сказать. Он слишком заведен, еще глупостей всяких натворит.

— Я очень устала, Руфаш... Сегодня такое на работе было...

— Опять ты про работу? Нет, я как-то не вписываюсь в твои планы. Явно не вписываюсь... Ты меня все еще не любишь?

— Давай помолчим немного.

— Давай.

Когда Ирина расплачивалась своей кредиткой, Руфат отошел в сторону...

Потом они долго ехали через запруженную Москву и болтали о всякой веселой ерунде, отношения больше не выясняли, напряжение как-то само собой улетучилось.

Он внес ее в квартиру на руках, положил на кровать, сам лег рядом и серьезно произнес:

— Знаешь, мне наплевать, как ты ко мне относишься...

А через час Ирина лежала на спине, раскинув руки и блаженно полузакрыв глаза. Такого оргазма у нее не было очень-очень давно. А может, и вовсе никогда не было. И Руфат в этот раз был каким-то другим, будто подменили человека...

Ирина окончательно запуталась. Она все еще была уверена, что не любит его. Но разве можно испытывать такие чувства к мужчине, которого не любишь? Запуталась...

Руфат где-то рядом шуршал джинсами.

— Ты одеваешься?.. — не открывая глаз, тихо спросила Ирина.

— Да...

— Зачем?..

— Ухожу.

— Куда?..

— Домой...

Она резко приподнялась на локте:

— Что случилось?

— Ничего... Тебе завтра на работу. Ты должна выспаться.

— Я высплюсь. С тобой.

— Я буду мешать.

— Не будешь, дурачок. Ложись рядышком.

— Это ты думаешь, что я дурачок... А я не дурачок... Все, привет...

И прежде чем она успела его остановить, Руфат буквально выбежал из квартиры, громко хлопнув дверью.

Еще какое-то время Ирина голой простояла в прихожей, пытаясь понять, что произошло. Наконец поняла. Он довел ее до блаженства и оставил. Красиво. Посмотрим, что он завтра запоет...

Спать совершенно не хотелось. Ирина бесцельно послонялась по квартире, выпила холодной воды, позвонила бабушке. Опять занято. Это уже становилось странным.

Первое, что Ирина увидела по телевизору, был репортаж с Тверской. Разумеется, основное внимание было уделено взрыву гигантского резинового телефона. Оказалось, за то время, что Ирина провела с Руфатом, милиция задержала мальчишку лет десяти, который и подбил рекламный дирижабль с помощью обыкновенной рогатки и металлического шарика.

— Малыш, скажи, зачем ты это сделал? — спрашивала у него журналистка.

— Не зна-а-аю... — канючил малец.

— А кто знает?

— Не зна-а-аю...

Затем журналистка попросила в камеру родителей мальчугана, чтобы они пришли в отделение милиции и забрали своего сынка, потому что сам он не помнит, где живет...

— Придурки, — сказала вслух Ирина, имея в виду и мальца, и его родителей, и журналистку, и Руфата, и всех остальных, вместе взятых.

И тут она вспомнила, что не вернула соседке электрические щипцы.

— Ты чего такая? — спросила Светка, едва Ирина переступила через порог ее квартиры.

— Какая?

— Загадочная.

— С Руфатом поругалась.

— С хачиком с этим? — ехидно засмеялась Светка. — И правильно, пусть убирается в свою чучмекию.

Ирина пропустила оскорбления соседки мимо ушей. По существу, она даже в некоторой степени была согласна

50

со Светкой. Пусть убирается. Только чучмекия здесь ни при чем, потому что он москвич и по паспорту русский.

Весь прошедший день состоял из радостей и огорчений. Но огорчений все-таки было больше...

Глава 9

СПАРТАНСКОЕ ВОСПИТАНИЕ

Он проснулся, когда бомжи спали. Храп и стон стояли, как в казарме. Сынок помнил эти неспокойные солдатские сны. Особенно когда был уже «дедом» и мог отсыпаться днем, а по ночам гонял в «дурака» или пил с такими же старослужащими. Иногда из «красного уголка», где они располагались на ночные развлечения, выходил и видел сотню разметавшихся, беспокойных во сне мальчишеских тел. Тогда еще думалось, что все это скоро для него кончится. Не знал, что «скоро» растянется еще на полгода, за которые он побывает на чеченской войне и потеряет руку.

Какое-то время Сынок лежал тихо, прислушиваясь к тому, что происходит за стенами церкви, — было тихо.

Летние ночи короткие, и Сынок знал, что ему надо поторопиться. Скоро начнет светать.

Он тихонько сполз с верхней койки, натянул ботинки, одеваться не стал, чтобы, если его застукают, сказать, что шел в туалет и заблудился.

Тихо пробрался к двери и потянул ручку на себя — не тут-то было. Дверь была заперта.

«А если мне действительно в туалет? — безмолвно возмутился Сынок. — Не на пол же».

Но тут же увидел в углу ведро с крышкой — парашу.

Значит, выходить теперь надо было только на свой страх и риск и, уж конечно, не попадаться.

Сынок тихонько открыл окно — еще с вечера заметил, как это сделать, — и выскользнул на двор.

Это было второе правило Сынка после «имиджа» — знать всегда немного больше, чем остальные.

Он ничего особенного не искал — он должен был осмотреться, так, на всякий случай. А еще — по ночам всякие тайны открываются, что тоже полезно.

Первым делом пробежался по периметру стены. Это

заняло минут двадцать — тридцать, хотя Сынок торопился. Территория монастыря оказалась огромной. Все выходы и входы в стенах были накрепко закрыты. А возле главных ворот еще и дежурили двое в камуфляжной форме. Но оружия при них не было.

Правда, Сынок приметил одну лазейку — прямо у стены рос высокий дуб, по его стволу вполне можно было забраться на самый верх, но вот как потом слезать с обратной стороны, этого Сынок еще не придумал.

Дальше он начал обходить одно за другим закрытые помещения. Тут случился казус. Сынок долго ломал голову, как проникнуть в закрытый сарайчик, а когда наконец придумал и проник, оказался в совершенно пустом помещении.

«Странно, — подумал Сынок, — если сарайчик пуст, зачем его так тщательно закрывать?»

Впрочем, задумываться ему особенно было некогда — надо было до рассвета обследовать еще много мест.

Дальнейшие его путешествия по территории монастыря поставили перед Сынком еще больше загадок. Здесь были такие странные вещи, которые никак не вязались, во-первых, со стенами монастыря, а во-вторых, с его обитателями.

Так, например, Сынок нашел большущую костюмерную. Наверное, такие бывают в театрах. Каких только костюмов здесь не было! Военная форма, милицейская, летная, полно шикарных костюмов и безобразного рванья...

В другом месте он нашел хорошо оборудованный хирургический кабинет. Был зал, полный манекенов. Была комната с компьютерами. Были помещения со множеством тренажеров и еще какими-то странными сооружениями.

«Куда я попал?! — терялся в догадках Сынок. — Что это за место такое?»

Конечно, осмотрел он далеко не все. Кое-куда он не мог попасть, потому что входы охранялись, кое-где все было закрыто наглухо и даже окна заклеены черной бумагой.

Да, теперь Сынок знал больше, но все его знание сводилось к одному — слишком много странного.

Вновь прибывших бомжей разбудили в шесть часов, выгнали на улицу и заставили сделать зарядку. Потом отпустили десять минут на помывку и туалет и погнали в столовую.

«Армия! — сокрушенно качал головой Сынок. — Надо же!»

А после завтрака всех выстроили на площадке перед главным зданием, которое Сынок окрестил плацем.

По высокому широкому крыльцу спустились несколько человек, одетых более чем легкомысленно — белые шортики, веселые рубашки и сандалии.

— Здорово, орлы! — гаркнул один из них, самый толстый и самый старый.

Бомжи ответили нестройным хором.

— Сейчас у вас начнется рабочий день, наши консультанты отберут вас и распределят по группам. Работать будете по двенадцать часов в сутки, сон восемь часов, питание трехразовое, баня каждые три дня. Раз в неделю — кино. Выход за территорию запрещен. Я хотел бы в этом месте пожелать вам, натурально, успехов и отпустить с миром, но у меня к вам только один вопрос: кто из вас сегодня ночью выходил из спального корпуса?

Сынок уже хотел было поднять свою руку, но Саша вдруг вцепился в нее и зашептал:

— Сынок, не надо, не выдавай меня.

«Ого, — подумал Сынок, — не я один такой мудрый».

— Я жду, — сказал толстяк. — Этот человек нам известен. Он нарушил режим, хотя еще и не знал о его существовании. Это несколько смягчает его вину. Но наказан он все равно будет. Если сознается сам — наказание, натурально, будет мягче.

Бомжи озирались друг на друга. Была неприятная минута молчания.

— Ну, я вызываю нарушителя в последний раз.

— Я! — поднял-таки руку Сынок.

Толстяк склонил голову набок, вглядываясь в смельчака.

— Пойди сюда, сынок, — сказал он, не подозревая, что угадал кличку.

Сынок вышел из строя и подошел вплотную к старику. Он ничего не боялся. После войны люди мало чего боятся, кроме самой войны.

— Как тебя зовут, сынок?

— Сынок.

— Шутник, — криво усмехнулся старик. — А меня — Константин Константинович. — И вдруг без размаха больно ударил Сынка поддых.

Сынок, впрочем, был готов к этому. И вовремя напряг пресс. Но все равно, удар оказался болезненным. С трудом удалось не задохнуться.

— А теперь верни то, что ты взял без спроса, натурально.

Сынок ничего не брал. Отдавать ему было нечего. Но и закладывать Сашу он не хотел.

— Я ничего не брал, — сказал Сынок.

Константин Константинович кивнул своим помощникам, и те, подступив к Сынку, ловко заломили ему руку за спину и повернули лицом к толпе.

— Если мы найдем у тебя то, что ты украл, — сказал старик, — тебя накажут сильно.

— Ищите.

Руки стали ощупывать его профессионально, начиная с ног, потом подмышки, спину, и только в конце — карманы.

Еще когда руки обыскивающего только приближались к карманам, Сынок понял, что влип.

— А это что такое? — торжественно поднял над головой хирургический скальпель, переданный ему помощником, старик. — Это тебе трогать нельзя было.

Сынок с ненавистью посмотрел на Сашу, но тот даже глаз не отвел.

— Ну, раз уж ты его взял, почему бы его, натурально, не использовать? — сказал старик. — Проверим, острый ли он?

И, подойдя к Сынку, старик чиркнул скальпелем по его груди.

Протрещала разрезаемая скальпелем рубаха, кожа отвалилась, и брызнула кровь.

Тут Сынок вдруг вспомнил свой сон: рана получилась кривая, словно лисенок прогрыз.

— Вот так, — сказал Константин Константинович. — В следующий раз — отрежу голову. А теперь отведите его в санчасть. Остальных — на работу.

С этого дня Сынок усвоил еще один закон — никому не верь.

Глава 10
БАБУЛЯ-ПУТЕШЕСТВЕННИЦА

Нет, это уже было невыносимо. Опять занято. Придется ехать к черту на кулички. Хотя бы только для того, чтобы от сердца отлегло.

На телефонной станции сказали, что с номером все в порядке, абонент платит исправно.

После вчерашней размолвки с Руфатом настроение было на нуле. И вообще, сработали все плохие приметы. Тапочки так и не нашлись, колготки порвались прямо на ноге, в лифте опять темень. Надо бы в РЭУ скандал устроить...

И движок что-то вдруг заартачился, завелся только раза с десятого. Надо в сервис заскочить на обратном пути...

И автомобильные пробки были длиннее обычного, и погода испортилась, и на работе все какие-то опущенные. Говорят, начальство не в духе.

Взвесив все «за» и «против», Ирина решила, что если она отлучится на часок-другой, то ее исчезновения никто и не заметит.

Однако только одна дорога до бабушкиного дома заняла не меньше часа. Ирина так давно в последний раз была в этом районе, что едва не заблудилась в россыпи панельных девятиэтажек, прежде чем нашла нужную.

Парадная дверь оказалась заперта. Ирина набрала номер квартиры. Домофон загудел, но бабушка так и не отозвалась. Вот так... Пропереться через весь город, чтобы поцеловать замок. Плохой день, тяжелый.

И все же для очистки совести Ирина решила подняться к квартире. Чтобы войти в подъезд, пришлось еще минут двадцать прождать жильца, обладавшего заветным ключиком.

В лифте как-то непривычно горел свет, а на лестничной площадке шестого этажа едко пахло то ли краской, то ли лаком, аж глаза заслезились. Ирина приблизилась к бабушкиной двери, вдавила кругляшок электрического звонка, прислушалась... Ей показалось, что за дверью кто-то или что-то зашевелилось. Она позвонила еще раз. Дверь не открывали. Впрочем, и звонка не было слышно.

— Девушка, вы сюда? — вдруг раздалось за ее спиной.

Ирина испуганно обернулась. Это был парень в настолько запачканной спецовке, что ее истинный цвет не смогла бы установить ни одна экспертиза. Парень приветливо улыбался, прижимая к груди картонный короб.

— Да... Кажется, сюда...

— Зачем же так сильно на звонок давить? — укорил ее парень. — Нежней надо, нежней.

И со всей силы ударил ногой в дверь, отчего та с грохотом распахнулась.

— Прошу!

Ирина заглянула в квартиру и обмерла. Не иначе как бабуля затеяла ремонт на старости лет. Нет, не может быть... С чего это вдруг? И на какие шиши? Да какой ремонт! Стены белые, потолки навесные, пол паркетный...

— Гарик, принимай товар! — гаркнул парень, и через мгновение откуда-то из глубины квартиры вышел высокий седой мужчина в такой же замызганной спецовке.

— Акциз на бутылке проверил? — седовласый недоверчиво заглянул в короб.

— Обижаешь. Продегустировал.

— Да ну!

— Буду я с этими ларечниками церемониться.

Ирина все еще стояла за дверью. Точь-в-точь — бедная родственница.

— Простите... А Зинаида Петровна... Она где?

— Зинаида Петровна? — седовласый оторвал взгляд от короба. — Какая Зинаида Петровна?

— Гузик Зинаида Петровна. Моя бабушка.

Мужчины переглянулись.

— Двоюродная, — на всякий случай уточнила Ирина.

— Ты знаешь, где Зинаида Петровна? — спросил седовласый парень.

— Нет, а ты?

— И я нет. Я вообще понятия не имею, кто она такая.

— И я, — кивнул парень.

— Она — моя двоюродная бабушка.

— Учтем на будущее.

— А это какой дом? Третий?

— Третий.

— Корпус два?

— Корпус два...

— Ничего не понимаю, — Ирина внимательно посмотрела на рабочих. — Где Зинаида Петровна?

— В ванной спряталась.

Ирина ворвалась в квартиру и прямиком в ванную. Но там Зинаиды Петровны не было.

— Ну и шуточки у вас! — разозлилась Ирина. — Кто вы такие?

— А вы кто? — встал в позу седовласый.

— Внучка этой самой... Зинаиды Петровны, — напомнил ему парень. — А мы рабочие. Ремонт тут делаем. Верней, доделываем, совсем немного осталось. А Зинаиды Петровны здесь нет. Во всяком случае, мы с ней не знакомы. Вот так. Теперь все понятно?

— А кому же вы делаете ремонт?

— Кому-то делаем...

— Кому? — Ирина уже находилась на грани взрыва.

— Вообще-то, мы хозяина квартиры в глаза не видели, — парень поставил короб на пол и начал вынимать из него всякие вкусности. — Или хозяйку.

— Да, — подтвердил седовласый. — А по всем вопросам вам лучше к начальству нашему обратиться.

— И где же ваше начальство?

— А кто же его знает?.. Оно само появляется, когда захочет.

— А телефон? У вас есть телефон?

— Не работает, мы как раз проводку меняем.

— Да номер! Номер телефонный!

— Ах, номер... Где-то был... Где-то у меня записан... — и седовласый ушел в комнату, откуда обнадеживающе провозглашал: — Щас, щас, поищем... Одну минутку!..

— Хотите водки? — спросил парень.

— Не хочу.

— Хорошая водка.

— Я за рулем.

Ирина подошла к кухонному окну. Нет, дом и квартиру она не перепутала. Тот же вид, что и лет десять назад, когда она была у бабушки в последний раз. Та же детская площадочка, только вместо новеньких качелей, песочниц и «грибков» — ржавые металлические руины. Та же обнесенная белым забором школа. И хоккейная коробка на месте.

Ирину вдруг охватила паника. Происходило что-то такое, чего она, со своим математическим складом ума, никак не могла себе объяснить. Это как на американских горках. Боишься нахлынувшей на тебя неизвестности. Что за тем поворотом — резкий обрыв или мертвая петля? Ясно лишь одно — ничего приятного за этим поворотом нет...

Затрезвонил мобильный.

— Пастухова, вы где?

Голос секретарши начальника.

— У зубного, — тут же нашлась Ирина.

— Вас Владимир Дмитриевич требует. Срочно. По поводу вчерашнего.

— У меня форс-мажор, вся челюсть перекорежена, — Ирина привнесла в свою речь оттенок шепелявости. — Придумайте что-нибудь.

— Ну-у-у... Не зна-аю...

— Прикройте, прошу вас...

— А сколько вам еще надо?

— Часа два.

— Хорошо, попробую, — смилостивилась секретарша. — А вы как только, так сразу дуйте сюда.

— С меня причитается.

Вот так всегда, наваливается одно за другим.

Окно украсилось узкими продольными полосочками — пошел дождь. Сильный. Ливень.

— У зубного? — улыбнулся парень. — Надо же, всехняя брехня, а срабатывает.

Седовласый наконец откопал бумажку с номером. Ирина сразу же по нему позвонила. Длинные гудки.

— Что с вами? — Парень заметил, что лицо девушки вдруг сделалось серым, а глаза заволоклись слезами. — Может, водки все же выпьете?

Но Ирина, не сказав больше ни слова, быстро вышла из квартиры.

— Кто такая?.. — Задумчиво посмотрел ей вслед седовласый.

— Сказано же тебе, внучка Зинаиды Петровны! — Парень уже соорудил из табуретов что-то вроде стола, уставил его яствами и уютно устроился на полу. — Наливай, Гарик, чего стоишь?

— Странная какая-то... — Гарик разлил водку по стаканам. — И чего приходила? Может, наводчица?

Ирина сидела в своей машине, уронив голову на руль. Шум дождя приглушал ее рыдания.

Она все поняла. Обо всем догадалась. Конечно, бабушки уже нет. Она умерла, не оставив завещания... И неприватизированная квартира отошла государству... Там теперь будут жить чужие люди...

В сознании Ирины возникали туманные картинки из детства. Она пыталась вспомнить бабушку, воссоздать ее образ. И не могла. Забыла ее лицо...

А слезы все катились, и в груди першило до кашля. Зинаида Петровна мало сделала добра своей двоюродной внучке, ни разу не помогла ей ни советом, ни уж тем более деньгами, даже с Новым годом не поздравляла. Но и зла не делала вовсе, за что в наше время обычно говорится большое спасибо. Она была просто родным человеком. Родным по крови, со всеми вытекающими из этого последствиями... Просто живет где-то рядом человек, и ты знаешь — это твоя родня.

Прежде чем войти в кабинет начальника РЭУ, пришлось отстоять очередь. Очередь была небольшая, но каждый посетитель задерживался в кабинете минут на двадцать, после чего выходил в коридор с перекошенным от злобы лицом и матерясь себе под нос...

За столом сидела немолодая женщина с высокой прической и в кофточке, которая вышла из моды где-то в конце застойных лет. Начальница упоенно перекладывала на столе какие-то бумаги и не обращала на вошедшую никакого внимания.

К тому моменту Ирина уже подуспокоилась, да и слезы все, какие были, выплакала.

— Я по поводу Гузик Зинаиды Петровны.

— Садитесь, — не отрывая взгляда от бумаг, махнула рукой начальница.

Ирина села. И начался маразм в стиле социалистического реализма, от которого молодой современный человек уже давно успел отвыкнуть. А Ирина, безусловно, была молодым современным человеком.

— А вы кем ей будете?

— Внучкой.

— Паспорт, пожалуйста. Хм, а как вы докажете, Пастухова Ирина Алексеевна, что Зинаида Петровна Гузик является вам родственницей?

— Я ничего не хочу доказывать. Я хочу знать, жива она или нет. Если жива, то почему в ее квартире находятся какие-то люди? Если умерла, то где похоронена и почему никому об этом не сообщили?

— Мы посторонним таких справок не даем.

— Но я не посторонняя...

— А мне откуда знать? В вашем паспорте не написано, что вы приходитесь родственницей Гузик.

— А разве там должно быть это написано? Господи, да какая разница, кто я?

Но разница оказалась очень большой. Высокая прическа ни в какую не соглашалась раскрыть секреты своего жилищного королевства. Ни под каким предлогом! Ни за что! Ни за какие деньги! Но главное, по закону она была совершенно права.

— А что же мне делать? — растерялась Ирина.

— Ничем не могу помочь, — лаконично резюмировала все вышесказанное нафталиновая кофта.

— Но вы можете хотя бы сказать, жива она или нет?

— Не задерживайте очередь.

Эту напыщенную начальницу легче было убить, нежели вытянуть из нее хоть одно спасительное слово.

— Сука старая!.. — прошипела Ирина.

— А будете хулиганить, быстренько в отделении окажетесь, — огрызнулась тетка.

Ну конечно же! И как она сразу не сообразила?

— А кстати, где здесь отделение милиции? Или вы такие справки тоже не даете?

Милицейский двухэтажный особнячок оказался совсем рядом, практически за углом. Можно считать — повезло.

Ирине объяснили, что время приема начальника отделения, Земцова Юрия Владимировича, уже закончилось, но он у себя в кабинете, и если попытаться, то вполне может случиться так, что примет...

На каждом из погон Юрия Владимировича блестели по две крупные звездочки. Он сидел за столом в той же расслабленно-напряженной позе, что и царица РЭУ, и хотел уже было сказать вошедшей что-то грубоватое, даже рот для этого открыл... Но призадумался. А его близко посаженные к крючковатому носу глаза, внимательно рассмотрев бледное личико Ирины, начали медленно опускаться, закончив свое движение где-то на коленках.

— Вы ко мне? — тонким высоким голоском, совсем

не вяжущимся с его богатырским телосложением, спросил Земцов.

— К вам.

— По какому поводу? Только не говорите, что у вас машину угнали...

Ирина присела на скрипучий стул и подробно объяснила повод своего прихода. Начальник отделения выслушал ее, опустив голову и постукивая карандашом по столу.

— Так-так, понятно, — произнес он, когда Ирина закончила. — А когда вы последний раз виделись с гражданкой Гузик?

— Уж и не помню. Лет десять назад, когда еще моя бабушка была жива.

— Угу. А почему же вы сегодня вдруг?..

— Совсем не вдруг. Понимаете, баба Зина попросила меня при случае купить ей хороший слуховой аппарат, вот я и купила.

— Вы же не виделись десять лет, — в глазах Земцова появились лукавые искорки, мол, что-то тут не сходится.

— Мы по телефону общались.

— Ах, вот как... Ну да... Насколько я понимаю, отношения у вас были...

— Да нормальные были отношения. Верней, не было их вовсе. Как-то не сложились.

— А что так?

— Неприятная это история, — призналась Ирина. — Две дочери. Одна, которая младшенькая, — любимая, другая, постарше, — будто чужая. Одной — все, другой — ничего. Так и росли. Так и не поняли друг друга, не сроднились. И мать каждый раз масло в огонь подливала.

— Странно...

— Ничего странного. Отцы разные. Бытовуха.

— М-да... Бывает...

— А десять лет назад баба Вера, моя родная бабушка, умерла. Она была старше бабы Зины на семь лет.

— Вы уж простите, — смутился Земцов, — что я так подробно расспрашиваю.

— Я все понимаю, — успокоила его Ирина, — поэтому так подробно и рассказываю.

— А когда вы последний раз говорили с бабой Зиной?

— Месяца два назад...

— Два месяца... Хм, даже если предположить, что она... это самое... ну...

— Скончалась, — подсказала Ирина.

— Да, если предположить, что она скончалась, то по крайней мере еще полгода... А еще какие-нибудь родственники у нее есть?

— Нет.

— А общие знакомые хотя бы?

— Не знаю я никого из ее окружения.

— А вы ничего не перепутали? Адрес там, улицу, номер квартиры. Все-таки десять лет...

Ирина безапелляционно покачала головой.

— Разберемся, — заверил ее Юрий Владимирович и потянулся к телефону. — Алло? Это РЭУ? Здравствуйте, Земцов беспокоит. Да, начальник отделения. Я по поводу Гузик Зинаиды Петровны. Да... Да... Пастухова?.. Она как раз сейчас напротив меня сидит. Что? В смысле? Как это? Хорошо... — Он опустил трубку на рычаг и смущенно произнес: — Сейчас перезванивать будет. Хочет убедиться, что я на самом деле тот, за кого себя выдаю. Вот народец!

Высокая прическа в нафталиновой кофточке перезвонила сразу. Ирина пыталась по реакции Земцова определить, какой приговор выносится бабе Зине на другом конце провода, но выражение подполковничьего лица было непрошибаемым. Наконец он повесил трубку и радостно воскликнул:

— Жива ваша баба Зина!

— Господи... — выдохнула Ирина, и слезы опять покатились по ее щекам.

— Только вот... — Земцов протянул ей сложенный вчетверо чистейший носовой платок. — Только вот выписалась она из квартиры. Седьмого июля. То ест без малого месяц назад.

— Как выписалась? — опешила Ирина. — Куда?

— Выясним, — ласково улыбнулся подполковник. — Вы телефончик свой оставьте, я перезвоню.

— А вписался кто?

— Ой... Этого я и не спросил, — рассеянно почесал макушку Земцов. — Вот, кстати, кто должен все знать.

— Вот, здесь домашний и мобильный. — Ирина протянула ему свою визитку.

— Менеджер по связям с общественностью... — прочитал начальник отделения. — Ничего себе... Я, правда, не очень себе представляю, что это такое, но на слух солидно.

— И когда мне ждать вашего звонка?

— Давайте прикинем вместе... Я попытаюсь отыскать нового хозяина квартиры, переговорить с ним. А если не удастся, то свяжусь с участковым, он походит по квартирам, поспрашивает, наведет справки. В общем, к вечеру вполне.

— Я вас так отвлекаю от дел... — растрогалась Ирина.

— Будет вам, — подполковник поднялся и, наклонившись через стол, галантно поцеловал Ирине руку. — Милиционер тоже ведь человек.

И только сейчас Ирина вспомнила, что баба Зина когда-то ей говорила о том, что хочет уехать в какую-то деревню, у ее знакомых там дом пустует, что хочет дожить свой век на земле, коровку доить, за огородом ухаживать...

— В деревню? — задумался Земцов. — А почему нет? Я бы, знаете, тоже не отказался...

Из кабинета Ирина выходила с легким сердцем. Как все-таки приятно, когда к тебе относятся с элементарным уважением, когда слушают тебя внимательно и искренне пытаются вникнуть в твои проблемы, пытаются помочь.

А на работе ее уже никто не искал, тревога оказалась ложной. Владимир Дмитриевич укатил в аэропорт провожать Свенссона.

— Как челюсть? — на прощание осведомилась секретарша шефа.

— Как у бультерьера! — отшутилась Ирина.

Руфат так и не позвонил, хоть Ирина и ждала его звонка не меньше, чем звонка подполковника Земцова.

И она не выдержала, сдалась.

— Алло, Руфаша? Это я...

— Малыш, знаешь, мне некогда сейчас, — сухо отозвался Руфат. — Перезвони попозже. А еще лучше завтра. Все, привет.

И бросил трубку. Ничего себе! Это кто еще должен трубки бросать? Наглец...

Всю дорогу до дома Ирина вслух возмущалась поведением бойфренда и пришла к выводу, что, наверное, так даже лучше будет. У него просто кончилось терпение, вот и вся любовь. Проблема разрешилась сама собой. Она не знала, как уйти, так пусть сам уходит, пусть катится куда подальше. Унижаться она не будет... Все кончено... В том случае, конечно, если он в ближайшие дни не извинится.

А подполковник Земцов оказался человеком слова, позвонил в начале двенадцатого, когда Ирина уже дремала.

— Не разбудил? — первым делом осведомился начальник отделения.

— Нет, что вы! Выяснилось что-нибудь?

— Еще как выяснилось. Вы как в воду глядели. Со слов соседей, ваша баба Зина уехала в деревню. Продала квартиру и уехала.

— А куда? В какую деревню?

— Ну-у-у, Ирина Алексеевна, это уже отдельный вопрос. Да и так ли это важно? Главное, что вы теперь переживать не будете.

— Спасибо вам, Юрий Владимирович, — проникновенно сказала Ирина. — Спасибо вам огромное...

— Да будет!.. — хохотнул подполковник. — Нынешнего хозяина квартиры сейчас в Москве нет, а как появится, я его порасспрашиваю. Может, он в курсе.

— Спасибо еще раз.

— Ну и бабуля у вас, бывает же такое...

— Выходит, бывает.

— А квартирку-то потеряли... А, Ирина Алексеевна?

— И черт с ней... Не думала об этом и думать не хочу...

Земцов обещал связаться с ней, как только появится какая-то информация о местонахождении бабули-путешественницы. На том и попрощались.

Ирина сидела на кровати, закусив губу. Было как-то обидно, горько. Да, неприязнь к сестре невольно перекинулась и на двоюродную внучку. Но есть же какой-то предел... Можно же было предупредить... Впрочем, это в стиле бабы Зины. Зачем предупреждать? Кто ей Ирина такая? Никто.

Глава 11

БРАТСТВО

После публичного наказания порез на груди Сынка зажил довольно быстро. Впрочем, у Сынка был высокий порог боли, он и не такое стерпел бы, не поморщился.

А жизнь в монастыре представлялась чем-то занимательным и полным романтики и все еще не разгаданных загадок. Помимо вновь прибывших здесь было еще человек триста таких же убогих и покалеченных. Но те, кто со «стажем», новичков сторонились. На Сынка тоже смотрели как на новичка, а стало быть, существо низкое в социальном смысле. Кроме того, после показательного наказания Сынок на какое-то время выпал из поля внимания начальства, его не назначили ни в какую группу, и он, чужой и всеми избегаемый, просто болтался без дела. Но постепенно простодушная мордаха Сынка, его обаятельная желтозубая улыбка, готовность поделиться табаком сыграли свою роль, и у него появился свой круг общения. Паши и Саши он теперь сторонился сам.

Проще всего ему было завоевать женские сердца. Начало вхождения в коллектив было положено в швейной мастерской, где он познакомился с Цыпой и Пипеткой — двумя уже не молодыми, но все еще цветущими особами, великими мастерицами в швейном деле и певуньями. Блуждая по монастырю, Сынок прослышал нежное пение на два голоса. Привлеченный звуками русской песни — кажется, «В низенькой светелке», — он просунул нос в дверную щель и попытался втиснуть и глаз, но пение вдруг прекратилось, а дверь была прихлопнута ударом ноги вместе с носом Сынка. Сынок проронил словцо, по смыслу подобное междометию «ай!», но более сочное, после чего дверь растворилась, и пышное женское тело со всклокоченными волосами прореве́ло в звонких и витиеватых, под стать Сынковым, выражениях вопрос, зачем, собственно, он нарушает покой скромных тружениц иглы и нитки. Сынок, нос которого подвергся значительному ущербу, простонал, что можно быть и поделикатнее. Яростная дама, исполнявшая партию меццо-сопрано в песне, схватила Сынка за сухое, жилистое плечо и втянула в комнату. При свете она осмотрела потерпевший нос и утешила с оптимистическим смешком, что до свадьбы, как видится, заживет.

— Пипетка, — представилась она, протягивая красную ручищу, — но лучше Лиза.

— Садись сюда, на тряпки, — призвала его другая дама, — нам чем грязнее, тем лучше. Фу, воняет от тебя...

Несмотря на внешне немиролюбивый разговор, обе женщины оказались вполне приветливы. Пипетка была родом из Орла, ее подруга Цыпа (свое подлинное имя она, по понятным ей одной соображениям, назвать отказалась) происходила откуда-то из-под Новосибирска. Но доверяться автобиографическим сведениям, полученным от девушек, было опрометчиво. Впоследствии Сынок слышал, как Пипетку окликали Люсей или Маней, а сибирячка Цыпа бегло щебетала с кем-то по-украински.

Обе особы скоро привыкли к обществу Сынка. Нисколько не стесняясь, они развлекали себя тем, что заставляли его вдевать нитку в иголку. Они потешались уморительными рожами, которые строил Сынок, зажав губами иглу и скосив глаза, чтобы одной рукой вдеть нитку. Наглядевшись до слез на его старания, Пипетка забирала иглу, ловко вдевала нитку, видимо довольная своим мастерством, и принималась за работу. Труд Цыпы и Пипетки состоял преимущественно в изготовлении драматического костюма для нищенствующих оборванцев. Бывали дни, когда девушки занимались исключительно младенцами. Деревянный чурбачок обшивался грязными пеленками, поверх которых навязывался какой-нибудь трогательный бант, выдающий нежное отношение к чурбачку его сценической матери. Иные псевдодети получались до того правдоподобными, что Пипетка прижимала их к могучей груди и принималась ворковать: «Ты моя доця, ты моя красавыця, лялечка моя», — и, бывало, так входила в образ, что даже пускала слезу.

В иных случаях случались авралы — тогда Сынка гнали взашей, чтобы не отвлекал. Это бывало тогда, когда швеям предстояло скорняжничать. Однажды на полу вместо лохмотьев оказалось поболее дюжины роскошных шуб разного меха. Тут были и соболя, и норка, и крот. Девицы заперлись в рабочем уединении и, кажется, даже не пели. Повидав своих подруг — совершенно изнуренных работой — на четвертый день, Сынок приметил на месте дюжины шуб кучу шапок и воротников, в которых даже самое бдительное и придирчивое око никак не смогло бы определить родства с упомянутыми шубами. Такие авралы девушки не любили, Цыпа с пафосом напоминала Сынку, что она не «рачиха», а профессиональная швея какого-то (высокого) разряда. Зато несказанно счастливы бывали девицы, когда им приходилось обшивать воспитанников Зорро.

Зорро был совсем еще молоденький мальчик. Ему было двадцать два года. Но с виду ему никак нельзя было дать больше семнадцати. Он происходил из города Ярославля и имел, быть может, самую интересную для рассказов судьбу. В целом судьбы всех обитателей братства были драматичны и однообразны. То и дело кто-нибудь, разведя чувства чифирем, порывался повествовать Сынку многосложные перипетии своей биографии, но Сынок, поначалу слушавший внимательно, скоро начинал клевать носом и при удобном предлоге исчезал. Слушать рассказы Зорро было одно наслаждение. Дело в том, что последние годы Зорро провел за границей. Об этом Сынок узнал из странного разговора, состоявшегося между ним и юношей. Тот спросил, нет ли случаем у Сынка какого-нибудь чтива, и, выяснив, что нет, со вздохом сообщил, что трижды читал «Мертвые души» и больше ничего. Выяснилось, что «Мертвые души» были прочтены в Базеле, в тюрьме, попадать в которую Зорро категорически не рекомендовал.

— Будешь в Швейцарии, — доверительно сообщал он внемлющему Сынку, — сдавайся только в немецких кантонах.

Сынок кивал с думающим лицом, словно знал, что такое кантон.

— Из итальянских тебя тут же вышлют, во французских тюрьмы дикие, голод один. А у немцев — благодать. Захотят тебя выслать — требуешь адвоката. Тот три месяца парится — ничего сделать не может. Тогда требуешь другого — тот еще три месяца. Потом подаешь апелляцию. И так почти год. А за год, может, и сбежишь. Там — пожалуйста! — гуляй не хочу, только к вечерней поверке приходи.

Зорро угощался Сынковыми папиросами и, мечтательно запрокинув голову, произносил:

— Но какая тюрьма в Берне — Александрплац, дом три! Вот это мечта...

И Зорро живописал истинный рай, полный йогуртов, тренажеров, телевизоров, фруктов — всего того, что поражает сознание среднего статистического россиянина в Европе, не говоря уж об одноруких оборванцах.

Зорро жил нелегалом в странах Запада, побывал в Норвегии, Дании, Швеции, Финляндии, Германии, Франции, Швейцарии. Он пустился в эти увлекательные путешествия с тремя друзьями. Одного из них закололи в Турции на дискотеке из-за бабы спицами, другой служил в войсках французского легиона, а третий женился на казашке, выдавшей себя за немку, и стал полноправным гражданином объединенной Германии. Жизнь Зорро, несмотря на все ее тяготы, была исключительно забавна, и ему действительно удалось бы открыть маленький магазинчик ворованных вещей в Ярославле, если бы не злодейка судьба. На дорогах странствий Зорро повстречался с художником-белорусом, расписывавшим в европейских домах сортиры под колодцы. Полы он превращал в воду, стены в сруб, а над головой рисовал клочок неба и ведерко. Вместе, сдружившись, они попали в лагерь беженцев под Люцерном, оказавшись в одном пластиковом домике на две койки. Тут выяснилось, что приятель Зорро педераст, и Зорро, изнуренный неожиданными и докучными приставаниями, не выспавшись три, а то и четыре ночи, опасаясь за свое целомудрие, напился и зарезал художника бритвой. Ему пришлось уйти в бега, с трудностями вернуться в Россию через Польшу и скитаться по Руси, пока не оказался в монастыре. Зорро искренне раскаивался в своем поступке, потому что для него закрылась блестящая карьера магазинного вора в Европе, потому что расстроилась его помолвка с одноклассницей Лерой и потому что зарезанный художник был, в общем-то, неплохим парнем, если не говорить о его болезненных наклонностях. Эти причины и в этой именно последовательности заставляли Зорро страдать и впадать временами в состояние черной меланхолии. Однако чаще его можно было видеть довольным и вполне оптимистически настроенным. Надо было признать, что Зорро был изумительным тренером. Он фабриковал из нищей молодежи виртуозов по похищениям магазинного типа. Кличка Зорро была не очень оригинальна. Так назывался метод кражи обуви из фирменных магазинов. В пройме рубахи устраивался карман, куда можно было положить пару превосходной обуви. Поверх через плечо накидывалась куртка в манере героя знаменитого кино, и Зорро — всегда модно и богато одетый, свежий, как персонаж рекламы, выходил из «Бритиш хауса» или «Карштадта» неизменно с уловом.

Также Зорро принадлежал метод похищения шмоток с электронной защитой. Из двух рулонов фольги сворачивался двенадцатислойный контейнер, проклеивался скотчем и вставлялся в полиэтиленовый кулек. Сквозь двенадцать слоев алюминия робкие сигналы электронной защиты не достигали датчиков, и Зорро за день мог бы обеспечить прилавки маленького подпольного магазина. В его талантах числилось — надуривать камеры контроля, обнаруживать с гениальной интуицией микросхемы датчиков на одежде, обменивать китайские часы на швейцарские и прочая. К сожалению, простая и открытая физиономия Зорро скоро примелькалась в фирменных магазинах столицы, и молодому человеку пришлось уйти на тренерскую работу. Под командованием Зорро действовала небольшая шайка хорошо одетых, умытых и приятно пахнущих мальчиков, которые, накинув куртки на плечо, запихивали в отделе кошачьей еды ботинки и туфли в пришитый Пипеткой карман под рубашкой. Сам Зорро тосковал без работы, жаловался, что у него, как у хирурга, застаиваются пальцы, и не упускал возможности что-нибудь стащить, где бы ни находился. Пипетка и Цыпа всегда контролировали его поведение и беззастенчиво выворачивали его карманы всякий раз, когда его рассказы и визит подходили к концу. Обыкновенно их поиски увенчивались успехом, и лишь тогда молодого человека со смехом отпускали. Если же ему все же удавалось что-то вынести, то вернуть назад это уже не было никакой возможности. Зорро клялся всеми святыми, что он никогда не позарится на достояние своих подруг, готов был порвать на себе новенькую рубашку, и даже самый проницательный психолог не смог бы заподозрить в его словах гнусной лжи. Тренажерной комнатой Зорро как раз и был тот самый зал с манекенами. Он имитировал универмаг, манекены — покупателей, а группе, которую тренировал Зорро, надо было обчистить весь магазин, не зацепив ни одного звоночка, которые Зорро остроумно и скрытно развешивал в самых неожиданных местах.

История возникновения братства была хрестоматийна. Все знали, с чего началось братство, но никто не ведал, кто стоит у его истоков, а также кто руководит его деятельностью ныне. Существовала древняя легенда об американских гуманитариях, которые во имя борьбы с растущей человеческой черствостью открыли во время оно маленький магазинчик, в котором убогие из убогих имели возможность приобрести самые дешевые и качественные вещи.

Сначала этот магазин занимался даже продажей подержанных музыкальных инструментов. Верные себе американцы хотели даже нищему вручить удочку, чтоб сам ловил рыбку.

Всем известно, что люди пользуются музыкальными инструментами для того, чтобы тронуть сердца. Чем состоятельней человек, тем труднее ему растрогаться. Он готов заплатить любую цену за билет на концерт, который сулит ему долгожданное душевное волнение. Но у менее состоятельного человека всегда найдется лишний грош, который он охотно истратит, чтобы расшевелить свое очерствевшее в борьбе за существование сердце той или иной незатейливой мелодией.

Есть вещи (очень, правда, немногие), которые еще могут потрясти современного человека, но скверно то, что при повторном применении они перестают действовать, ибо человек обладает страшной способностью становиться по собственному желанию бесчувственным, стоит только ему обнаружить вредные для себя последствия своей чувствительности. Так, например, человек, увидев на углу другого человека с культяпкой вместо руки, в первый раз готов с перепугу отвалить ему десятку, в следующий раз он пожертвует рубль, а в третий может и пересдать его с рук на руки милиции.

Американцы победить бездушие не смогли, тем более что на них стали элементарно наезжать рэкетиры. Магазинчик на какое-то время закрылся.

Но затем явилось братство.

Братство начало с малого. В течение некоторого времени оно поддерживало своими советами нескольких нищих — одноруких, слепых, очень жалких на вид. Братство выискивало для них рабочие места, где подают, так как подают не всюду и не во всякое время. Так, например, оказалось, что играть на музыкальных инструментах в подземных переходах менее выгодно, чем играть для парочек на садовых скамейках.

Нищие, поверившие братству, вскоре стали лучше зарабатывать. Они с готовностью согласились отчислять за советы некоторый процент со своих доходов.

И братство стало расти. Вскоре из тех же благотворительных побуждений ему был передан заброшенный монастырь.

Теперь дело было поставлено на широкую ногу.

Работа велась в нескольких направлениях.

Скажем, сравнительно скоро стало очевидно, что убогая внешность естественного происхождения производит гораздо меньше впечатления, чем внешность, созданная двумя-тремя умелыми штрихами. Так в братстве появился костюмерный цех.

Или, например — однорукий не всегда обладает способностью вызвать жалость своим убожеством. С другой стороны, более одаренным зачастую недостает культяпки. Тут требуется вмешательство. Братство сфабриковало несколько искусственных увечий, как, например, раздавленные конечности, иначе говоря, руки и ноги, явно пострадавшие от несчастного случая. Это новшество имело оглушительный успех. Этим занимались в хорошо оборудованном хирургическом кабинете.

Так Зорро подумывал, не лишиться ли ему ноги, чтобы уйти с тренерской работы в «большой спорт».

В специальных помещениях монастыря, к тому времени значительно расширившегося, нищие, все больше превращавшиеся в профессионалов, после всесторонней проверки их способностей обучались неподдельному дрожанию, повадкам слепцов, припадкам эпилепсии и тому подобному. Этим занимались в помещениях, которые скорее напоминали учебные залы театральных училищ. Сынку удалось подглядеть даже несколько таких репетиций. Там, скажем, строгая женщина с красивым породистым лицом учила группку убогих рыдать настоящими слезами, не забывая при этом иногда категорично повторять:

— Не верю!

Были выработаны основные типы человеческого убожества: жертва прогресса — травма на производстве, железнодорожная травма, жертва пожара, жертва войны — ну, тут диапазон широчайший, жертва экологии — самые страшные болезни века, язвы, гной, смрад...

В братстве учились трогать сердца, наводить на размышления, быть назойливыми. После нескольких лет неустанных трудов братство превратилось в цветущее предприятие. Люди, приходившие в братство, очень скоро получали работу, а кое-кто увечья, язвы, уродства, медали и знаки отличия, справки о кончине всех близких·родственников, «деревянных» и настоящих детей, навыки выклянчивания, обжуливания, втирания в доверие, уроки речи, движения, психологии. А самое главное — будущая работа была теперь под охраной самого братства.

Примечательно, что братство было еще и университетом. Например, старенький Изя, по мнению одних — педофил, по мнению других — взяточник, но так или иначе теперь член братства, преподавал право, которое знал прекрасно и умел преподнести так, чтобы от этой науки вышел прикладной толк. Строгая женщина с красивым породистым лицом оказалась в прошлом актрисой. С ней Сынок тоже познакомился, хотя и не сошелся близко. Звали ее — баба Люся. В стародавние времена она окончила Воронежское театральное училище и, можно было предполагать, некоторое время действительно была актрисой. Но потом каким-то туманным образом она стала совмещать актерство со спекуляциями, затем с торговлей краденым, потом метнулась в наркобизнес — одним словом, запуталась в тенетах жизни, как многие на этой земле. В конечном итоге, связавшись с аморальными типами, она лишилась капитала, квартиры и доброго имени, запила, осела сначала сторожихой, потом уборщицей в туалете, а потом за пьянство и прогулы оказалась выброшенной на улицу. Но она так драматично рассказывала о своей печальной (косвенно связанной с реальностью) судьбе, так проникновенно вымаливала деньги на хлебушек по электричкам, так честно и сурово смотрела в глаза сытым горожанам, что ее таланты не оказались незамеченными. Бабе Люсе поручили тренерскую работу в монастыре. Честолюбивые амбиции бабы Люси были полностью удовлетворены. Она стала популярной, с ней заискивали, ее благосклонностью гордились. Она потребовала себе репетиционный зал и неограниченную возможность курить «Беломор» и выпивать, когда ей только рассудится за благо. Надо признать, что, как только она оказалась социально востребованной, она стала меньше пить, все свое время отдавая репетициям. Изя писал тексты для липовых беженцев и несчастных якобы афганцев, а Люся расцвечивала их красками своего дарования. Из уст ее воспитанников нельзя было услышать приевшееся всем «Поможите, люди добрые, сами мы не местные». Люся обладала вкусом к драме. Ее питомцами были несчастные, добродетельные матери, путавшиеся в словах, с жалким, затравленным взглядом, суровые, косноязыкие воины с краской стыда в лице. При взгляде на Люсиных студентов можно было предположить, что это обиженные системой добрые люди, которые, не будь они связаны высокими нравственными обязательствами со своими детьми или матерями, легче бы наложили на себя руки, чем подвергли свою честь подобным унижениям. Своим шедевром Люся считала Федьку-дурня. Федька был тихий, угрюмый человек средних лет. Стараниями Люси он превратился в юродивого, почти пророка. Он ходил по поездам, выкрикивая весьма правдоподобные предсказания конца всего сущего, а потом выбирал наиболее сострадательную даму с религиозным оттенком в лице и признавался ей: «Я Христос. Полюбите такого?» Многие из тех, кто читал Святое писание, пугались и подавали немалые суммы. Одна дама, близкая к патриаршим кругам, даже хотела рекомендовать его в Свято-Данилов монастырь.

Некоторые талантливые ученики оставались даже после прохождения курсов в монастыре, но затем, возгордясь, исчезали бесследно. Точно так недели две спустя таинственно исчез Зорро, и примечательно, что ни Пипетка, ни Цыпа словом не обмолвились об этом.

Сынок повстречал бабу Люсю в репетиционном зале. Величественная старуха сидела в засаленной кофте на табурете за столом, перед ней ворохом были навалены какие-то тряпки, коробки, спички, лежала отдельно пачка «Беломора» и внизу, у ножки стола, стояла бутылка «Столичной» с газетной затычкой. На сцене, то есть напротив бабки, рассредоточились с полдюжины человек разных возрастов, преимущественно мужчин. «Сатин! — хрипела старуха. — Где Сатин?!» Никто не знал, куда девался Сатин, чем вызвали дополнительный гнев режиссера. Сынок в недоумении стоял, поводя глазами с одного актера на другого, затем тихо прокрался и сел на пол, скрестив ноги.

— Не верю! — привычно восклицала старая актриса, гневно постукивая варикозной ногой. — Не верю! Это дерьмо, вам гроша не подадут за такое дерьмо! Вы сгниете на периферии с такой игрой!

Над Люсей посмеивались, потому что в последний год она увлеклась непосредственно театром. Администрация, памятуя Люсины заслуги перед братством, ей не мешала. Люся находила целесообразным изучать высокую классику и требовала, чтобы способные тунеядцы учили текст пьесы — в данном случае Максима Горького. Это было совершеннейшее чудачество, самодурство чистой воды.

Явно в ближайшее время Люсе было суждено получить по морщинистой шее за нелепое провождение времени.

Заметив в зале Сынка, Люся развернулась и, невзирая на то что палец ее был заложен на странице шедевра мировой литературы, полила незадачливого зрителя отборным, селекционным матом.

— Почему посторонние в зале?!

В остальном же братство все еще оставалось загадкой для Сынка. Некоторые простейшие механизмы функционирования этого сложного организма оказались довольно понятны. Например, ему рассказали, как откликнулось братство на войну в Чечне. Как только славная русская армия одерживала победы над злыми чеченами, на улицах появлялись изможденные ветераны в форме — нынешней или времен Афгана. Если же, напротив, наша армия терпела поражение, на улицы высыпали юные безусые солдатики в новенькой форме. В первом случае людские сердца открывались для жалости от сознания того, какова цена победы, во втором — от бессмысленности народной жертвы. Нищенская кампания, связанная с Чечней, принесла братству немалые выгоды.

Но многое оказывалось совершенно загадочным. Например, таинственная лаборатория, размещавшаяся в подвальном помещении главного здания. Ночами можно было видеть в редкие щели, что в лаборатории полыхает открытый огонь, как в адской кузнице, а от двери по всей территории разносился кислый запах химикалиев. Два раза в неделю к мастерам из лаборатории приезжал цыган и всякий раз уходил с пустыми, как казалось, руками.

Пипетка, когда Сынок попытался заговорить с ней на эту тему, рассказала, взяв с него страшную клятву, что ночами на подвальном этаже можно застать привидения — там убивают деток, а потом умерщвленные младенцы ходят, стонут и проливают над своей рано оборвавшейся жизнью призрачные слезы. Пипетка была готова присягнуть, что и сама видела пару привидений.

Удивительно было также впечатляющее количество уродов. Если у взрослых нищих увечья были преимущественно искусственно смоделированы, то дети бывали изувечены действительно и особенно страшно. Казалось, судьба не касалась только очень красивых и одухотворенных детей — те были достаточно прибыльны и без уродства.

Так тянулись дни Сынка в братстве, то незначительно приоткрывая завесу над тайной, то озадачиваясь новыми загадками. Прочие обитатели братства, кажется, не особенно интересовались обществом, в котором они жили, — быт и нравы корпорации их интересовали узко в своем кругу. Цыпу и Пипетку волновали тряпки, бабу Люсю — театр, Зорро — авантюры. И только Сынок, любопытный проныра, поставил себе целью вынюхать и разузнать тайную жизнь братства. Он догадывался, что если будет слишком усерден, то одним порезом груди на сей раз не обойдется. Но уж больно хотелось. Особенно его интересовал инфернальный подвал и запертый на все замки пустой сарай, в который он так и не смог больше заглянуть.

Но тут-то спокойная жизнь Сынка и закончилась. '

Как-то на утренней поверке, когда всех опять распределяли по группам, один из надзирателей, которых здесь именовали по-лагерному «буграми», по имени Исмаил, вдруг ткнул палкой в Сынка и спросил:

— А ты в какой группе? Афганец?

— Ни в какой, — сказал Сынок правду.

— Теперь ты в строительной, — осклабился Исмаил.

— Я строить не умею, — признался Сынок.

— Научим.

С этого дня Сынок тоже трудился — он таскал мешки с цементом с утра до вечера.

Глава 12

СЕКСУАЛЬНОЕ ДОМОГАТЕЛЬСТВО

Вставать в такую рань Ирина все никак не могла привыкнуть. Не открывая глаз, нажимала на кнопку будильника и, сказав самой себе — еще пять минуточек, — засыпала на полчаса. Когда спохватывалась, оказывалось, что еле успеет принять душ и слегка накраситься. Запланированные с вечера (и уже очень давно) благонамеренные желания сделать зарядку, красиво и полезно позавтракать, почитать утреннюю газету и сделать наконец настоящую неспешную укладку, перекладывались в очередной раз на завтрашнее утро.

Как-то попался ей на глаза такой хитрый будильник,

который с закрытыми глазами не остановишь. Какие-то там кнопочки, защелки надо было набрать, чтобы противный писк прекратился. Ирина его моментально купила, с вечера завела, ожидая результата. А утром, когда хитрый будильник зазвонил, по привычке попыталась нажать, во сне вспомнила, что нажать просто не получится, надо будет открывать глаза, тут же приняла кардинальное решение — вслепую открыла будильник и выдернула батарейку, кляня себя на чем свет стоит и обещая себе в который уже раз — вот завтра обязательно...

Но завтра она так и не смогла найти изъятую батарейку. А купить новую все было недосуг. Поэтому Ирина по-прежнему уютно общалась со старым податливым будильником.

В этот раз, из-за погоды, что ли, она проснулась не через полчаса, а через сорок минут. Это значило, что из утренних дел надо было вычеркнуть душ или боевую раскраску.

Ирина безжалостно вычеркнула раскраску, решив, что может набросать грим на лицо и по дороге.

Но торопиться надо было быстрее, чем обычно. Еще, как назло, вода нужной температуры все не хотела течь, а полотенце оказалось несвежим, пришлось бежать за чистым, а потом снова лезть в душ.

Когда вылетала из квартиры, времени оставалось в обрез, и Ирина уже решала, стоит ли ей нарушать правила уличного движения, чтобы вовремя добраться до работы, или не рисковать. Но не рисковать она не могла — обстановочка на фирме складывалась в последнее время для Ирины как-то неблагоприятно. Начальник мог придраться к любой мелочи.

Она нажала на кнопки обоих лифтов, одновременно выдергивая из сумки губную помаду и зеркальце. В темноте кабинки ей придется проделать ювелирную операцию по приданию губам веселого, слегка сексуального, но больше делового контура.

Что-то она могла начать и сейчас, но двери лифта распахнулись, и Ирина не успела начать свое художественное творчество.

Еще мелькнула мысль — слишком в кабинке темно, — но совсем мимолетно, и она шагнула... в пустоту.

Как она успела ухватиться руками за металлический

косяк, она и сама не поняла. Тяжесть тела уже была перенесена внутрь, туда, где должна была стоять кабина лифта. Но кабины не было.

Ирина какую-то секунду балансировала над пропастью, по инерции устремляясь вперед, а руками, вцепившимися в косяк, таща себя назад. Патрончик губной помады выскользнул из руки и довольно долго летел по черной шахте. Когда ударился внизу, Ирина отшатнулась. Даже испугаться не успела. Только чертыхнулась досадливо и помчалась на лестницу.

И только здесь, когда уже была на третьем этаже, ноги вдруг запоздало задрожали мелкой дрожью, а к горлу подступил комок страха, и Ирине стало так себя безмерно жаль, что она чуть не заплакала.

«Ну, сволочи, ну, вы дождетесь! — мысленно выругалась она. — Я на вас в суд подам! За что вам только деньги платят?!»

Судиться с РЭУ, конечно, Ирина не стала бы, но нервы халтурщикам решила попортить основательно — шутка ли, она чуть не свалилась с восьмого этажа. Это же — Ирине снова стало жутко, — смерть верная.

Как добралась до работы, загадка. Все было в тумане. Нарушала она правила или ехала примерно — Ирина не помнила. Но, когда вбегала в контору, на часах было пять минут девятого.

Эти пять минут могли ей дорого стоить, но Ирина даже не подумала об этом, даже не подлизнулась к стукачке-ресепшионистке. Она все никак не могла отойти от ужаса.

Сначала забежала к Машке Ободовской и, вызвав в коридор, извиняясь и виновато улыбаясь, попросила губную помаду. Они пользовались одним цветом и одной маркой. Пока она тщательно выводила нужный контур, Маша молчала, осознавая ответственность момента. Но когда Ирина отодвинулась от зеркала, чтобы оценить проделанную работу, подруга спросила:

— Что с тобой?

— Потом расскажу, — отмахнулась Ирина, у которой настроение от накрашенных губ чуть-чуть улучшилось, и помчалась в свой отдел.

Там сразу же бросилась к телефону и набрала номер РЭУ.

— Вы что там все, с ума сошли?! — закричала она, как

только трубку подняли. — Я чуть не упала! Вы под суд захотели?! Так я вам это живо устрою!

Когда ей высказали свое недоумение, она напустилась еще сильнее, пригрозив вообще заказать бандитам разобраться с долбаным РЭУ раз и навсегда.

— Да что случилось-то?

— А то, что лифт не работает!

— Какой дом? Какой подъезд?

Ирина назвала.

— Только что оттуда мастер вернулся, — доложили ей, — все в порядке. Не волнуйтесь.

— Да?! Не волнуйтесь?! А если бы я свалилась?! Восьмой этаж — вы соображаете?

— Гражданочка, правила пользования лифтами читаете? Там написано черным по белому — не открывайте дверь, пока не убедитесь, что кабина перед вами.

— Да дверь сама открывается!

— Значит, не входите, пока не убедитесь.

Да, Ирина читала эти правила. Но никогда не думала, что их знание пригодится именно ей.

Она с досадой бросила трубку и увидела, что рядом собрались сослуживцы, с интересом прислушивающиеся к ее разговору.

— Представляете? Дверь открывается, а лифта нет!

— С ума сойти!

— Я чуть костями не загремела.

— С ума сойти!

— А они говорят — надо было смотреть.

— Сойти с ума!

Зазвонил телефон, и Ирина, не обратив внимания, что это внутренний звонок, сдернула трубку и крикнула:

— Ну что еще?!

— Ирина Алексеевна, — пропищал голос секретарши начальника, — зайдите к Владимиру Дмитриевичу.

Ирина чуть было не сказала — к какому Владимиру Дмитриевичу? Но вовремя вспомнила, что это как раз ее начальник.

— Иду, — коротко бросила в трубку и помчалась в туалет.

Здесь она прильнула к зеркалу и тщательно стерла с губ помаду.

— Заходи, заходи, — начальник весело манил ее рукой. — Присаживайся.

Ирина присела в глубокое кожаное кресло и вынула блокнот — вся внимание и старание.

— Пять минут, — сказал начальник. — Сегодня это уже восьмой раз. Если сложить все вместе, получается — сорок минут. За это время в цивилизованных странах заключаются миллиардные контракты. И сколько мы по твоей милости потеряли?

— Чертову прорву денег, — виновато улыбнулась Ирина. Вообще контракты их контора заключала нечасто, длилось это месяцами и, конечно, ни о каких миллиардах речь не шла. А последний контракт с сибиряками как раз и был полной заслугой Ирины.

«Ну пусть поначальствует, — думала Ирина, — такая у него работа. Лишь бы не приставал».

— Ну что мне с тобой делать?

— Простить, — весело подсказала Ирина, — тем более что по моей милости наша фирма еще ни копейки не потеряла. А, как бы это помягче выразиться, наоборот, поимела неплохой контракт.

— Кстати, о контракте, там сейчас наши юристы просматривают — какие-то ошибки нашли.

— Какие ошибки? — насторожилась Ирина.

— Я пока не в курсе, — ушел от ответа начальник, но Ирина поняла — просто блефует. Никаких ошибок в контракте нет. Его готовили как раз юристы фирмы, да так тщательно, что чуть не сорвали все сроки.

— Ну, если будут ошибки, мы контракт перезаключим. Это условие там тоже есть, — козырнула Ирина. — А по поводу опозданий — у меня сегодня уважительная причина. Я чуть не упала в шахту лифта.

— Как это?! — опешил начальник.

— А вот так — дверь открылась, а лифта нет.

— С ума сойти!

— Да-да...

— Ну и фантазия у тебя, — сказал начальник. — Прошлый раз тебя задержал гаишник. Позапрошлый — отключили воду. Понимаешь, Пастухова, это никого не волнует. На работу надо приходить вовремя.

— Это чудно — к восьми! Когда никого нигде еще нет! Мы до десяти сидим, бумажки перекладываем, потому что нигде телефоны не отвечают. Зато вы можете со мной по полчаса выяснять, почему я опоздала...

— В Штатах начинают работу в семь.

— Там все так начинают. А у нас только мы. Может быть, нам работать по американскому времени. Это сколько, восемь часов, кажется, разницы. Вот как раз с четырех и начнем...

Переговорить Ирина могла кого угодно. А туповатого начальника, бывшего комсомольского босса, который с трудом одолел Устав ВЛКСМ, почерпнув оттуда только знания об орденах комсомола, — раз плюнуть.

— Все сказала?

— Все. Могу идти? Теряю драгоценное рабочее время. — Ирина приподнялась.

— Я тебя пока не отпускал, — сказал начальник.

«Ну, начинается, — чуть не скривилась Ирина. — В следующий раз придется не только губы стирать, но и морду сажей мазать».

— Ты садись, садись, — уже мягче предложил начальник. — Спорить я с тобой не собираюсь. В самом деле — ты мне симпатична. Но начальство! — он поднял палец вверх, как делал это, наверное, и при коммуняках, когда пугал кого-нибудь и хотел, чтобы это звучало весомее. — Словом, есть мнение, что ты не справляешься со своей работой.

«Оп-па! — внутренне ахнула Ирина. — Так далеко зашло?»

— Да-да, — почувствовал ее испуг начальник. — Я пытался тебя защищать, но там, — снова палец вверх, — считают, что к тебе надо хорошенько приглядеться.

— Трех лет не хватило?

— Ну чего ты все ерепенишься? — Начальник прошел к стенному шкафу и открыл его.

«Начинается! — вздохнула Ирина. — Как же надоел!»

— Вот что у тебя за характер такой? — по-отечески начал он. — Ты ж понимаешь, не глупая, что в нашей стране большое значение имеют личные отношения. Огро-омное значение имеют. Там улыбнулся, там поздоровался, там спросил про детей, про жену, про здоровье, нет, не подхалимски, а по-человечески, с заботой о ближнем...

«Вот так они посты и занимали, — подумала Ирина. — Там подмажешь, тут подлижешь...»

— Давай лучше выпьем и подумаем, как тебе на месте удержаться.

Он разлил коньяк по бокалам и поднял свой, словно

собирался произнести тост. Но не произнес, только потянулся чокаться. Ирина скрепила свое сердце железными скобами. Да что, действительно, она совсем дура? Ну выпьет она с этим ублюдком, ну полюбезничает — не разломится. А работу терять жаль, не только потому, что денежная, но просто нравится.

— За вас, Владимир Дмитриевич, — выдавила лучезарную улыбку Ирина и чокнулась с начальником.

Тот выпил как-то слишком поспешно. Резко поставил бокал. Загадочно, как ему казалось, а на самом деле — фатовски улыбнулся и сказал:

— Так что решай.

Ирина ожидала всего — долгих подходов, намеков, даже сальностей, но чтоб вот так, в лоб, так цинично...

— Что, простите, Владимир Дмитриевич?

— Останешься ты со мной на «вы» или на «ты», — выдавил-таки из себя сальность начальник.

— Вы про брудершафт? — косила под дурочку Ирина. — С удовольствием...

— Хе-хе... Нам и брудершафт не понадобится.

И начальник решительно шагнул к Ирине.

Она не успела встать и оказалась в дурацком положении — он нависал над ней, сжимая своими медвежьими руками ее голову и все норовил влепить слюнявый поцелуй, а Ирина даже не могла гордо встать и уйти. Она только ниже и ниже опускалась в кресле, пытаясь выскользнуть из мужицких объятий.

— Владимир Дмитриевич, что вы делаете? — натужно выговаривала она, ускользая от мокрых губ. — Зачем вы это делаете?

Когда-то сама смеялась над этим вопросом, отдающим пэтэушной тупостью, а вот, оказалось, пригодился.

— Ира, ты это зря, ты подумай хорошенько... — пыхтел и начальник. — Я много могу... Со мной считаются...

— А как ваша жена?

— Она ничего не узнает...

— А дети? А здоровье?

— Почему ты об этом спрашиваешь?

— Забота о ближнем.

— Не шути сейчас, — трагическим голосом вымолвил начальник и принялся за прежнее — искать поцелуя.

Наконец Ирина оказалась на коленях, но проскользнуть между ног начальника и уйти не получалось. Тот стоял плотно.

Впрочем, Владимир Дмитриевич ее позу воспринял по-своему. Он ослабил объятья и стал живо расстегивать ширинку.

На секунду Ирина потеряла дар речи.

Уже потом, остыв и обретя обычную ироничность, она пожалела, что не дала начальнику довести дело до конца. Ох, как бы он потом жалел! Ирина не побрезговала бы, она бы в прямом и переносном смысле показала бы ему свои зубки.

Но в тот момент она действовала чисто рефлекторно: изо всех сил оттолкнула начальника и бросилась к двери.

— Вы за это ответите! — закричала она на пороге. — Я вам такое устрою!

«Кажется, я сегодня это уже кому-то говорила, — мелькнуло в голове. — Что ж за день такой «веселый»?!»

Но начальник уже обрел прежнюю вальяжность и покой.

— Иди, — махнул он рукой из кресла. — Но помни, я тебе предлагал помощь.

Ирина хлопнула дверью так, что секретарша выронила на пол флакончик с лаком для ногтей.

«Так, первым делом найти Гордеева, — летела по коридору Ирина, — пусть скажет, что за непорядки в контракте? Вторым делом... А что вторым делом?»

Она так и не придумала страшной мести начальнику, потому что подлетела к комнате юристов.

Гордеев, слава Богу, был на месте.

— Юра, можно тебя на минутку! — позвала она.

Гордеев оторвался от компьютера и приветливо кивнул.

— Я тебя жду в кафе.

— Через минуту!

— Тебе что-нибудь заказать?

— В кафе пьют кофе.

Лучше бы они вообще ничего не заказывали — кофе был, что называется, бочковый.

Но Ирина заставила себя отхлебнуть несколько глотков, выкурить сигарету и только потом перейти к разговору.

— Юра, ты последний контракт смотрел?

— Это твой который?

— Да.

— Как ни странно, да.

— А почему — странно?

— Да я ведь контрактами не занимаюсь, ты же знаешь. Я по судебному ведомству. Вот если вы с кем-то судитесь, я контракты изучаю.

— А чего ж ты смотрел мой?

— Вот и странность — меня попросили. Вы что там, уже собираетесь тяжбу затеять?

— Да нет вроде. Хм... Интересно...

Сердце у Ирины неприятно заныло. Что за возня вокруг ее контракта?

— Так что ты хотела?

— Скажи, там есть какие-то неточности, неполадки, закавыки, крючки? Хоть что-нибудь?

— Как ни странно — идеальный контракт.

— Почему опять странно?

— А чего мне его изучать? Судиться не собираетесь, расторгать, надеюсь, тоже...

— М-да...

— Ну что, я тебя успокоил?

— Не так, чтоб уж очень... Нет, скорее еще больше «загрузил»... Понимаешь, это контракт мой... Я за него... Впрочем, ладно, не буду я тебя «загружать».

Гордеев положил свою руку на Ирину.

— В чем дело? — спросил тихо.

Ирина поняла, что спрашивает он не о контракте, он просто видит — чем-то она ужасно расстроена.

Конечно, Ирина знала, как ей казалось, об адвокатах все — продажная совесть, ярмарка тщеславия, грязный язык, — но единственный, пожалуй, человек во всей их конторе, да и то нештатный работник, которому она могла доверять, был, как ни странно, Юрий Гордеев, адвокат.

— Вот скажи, Юра, если начальник пытается меня... ну, не изнасиловать... Хотя, впрочем, почему не изнасиловать?! Именно изнасиловать, только не физически, а морально, то...

— Сексуальное домогательство? — подсказал обтекаемую формулу Гордеев.

— Да! Вот что я могу с ним сделать?

— Честно?

— Честно.

— Дать ему по титям-митям...

— И все?

— Ты спрашиваешь о судебном преследовании?

— Да, могу я его засудить?

— Теоретически — да. Есть в нашем законодательстве статья за эти безобразия. Но практически она ни разу не применялась. Если хочешь, можем создать прецедент. Приходи ко мне на Таганку, дом тридцать четыре, в консультацию и — приступим. Как?

— Хочу.

— А я не хочу. Мне тебя жаль.

— Ничего себе!

— Объясняю. У тебя есть доказательства? Процесс над Клинтоном помнишь? Одежда со следами его спермы, запись телефонных разговоров с угрозами, только произведенная не кустарным способом, а оперативными работниками, ими же сделанные пикантные фотографии, показания свидетелей, а лучше всего, так сказать, застукивание начальника на месте преступления.

— Это как?

— Это... Это, извини, в процессе. Да и то если ты будешь связана по рукам и ногам. Впрочем, даже этого может быть недостаточно.

— Понятно.

— Ирина, — снова положил свою руку на пальцы собеседницы Гордеев. — Я готов пойти с тобой до конца, хотя, как ты понимаешь, гонорар мой будет жидковатым. Но ты-то готова?

— Нет.

— Тогда то, что я предложил, и — уходи.

— Спасибо.

— Извини.

Как назло, машина долго не заводилась. Ирина чуть не посадила аккумулятор. А когда, наконец, мотор заработал и можно было ехать, Ирина вдруг вспомнила, что забыла позвонить Руфату. Господи, он же ее сегодня ждал! Еще что-то они там недовыяснили!

Решила было позвонить, но потом подумала, что все — к лучшему. Пора уже ставить все точки над всеми «и». Расстались так расстались.

Но какое-то время тронуться с места не могла. Сидела,

перебирая в памяти все хорошее, что было у них с Руфатом, и все плохое, конечно. Получалось, что второго явный перевес. Значит, решила, так тому и быть.

И поэтому поехала сначала не домой, а в кино.

Вот так вдруг взяла и решила — в кино, как когда-то в студенчестве. Сидишь в темном зале, смотришь на чужую жизнь, и своя становится сноснее.

На этот раз не повезло. Показывали какую-то американскую тупость — летит на Землю астероид, а американцы его взрывают. Громко, пестро, натужно, грубо и — пусто.

Домой катила уже по ночной Москве. Глазела по сторонам на затихающую и криминализирующуюся жизнь, тихо наигрывало радио — ничего, жить можно.

Когда шла к своему дому, то вдруг увидела множество милицейских машин у собственного подъезда, несколько «скорых», суету людей в штатском, оцепление и даже собаку, обнюхивающую асфальт.

«Все-таки кто-то провалился в шахту лифта, — мелькнула мысль. — Хотя при чем тут собака?»

— Я тут живу, — сказала она остановившему ее милиционеру.

— Документы, пожалуйста.

Ирина показала прописку, милиционер ее пропустил, и тут она увидела лежащее на газоне тело девушки. Из-под головы вытекла бурая лужа крови. Посиневшие руки вцепились в кусок выдранного из земли дерна.

Ирина эту девушку знала. Она жила на одиннадцатом, кажется, училась. Кое-кто даже говорил, что они с Ириной похожи.

Как же ее звали? Наташа? Точно, вон ее мать. Ужас, что тут случилось?

— Что тут случилось? — спросила она кого-то.

— Застрелили, — ответили Ирине. — Говорят, профессионально.

— Как?! За что?!

— Да кто их знает?

Проходить мимо девушки было страшно. Над трупом склонились медэксперты, бесстыдно задирали одежду. Белый плащ, точно такой, как на Ирине, был измазан в крови и пыли. Ужас, что делает с человеком смерть! Каким уродливым становится тело.

Ирина шагнула ближе, и это было чисто женское любопытство. Дело в том, что свой плащ она купила в Женеве, во французском бутике. Стоил он уйму денег. Неужели и у студентки такой же плащ?

Но вблизи Ирина сразу поняла, что плащ убитой был сделан где-нибудь в Корее или в Турции, а значит, стоил недорого и куплен, скорее всего, был на вещевом рынке.

Это Ирину, как ни странно, успокоило. Она вообще не любила носить вещи, которые сделаны в миллионах экземпляров.

Глава 13

ИСПЫТАНИЕ

— Подъем, козлы вонючие! Выходи строиться на зарядку!

Этот крик, каждое утро будивший Сынка с еще полусотней людей, стал уже чем-то если не родным, то во всяком случае привычным. Люди вскакивали с коек и, мотая головами, чтобы стряхнуть цепкие остатки сна, выуживали из-под матрацев одежду и обувь, спрятанные туда, чтоб не сперли.

Сынок сегодня своей обуви под подушкой не обнаружил. Одежда была на месте, а башмаков и след простыл. Хороших башмаков, еще почти новых, не рваных.

Свистнули.

Натянув штаны и куртку, он огляделся по сторонам, вглядываясь в лица соседей. Но рожи эти были непроницаемы и глухи, как стена. Знают ведь, сволочи, точно знают. Хоть один да видел, чьих это рук дело. Но разве скажут? Можно, конечно, дать в лоб любому из них, отобрать его шкары, и он тогда точно скажет, чьих это рук дело. Даже если не знает, все равно разнюхает.

Но вся беда в том, что у Сынка был сорок шестой размер обуви. Больше в казарме такой лапы не было ни у кого, или почти ни у кого. Всего пару человек могли заинтересовать такие безразмерные башмаки.

— Выходи строиться, бараны колхозные! Бегом, твою мать! — орал отработанным командирским голосом бугор Степка. Сам он при этом сидел на стуле и листал газету. Особым шиком считалось — читать по утрам газеты, отдавая при этом команды. И не важно, что газета датирована началом прошлой недели и половина ее уже использована по второму прямому назначению. Важен сам факт — все быдло суетится, побежит сейчас махать руками, тереть свои рожи под холодной водой вонючим хозяйственным мылом, а ты тут сидишь у всех на виду и просматриваешь прессу.

Весь контингент потянулся к выходу, зябко поеживаясь и зевая до хруста за ушами. Когда вышел последний, Степка встал, аккуратно сложил драгоценную газету вчетверо и спрятал за пазуху, чтобы было что читать завтра. Он уже хотел выходить вслед за всеми, но вдруг заметил, что на нарах кто-то сидит. Вот прямо так нагло сидит и не собирается никуда торопиться. Бугор даже дар речи потерял на какое-то время.

— Эй, Сынок, а ты чего расселся? — поинтересовался он наконец. — Что, в танке?

— Обувь сперли, — спокойно ответил тот, не поднимаясь с кровати.

— А меня колышет? Бегом на зарядку!

Сынок вздохнул, поднялся с нар и нехотя пошлепал к выходу.

— Бегом, я сказал! — Бугор размахнулся и со всей силы пнул Сынка в зад.

Сынок остановился, вдруг повернулся и двинулся прямо на бугра. И только тут Степка сообразил, что они в казарме одни, что этот однорукий детина в полтора раза выше его ростом и что кричать и звать на помощь очень нежелательно — если бугор зовет на помощь простых смертных, то он уже больше не бугор.

— Эй, ты чего? — сам того не желая, Степка попятился от Сынка. — А ну бегом на зарядку, я сказал!

Сынок остановился. Положил руку бугру на плечо и спокойно сказал:

— Не делай больше так, ладно?

— Что? Да ты с кем разговариваешь, перхоть петушиная?! — Бугру никак нельзя было показывать страх перед этой гориллой.

— Не надо больше так делать, — повторил Сынок и, повернувшись, побрел к выходу.

— Это ты мне указываешь? Это ты, козел, с бугром так разговариваешь? Забыл, как тебя наказали? Хочешь, чтоб еще раз пописали? Так я тебе сейчас... Да я тебе...

Как это так случилось — Степка и сам не мог понять.

Нога как-то так сама потянулась и опять пнула Сынка. Степка-то как раз не хотел, а нога пнула.

— Ой... — отскочив назад, Степка глупо заулыбался, как нашкодивший мальчишка.

Сынок повернулся, подошел к нему и легонько ткнул кулаком в грудь. От этого тычка Степка охнул, согнулся пополам и упал на пол. Ни слова не говоря, Сынок взял его за ногу и потащил к выходу.

— Пусти, сука, убью... Ну все! Если не отпустишь, я тебя...

Сынок прямо за ногу поднял Степку над полом, раскачал и отпустил.

— А-а-а! — Пролетев пару метров, бугор с грохотом шмякнулся на пол. От боли перед глазами зачирикали птички. Когда эти птички улетели, Степка с трудом поднялся на ноги и огляделся по сторонам. Сынка нигде не было.

Жутко болела спина и ныл затылок, которым он грохнулся о дощатый пол. Но это не страшно, впервой, что ли. Главное, что никто не видел, — значит, Степка все еще бугор. С этим детиной он еще найдет, как разобраться, главное, чтоб не разжаловали...

Башмаки свои Сынок так и не нашел. Во время зарядки и завтрака обшарил глазами полторы сотни пар ног — больших, маленьких, кривых, хромых, косолапых. Его башмаков на этих ногах не было. Впрочем, и немудрено, рассудил он трезво, кто же с утра наденет башмаки, которые стащил ночью? Такое может сделать только какой-нибудь неопытный воришка, но здесь-то все такие ушлые — кого хочешь разуют-разденут, да он им еще и должен останется.

На работу пришлось идти босиком. Никого это, правда, совсем не волновало — на дворе лето, тепло, сухо.

Основную часть бомжей развели, как здесь это называли, «по секциям». Сынок с первого дня был нелюбим местными командирами и его ставили на самую тяжелую работу.

Работать сегодня Сынку предстояло там же, где и всегда, — на разгрузке цемента. Целыми днями в монастырь шли груженные цементом машины. Их разгружали, цемент складывали под навесом. Потом за цементом приходили другие машины, которые надо было загружать. Откуда приходили одни машины и куда уходили другие — оставалось только догадываться.

Работа эта Сынку нравилась. Мешок ставили ему на спину, и он нес его от одной точки до другой. Порожняком обратно, опять мешок на спину и опять от одной точки до другой. Он с одной своей рукой вполне справлялся с этим нехитрым действием. В перерывах между машинами можно поваляться под навесом и подремать или послушать, о чем болтают соседи. Но те обычно хвастали друг перед другом, какими важными людьми они были до того, как с ними случилось страшное несчастье, и поэтому слушать их было противно. Бугры, от которых о многом хотелось узнать, в разговор с работягами не вступали.

Сегодня его снова отправили на погрузку. Машина уже стояла у ворот, к выходу передом — к бомжам задом, как избушка. Сынку уже поставили на спину мешок, уже он его отнес и аккуратно, чтоб не порвать, поставил под навес, когда его позвал бугор:

— Эй, калека, хромай сюда!

Отряхнув цемент с плеч, Сынок подошел.

— Иди, там тебе другую работу припасли, — сказал бугор и кивнул в сторону другого надсмотрщика. — Там сделаешь и бегом сюда. Через полчаса тебя нет — я в гневе. Все понял?

— Все. — Сынок кивнул.

— Чего-чего?! Как отвечаешь? — Этот бугор, видно, когда-то был военным. — Не слышу, еще раз!

— Так точно, товарищ охранник, будет исполнено! — браво выкрикнул Сынок, вытянувшись по стойке «смирно».

— Молодец, Сынок! Шаго-ом ар-рш!

Прошагав несколько шагов как заправский вояка, Сынок подошел к длинному худосочному бугру по кличке Исмаил. Кличку эту ему дали, наверно, из-за его раскосых глаз, а может, из-за того, что он говорил с каким-то легким неуловимым акцентом.

— К садовым домикам топай, — тихо промямлил Исмаил, — работа там тебя ждет.

Садовыми домиками называли два нужника, которые одиноко стояли в дальнем углу за бывшей трапезной, рядом со свалкой. Нужники тоже были одной из привилегий бугров. Остальные вынуждены были справлять свою нужду в огромном сортире с длинным рядом очков, причем и мужчины и женщины вместе. Правда, буграм, чтобы воспользоваться этой привилегией, иногда приходилось тащиться из одного конца монастыря в другой, но все неудобства искупались сознанием собственной исключительности.

Сынок сразу почувствовал неладное, как только издали увидел, что у нужников стоят и курят еще двое бугров. Можно, конечно, предположить, что все кабинки заняты, но вряд ли.

— Чего делать? — спокойно спросил он, остановившись неподалеку.

— Пердеть и бегать! — ответил один из надзирателей. Раздался дружный смех.

Сынок даже не улыбнулся. Продолжал стоять на месте, рассматривая большие пальцы собственных ног со сбитыми желтыми ногтями.

— Чего стоишь? Иди говно вывози! — приказал один из надзирателей, подтолкнув Сынка в плечо.

Тачка с фекалиями стояла за нужниками. Ее нужно было везти в другой конец монастыря, там выливать в канализационный люк и потом пустую толкать обратно. Да собственно это и не тачка была, а простой бак с приделанными к нему колесиками и двумя ручками. Плевое дело для любого другого. Но не для Сынка. Ему с его одной рукой нечего было даже и стараться.

— Я не смогу, — спокойно заявил он, выйдя из-за нужников, и тут заметил, что рядом с буграми появился Степка.

И все сразу стало ясно и понятно.

— А с какого это хрена, позволь поинтересоваться, ты не сможешь? — развязно спросил Степка, тем не менее предусмотрительно спрятавшись за спину Исмаила. — А почему это ты отказываешься? Может, ты хочешь сказать, что тебе не нравится наше дерьмецо?

— Да уж лучше, чем хозяева, — тихо ответил Сынок, посмотрев Степке прямо в глаза и сжав руку в кулак. Он прикинул, что если первым вырубить того маленького, с кулаками как детские головки, потом сразу переключиться на Исмаила, то еще вполне возможно, что переломают не все ребра, а только половину.

Но в руке у Степки неожиданно блеснуло тонкое жало ножа. И это было совсем другое дело. Ножей Сынок не любил. А после скальпеля, которым располосовали его грудь, так и вовсе ненавидел.

— Просто у меня одна рука, — вдруг начал как-то виновато оправдываться он, — и я могу разлить по дороге, может, вам лучше кого-нибудь здорового попросить?

Как только зверь чувствует, что соперник явно слабее, он начинает наступать. Кто сказал, что человек лучше?

— Ты че, гнида лобковая, страх совсем потерял? — дружно заорали они все. — Ты чего, работать отказываешься? Совсем уже старших уважать перестал? А может, тебя научить надо, как старших слушаться?

Сынок ни на мгновение не выпускал из виду тонкое блестящее жало. Все остальное было сейчас не так важно.

— Если каплю прольешь, мы тебя в этом баке утопим, сучонок. Ты все понял? В глаза смотреть!

Сынок пятился до тех пор, пока не уперся в стенку. Уже хорошо, значит, никто не нападет сзади.

Степка только на какое-то мгновение вышел из-за спины Исмаила. Только на какое мгновение. И подошел слишком близко. В следующий момент что-то хрустнуло в локте, резкая боль пронзила все тело, и он почувствовал, что лежит на земле, придавленный чьей-то ногой.

Сынок едва успел схватить эту ненавистную руку с ножом, едва успел вывихнуть ее, а нож отбросить в сторону, как на него навалилось трое человек. Били жестоко и умело — по почкам, по ногам, по голове. Но Сынок почти ничего не чувствовал. Увернувшись от очередного удара, он вдруг схватил с земли черенок от сломанной лопаты и с размаху ударил по тому месту, где только что видел в человеческой массе чьи-то глаза. Раздался истошный вопль, и чьи-то подошвы мелькнули в воздухе. Где-то он уже видел эти подошвы...

Он махал этой импровизированной дубиной до тех пор, пока она не вылетела у него из руки. Сейчас он был похож на раненого медведя, окруженного сворой псов. Псы вились вокруг него, кусали за лапы, но ни один не решался вцепиться в глотку.

Исмаил вдруг выхватил из-за пазухи цепь. Все даже шарахнулись в разные стороны, чтобы случайно не задело.

— На, с-сука! — Цепь звякнула в воздухе своими тяжелыми звеньями.

Сынок успел присесть в самый последний момент.

Еще какую-нибудь долю секундочки, и удар этой цепи раскроил бы Сынку череп. Но только каменная крошка брызнула по щекам. Сынок сильно боднул Исмаила головой в живот. От неожиданности тот охнул и согнулся пополам. Все остальное было делом техники — удар ногой по роже, еще удар по корпусу — и противник готов надолго.

— Ну, подходи, пацаны! — вдруг взревел Сынок. — Кто первый?!

Но первого не нашлось. Исмаил никак не мог встать на ноги, а Степка, поскуливая, отполз в сторону и материл Сынка во весь голос:

— Ты, падла, еще поплатишься! Ты у меня еще поплатишься, падла! Я с тобой, гад, еще поквитаюсь! Тебе теперь не жить, ты понял?! Тебе теперь точно не жить!

На ногах остался стоять только один надзиратель, да и то как-то не очень уверенно. Был еще один, но тот, видно, решил не ждать, чем все кончится, и сбежал.

— Ну, я пойду? — спокойно спросил Сынок у этого бугра.

— Что? — Не совсем понял тот. — А, да, конечно, можешь.

Сынок уже хотел идти, но вдруг посмотрел на ноги этого бугра.

— Снимай башмаки, — приказал он.

— Чего? — переспросил надзиратель.

— Башмаки снимай, — повторил Сынок. — Это мои башмаки.

Надзиратель растерянно огляделся по сторонам в поисках поддержки и увидел Исмаила. Исмаил, хоть и поднялся на ноги, но предпочел не вмешиваться.

— Давай-давай, скидывай. Или мне помочь?

— Нет-нет, я сам... — Бугор сел на землю и принялся трясущимися пальцами расшнуровывать обувь.

Натянув башмаки на ноги, Сынок подошел к босому надзирателю и вежливо попросил:

— Зашнуруй мне, пожалуйста, а то мне одной рукой неудобно.

— Я тебе шнуровать? — Бугор не мог поверить своим ушам.

— Шнуруй! — вдруг послышался голос Исмаила.

— Что?! — И Сынок и бугор посмотрели в его сторону.

— Я сказал — шнуруй! — грозно приказал Исмаил.

Бугор упал на колени и принялся лихорадочно затягивать шнурки.

Когда Сынок уходил, Исмаил окликнул его:

— Эй, погоди, кабан.

Сынок остановился. Исмаил подошел к нему, посмотрел прямо в глаза и вдруг спросил:

— Куришь?

Сынок кивнул. Исмаил достал из кармана пачку сигарет «Прима» и протянул ему:

— На, бери.

Сынок взял пачку, достал сигарету, а остальное спрятал за пазуху.

— А теперь беги на разгрузку, а то тебя Конопатый побьет. — Исмаил иронично ухмыльнулся и хлопнул Сынка по плечу.

Глава 14

«ИОЛАНТА»

Ирина ехала по Ленинградке в самом мрачном расположении духа. День выдался хмурый. Тяжелое небо нависло над городом. Липы, посаженные по обочине шоссе, не по сезону пожелтели и теряли листья, словно сейчас был не разгар лета, а начало холодной осени. События последних дней не шли из головы. Ирине, еще недавно бывшей в таком солнечном и здоровом настроении, теперь все виделось удручающе бессмысленным. Окружающий мир, игравший красками лета, почему-то выглядел опустошенным, разлагающимся. Старуха в лохмотьях, сама ветхая, жалкая — нищенка, видимо, — силилась преодолеть «зебру» у метро «Динамо». Зеленый свет погас, машины угрожающе гудели, а она стояла посреди дороги — нелепая, насмерть перепуганная, не в силах двинуться ни вперед ни назад. И вид ее немощной старости напоминал о том, что все в этом мире конечно и удел всему — смерть. Возле бордюрного камня валялся труп кошки с выпученными глазами, с окровавленной пастью, словно мрачное напоминание ей, Ирине, что все в этом мире суета и конец всему близок. Душа Ирины приходила во все большее и большее уныние.

Разверстый зев шахты лифта, готовый поглотить ее, —

теперь она представила себя с переломанными костями, с кровью у рта, и душа ее судорожно сжалась, — убитая девушка в таком же, как у нее, плаще, на месте которой вполне могла быть и она сама. Все это виделось сейчас мистическими указаниями на то, что круг случайностей многозначителен, что судьба мечет стрелы в нее, попадая мимо — пока что мимо. Ирина внутренне интуитивно готовилась к удару, но не могла предполагать, откуда он последует. Даже мысль о том, что скоро она будет богата — несказанно богата по меркам российского обывателя, — даже это перестало согревать ее. В носу у Ирины защипало, на глаза набежали слезы, и она с горечью подумала, что богатые тоже плачут. И еще удивилась — за последние дни она плакала что-то слишком часто.

Сморгнув, она прояснила дорогу перед глазами на развороте у академии и приблизилась к «Аэростару». Серая громада «Аэростара» на фоне серого неба стояла безликая со своими непроницаемыми с улицы окнами, устрашающий гигант, вместивший в себя многие судьбы людей, со всеми их зыбкими надеждами, ее работу, которая, если руку на сердце положить, совсем не грела ее. Ирина оставила машину на стоянке и, прошуршав по ворсистому паласу у крыльца, открыла дверь. Охранник поклонился ей, она ответила ему быстрым кивком и подошла к лифту. Лифт открыл дверь с мелодичной фразой из трех нот. Ира, входя, впервые обратила внимание, что эти же три ноты начинают моцартовский реквием — заупокойную мессу. Все вокруг дышало смертью, всюду виделось указание на конечность всего сущего.

«Я шизею», — сказала себе Ирина, стараясь вложить в этот вывод всю свою самоиронию. Почему-то легче не стало.

Ирина привычно прикоснулась бедром к замку и вошла в офис. Обстановка офиса — яркое освещение, едва слышные шаги по ковролину, запах ксерокса, бумажный шелест, еле слышный звук компьютера, весь этот быт большой и нерусской фирмы вернул Ирину к деятельному состоянию. Сейчас ей осталось натянуть на себя обычную маску клерка и вернуться к горьким раздумьям только после шести вечера.

Она расположилась у монитора, обменявшись улыбчивыми приветствиями с сотрудниками, и вызвала свои файлы. Компьютер приветливо вывесил флаг: «Ирочка, душка, ты заплатила за квартиру?» Этот фамильярный текст, придуманный ею же в лучшие дни, сейчас раздражил ее, и она с горячностью ткнула в кнопку «Esc», чтобы избавиться от него. Появились, сменяя друг друга, электронные таблицы, списки, диаграммы. Ирина остановилась на английском тексте: «Смартфакс» побивает «Моторолу» и принялась переводить.

Зазвонил местный телефон. Послышался знакомый, все более и более отвратительный ей голос Владимира Дмитриевича.

— Алло, Ирина? Не могла бы зайти ко мне на пару слов?·

— Охотно, Владимир Дмитриевич, — с казенной приветливостью отозвалась Ира. Она положила трубку и, свистя шелковой юбкой, пошла к боссу.

Бывший комсомольский бог принял ее дружелюбно, так, словно не было тягостной по воспоминаниям последней сцены в этом кабинете. По-приятельски он сам заварил кофе и вынул из шкафа стандартный для «Эрикссона» набор печенья и хрустящей соломки.

— Послушай, — сказал начальник, — у меня сегодня есть два билета на оперу. Ты ведь любишь оперу?

— Люблю, — ответила Ирина. «О боже мой, как он банален! — подумала она про себя с тоской. — Даже не мог придумать ничего пооригинальнее». — А что за опера?

— Я не помню, какая-то зарубежная. Это очень хорошая опера. Как-то... не помню. «Иоланта» или что-то в этом роде.

— Я ее слышала, — сообщила Ирина, — это старая постановка. Чайковский.

— Правда?

—А когда?

Она опрометчиво заранее сделала грустное и озабоченное лицо, с каким скажет: «К сожалению, я в этот раз не смогу, у меня дела». Шеф заметил это и улыбнулся, как ей показалось, с некоторым коварством во взгляде.

— Сегодня, — сказал он и откинулся в кресле с самодовольством.

— Ой, Владимир Дмитриевич, — огорчилась Ира, — сегодня я, к сожалению, не смогу. У меня дела.

Она не могла понять, отчего у него такой радостный вид.

— А какие дела? — спросил он, прикидываясь наивным пареньком.

— Ну, знаете... У меня во всяком случае могут быть планы, которые я не хотела бы публиковать.

— Какие планы? — с той же детской интонацией переспросил начальник.

— Владимир Дмитриевич, — Ирина прямо посмотрела ему в глаза, — у меня очень большие планы. И мне не хотелось бы, чтобы они были еще больше.

— Ты что, не хочешь пойти со мной в оперу? — продолжая паясничать, вновь спросил он.

— Если вы ждете прямого ответа: да, не хочу.

— Почему?

Это начинало ее раздражать. Владимир Дмитриевич все больше и больше сообщал своему лицу выражение детского недоумения, словно она была мама или старшая сестра, а вовсе не молодая женщина, которую он хочет обнять своими мокрыми руками.

— Я люблю итальянцев.

— Ты не патриот?

— Патриот.

— И любишь итальянцев?

Она молчала, все больше раздражаясь и уже откровенно не понимая, что он от нее хочет.

— А немцев?

Она сдержалась, чтобы не надерзить. Памятуя о том, что она бизнес-леди и должна заботиться о карьере, она улыбнулась и пригубила кофе.

— Люблю, — ответила она светски. — Вагнера.

— А меня? — тотчас спросил он, не меняясь в лице.

— Ой, да! Я опять забыла спросить вас о жене и детях, — в свою очередь детски улыбнулась Ирина.

— Ты не ответила на мой вопрос, — еще больше разулыбался начальник. — Меня ты любишь?

— Нет.

И сразу у нее стало легко на душе от сознания, что можно больше не ломать комедию, а попросту пойти за рабочее место и заняться «Смартфаксом» и «Моторолой».

— Как жаль! — Начальник комически воздел руки к потолку. — Очень, очень жаль.

— Я, пожалуй, пойду, — сказала Ира, отставляя чашку с кофе. — У меня дела.

— Так я и пригласил тебя поговорить о делах.

— О делах я готова.

Ирина вновь придвинула к себе чашку, обозначив желание сидеть здесь сколько угодно, если шеф не будет уклоняться от служебных тем.

— Что у тебя там с Прагой? — полюбопытствовал он.

— Прекрасно. Все готово. Через неделю я им назначила встречу. Документы подписаны. Кстати, никаких ошибок в них нет, я спрашивала юриста.

— О, да ты будешь прямо миллионершей, если все выгорит.

— Ну да, я очень довольна.

Ирина опасливо оглянулась на стеклянную стену. Никого не было. Босс, однако, озабоченно вынул из стола папку с отчетом Ирины о конференции и, казалось, был увлечен только им. Он одобрительно кивал головой на отмеченных маркером местах, явно одобряя Ирино предприятие.

— Ты могла бы быть неплохим менеджером, — похвалил он ее.

— Мне кажется, я уже неплохой менеджер, — иронически отозвалась Ирина.

— Да, я позабыл, ты же у нас на испытательном сроке? Или уже нет?

— Да. Нет. Не помню, — спуталась Ирина.

Она действительно работала в «Эрикссоне» недавно, и до конца испытательного срока оставалось несколько дней.

— В понедельник должно быть совещание по заключению контрактов. Кажется, ты безоговорочно должна была пройти.

— Почему «должна была»? — изумилась Ирина, — Кажется, это вопрос решенный.

— Да, но фирма может разорвать с тобой контракт по истечении испытательного срока. Не объясняя причин. Ты в курсе?

— Ну, разумеется, в курсе. Только, Владимир Дмитриевич, захочет ли «Эрикссон» терять такие кадры? Там, — она ткнула пальцем вверх, — об этом, надеюсь, помнят. Никто в первые четыре месяца не заключал таких сделок, как я.

— А ты ее и не заключишь, — вставил живо шеф.

— Как то есть, не заключу? — опешила Ирина.

— Я попрошу тебя сдать мне дела, и ты не заключишь.

— Владимир Дмитриевич, — вскипела Ирина, — это шантаж!

— Да, — сокрушенно кивнул начальник, — шантаж. Я же должен чем-то компенсировать мое огорчение? Мне так хотелось с тобой послушать оперу. А теперь останутся только деньги от сделки. Это не очень маленькие деньги, они могут меня утешить. Так что сдавай дела. Или, может быть, пойдем на оперу «Иоланта»?

— Никакой «Иоланты» не будет! — рявкнула Ира. — Я позвоню сейчас же Свенссону и пусть знает, что ты примитивный шантажист.

— Так ты все-таки подготовь дела, — постно напомнил шеф.

Ирина встала. Ах, как она жалела, что не согласилась на все условия, которые когда-то поставил перед ней Гордеев. Пусть бы их сейчас записывали, пусть подглядывали — за такое унижение стоит пойти на все.

— Знаешь, — переводя дыхание, сказала она, — я от многих слышала, что ты моральный урод, но не думала, что это буквально до такой степени.

Она вышла, оставив начальника все в той же самодовольной позе, раскинувшимся в кресле. Сев за стол, она опять попыталась настроиться на работу, но мысли ее витали подле только что состоявшегося разговора. Она втихую бранилась про себя, мешая английские и русские ругательства. Сзади на ее плечи легли чьи-то руки. Ира гневно развернулась, ожидая увидеть шефа, но встретилась с унылой физиономией подруги Ободовской.

— Как дела, Ириша? — спросила Машка.

— Этот прыщ опять ко мне приставал, — сообщила Ирина, отчаянно долбя по клавиатуре.

— Так я и думала, — с грустью кивнула Ободовская. — Тебе не кажется, что мы все напрасно живем какой-то вымышленной, ненатуральной жизнью?

Ободовская была философом и любила поговорить о бессмысленности мира.

— Мне это казалось все последние дни, — взволнованно ответила Ирина, — но сейчас я думаю только о том, что мужики свиньи, подонки, потаскуны, хамы и импотенты.

— Да, я это и имела в виду. Ты представляешь, я недавно ехала в такси. Ну, водитель был такой миленький — года двадцать два, наверное, блондин...

На Иринином столе опять зазвонил телефон.

— Алло? — Она подпрыгнула на стуле. — Что ему нужно? Что такое? О чем?! Хорошо...

Она положила трубку.

— Секретарша, — сказала Ирина, поднимаясь. — Представляешь, этот подонок мне пригрозил, что выставит меня отсюда по истечении испытательного срока. Вот вонючка. Меня!!

— Ты скоро?

— Я только в бухгалтерию.

Лифт сыграл три ноты из реквиема и отвез ее на первый этаж, где среди бумаг и счетов восседала пышная усатая дама по фамилии Беляева.

Беляева любила зазывать к себе Ирину после рабочего дня и делиться с ней новыми рецептами тортов и новыми средствами для похудания. Она была в курсе Ирининых проблем с шефом, отчего встретила ее фразой:

— Ну что, приковыляла? Как он, орел твой, всю печень уже из тебя выклевал?

— Не спрашивай!

И осеклась, потому что вслед за ней вошел и сам «орел».

— Добрый день, — сказал начальник вежливо.

— Ну здорово, здорово, — кивнула Беляева, — зачем пожаловали?

— Вы не могли бы предоставить мне отчет о командировке Марии Ободовской?

Ирина почуяла недоброе.

— Транжира ваша Ободовская. Только и ищет, где бы склындить. Да нет, все нормально.

— Все-таки покажите мне счета, — кротко попросил Владимир Дмитриевич.

— Вот зануда, — буркнула Беляева, — без вас бы разобралась.

Она достала папку с отчетами и счетами. Перед Ириниными очами появились уже виденные ею однажды бланки.

— Подписала на оплату все, кроме этого, — начала объяснять Беляева, — этот уж вообще ни в какие ворота. Где она столько накатала? Нет, ты посмотри, — обратила она внимание Ирины, пока шеф вдумчиво разглядывал счета, — ведь видно, что своей рукой нуль подмалевала.

Ирина тяжело сглотнула.

— Да, да, — рассеянно кивнул шеф, — я и хотел убедиться, что документация сфальсифицирована. У меня были все основания предполагать, что тут не все чисто. Я помню этот счет. У вас на столе, Ирина. Гляжу, тут тоже исправлена цифра... — Он вытянул мокрую, дрожащую руку с бланком счета в направлении лица Беляевой.

— О, и впрямь. А я-то и не углядела. Что же она, курва, делает? Ничего ей не оплачу. Я тут бухгалтер, а не ихний Санта-Клаус, чтобы всем подарки делать. Нет, ну гляди, какая ушлая! — рассердилась Беляева.

— Ой, и здесь! — удивился деланно Владимир Дмитриевич, показывая следующий счет и глядя на Ирину.

Беляева только насупилась.

— Конечно, это мой недосмотр, — признался шеф Ирине, — все происходило на моих глазах, но я не мог заподозрить, что наши сотрудники до этого опустятся. Воровать у компании деньги, не дождавшись конца испытательного срока, — как это опрометчиво! — Он сокрушенно покачал головой. — Боюсь, мне придется сказать об этом на совещании в понедельник. Или, даже лучше, прямо сейчас, Свенссону. — Он бегло кивнул Беляевой. — Благодарю вас.

— Да не за что, — сказала Беляева, — это вам спасибо. Без вас я бы и не заметила. Скажи своей Ободовской, чтобы ко мне зашла. Сейчас я из нее душу-то выну.

— Ну что, — спросил начальник на выходе, — ты облегчишь мне задачу? Я предлагаю тебе написать заявление об уходе. Это было бы разумно.

— Ты подонок... — подавленно произнесла Ирина.

— Вовсе нет. Меня волнуют интересы компании. Я в отличие от тебя патриот. Я люблю эту компанию, она мне много дала. Сама дала, заметь, я не воровал. Я всегда призывал администрацию быть осторожной с русскими сотрудниками, и, как видишь, небезосновательно. Впрочем, если ты уйдешь сама, то, во всяком случае, сохранишь доброе имя. Я никому ничего не скажу. У тебя роскошные данные, тебя после «Эрикссона» с готовностью возьмут на работу в «Алкатель», так что тебе, можно сказать, повезло. После обеда сдашь дела. Пока.

Не дожидаясь ответа, которого, впрочем, и не последовало, он пошел к себе в кабинет, фальшиво насвистывая и засунув руки в карманы, являя собой вид торжествующей беспечности и самодовольства.

Глава 15

БУГОР

Когда Сынок вернулся к месту разгрузки, первое, что он услышал, был дружный возглас работяг:

— Оставь покурить!

Сынок молча достал из кармана пачку сигарет, вынул из нее три штуки и аккуратно положил на камушек.

— Курите, угощаю.

Сразу несколько бомжей, побросав мешки, бросились к сигаретам.

— Эй, однорукий, иди сюда! — услышал Сынок окрик бугра.

Бугор, среднего роста парень с побитым оспой лицом, за что, очевидно, и был прозван Конопатым, сидел на куче мешков и пальцем подзывал Сынка к себе. Сынок молча подошел.

— Давай сюда, — нагло сказал Конопатый.

— Что? — спросил Сынок.

— Ты чего, не понял? — Конопатый поднялся на ноги. — Сигареты давай.

Сынок молча полез в карман и, достав одну сигарету, протянул ее бугру.

— Ты че, не врубаешься? — удивился Конопатый. — Все давай.

— Не дам, — покачал головой Сынок.

— Че-го? — Конопатый вплотную подошел к нему.

— Не дам, — повторил Сынок, бросил вынутую сигарету под ноги Конопатому и отошел. Сел в тенек, закурил и с удовольствием выпустил облако сладкого голубого дымка, краем глаза заметив, что Конопатый поднял брошенную ему сигарету и быстренько ретировался.

Машины грузили до самого вечера. В обед принесли кастрюлю окрошки, три буханки хлеба и батон вареной колбасы. Приятно было трескать на свежем воздухе, слушая, как в траве чирикают воробьи. Поев, Сынок завалился на мешки и задремал. Больше до конца дня никаких приключений не было.

Когда пришли на ужин и сели на одну длинную лавку за грязный дощатый стол, к Сынку вдруг подошла знакомая повариха, забрала тарелку с вилкой и сказала:

— Это теперь не твое место.

— Как это? — не понял Сынок.

— А так. Ты тут больше не сидишь.

— А где я сижу?

— Вон там. — Она кивнул на соседний стол.

Все в один миг умолкли, перестав болтать, и с уважением посмотрели на Сынка. Дело в том, что соседний стол принадлежал буграм.

— Во повезло, — с завистью сказал Саша.

— Сынок, мы твои друзья, не забыл? — спросил на всякий случай Паша.

— Не, ребята, я вашу дружбу не забуду, — двусмысленно ответил Сынок, поднимаясь.

— Эй, чего ты там с ними расселся?! — весело воскликнул Исмаил, показавшийся на пороге столовки. — Тебе теперь с быдлом не положено. Тебе теперь с буграми положено.

На ужин буграм, в отличие от простых смертных, подавали жареные куриные окорочка с жареной картошкой и салат из капусты. Дали даже бутылку самопальной водки, правда одну на всех.

Степки за столом уже не было. И того, с которого Сынок снял башмаки, тоже. На присутствие за ужином нового человека никто не обратил никакого внимания. Всем было абсолютно наплевать, что творится вокруг. Главное, чтобы это не касалось тебя лично.

— Ну что, — сказал после ужина Исмаил, — теперь ты бугор. Ходить будешь в туалет, как белый человек. Можешь лупить кого хочешь. Петушить никого нельзя, воровать нельзя, по территории ночью шататься нельзя, напиваться нельзя. Приказы будет отдавать Константин Константинович. Советую выполнять. Все понял?

Сынок кивнул.

— Можешь идти спать. Утром за десять минут до подъема тебя разбудят.

— Подъем, козлы вонючие! Выходи строиться на зарядку!

Люди вскакивали с коек и, мотая головами, чтобы стряхнуть цепкие остатки сна, выуживали из-под матрацев спрятанные туда одежду и обувь.

— Выходи строиться, бараны колхозные! Бегом, твою мать! — орал отработанным командирским голосом Сынок. Сам он при этом сидел на стуле и читал газету.

Это ведь особым шиком считалось — читать по утрам газеты, отдавая при этом команды.

На душе было противно. Обыкновенным бомжем он чувствовал себя куда лучше.

Впрочем, бугром он прослужил только два дня...

Глава 16

НОВАЯ ЖИЗНЬ

Ирина подошла к своему стулу и свалилась без сил.

— Ну что? — подлетела Ободовская. — На тебе лица нет.

— Мы пропали, — сказал Ирина и заплакала. Ей уже не было жалко денег, потерянной работы, но все впечатления последних дней соединились в единую симфонию, которая грозно грянула сейчас, в этот самый миг. Безнадежность, крах иллюзий, обида, мысли о смерти — все переплелось в едином хоре.

— Они что, заметили мои счета? — холодея, спросила Ободовская.

— Да. Не в этом дело, — отвечала Ирина сквозь слезы. — Я... я устала, — злилась она пуще прежнего, не зная, как выразить все наболевшее иначе, чем в этом бессильном и ничего не значащем «устала».

— А какой счет они заподозрили? — не унималась Ободовская. — Из ресторана? На четыреста девятнадцать франков, черной ручкой?

— Нет, — всхлипнула Ирина.

— А какой?

— Мой, — отвечала Ирина сквозь слезы.

— Твой?! — Ободовская злобно сощурилась. — Я так и знала, что не надо было его тебе давать! Ты все запорола!

— Да ты-то что... — опять всхлипнула Ирина. — Тебе ничего не будет. Тебе только счета не оплатят. А мне велено писать заявление...

— Как то есть не оплатят? По-твоему, этого мало?

Ирина недоуменно посмотрела на подругу.

— Ты что? — спросила она.

— Тебе плевать на меня! — сделала Ободовская неожиданный вывод. — Тебе плевать на меня! Эгоистка!

Она развернулась и, гордо и обиженно поводя плеча-

103

ми, пошла восвояси. Ирина осталась обескураженная, под давлением происшедших только что событий она даже не могла ни осмыслить очередной каприз Машки, ни обидеться на нее. Все как-то навалилось единой кучей, подавило ее. Тупая апатия заполнила неожиданно все ее существо, ее мысли и чувства вмиг оказались скованы безразличием ко всему происходящему. Равнодушие — это тот скрытый ресурс, в котором мы черпаем утешение, когда в прочих утешениях судьба отказывает нам.

Зажужжал факс. Из щели медленно выползла бумага, запечатлевшая на себе копию билетов в Большой театр. Ирина вынула лист чистой бумаги и написала на нем, всячески стараясь сдержать присущую ей нервность почерка: «Президенту компании «Эрикссон-Москва» Мартину Щеллеросу менеджера отдела PR заявление...» Она задумалась на мгновение, покусывая в детской манере авторучку. Сложив слова в казенную фразу, она продолжила: «Прошу освободить меня от занимаемой должности по собственному желанию». Расписавшись, он вложила лист в папку на подпись президенту и, не дожидаясь конца рабочего дня, отбыла в направлении собственного дома.

Как ни странно, ее боль от пережитой обиды оказалась меньше, чем она могла бы ожидать. Тридцать тысяч долларов были той суммой, размеры которой существовали в ее фантазии лишь в виде совершеннейшей абстракции. Из-за потерянной в шахте лифта губной помады она, кажется, переживала больше, чем потеряв сейчас никогда не виденные золотые горы. То, что начальник подонок, она знала уже давно, и сейчас самый вид его был ей так омерзителен, что она готова была вовсе не приходить больше в «Эрикссон», лишь бы не встретиться с ним. Конечно, тридцать тысяч была непропорционально великая сумма за удовольствие никогда не встречаться с боссом, но слабое утешение от сознания свободы от фирмы Ирина все-таки ощущала. Предательство Машки она и вовсе не заметила на фоне более глобальных потрясений.

Как бы ни скорбела душой Ирина, тем не менее жизнелюбивая часть ее души начала свою работу. Голос ее второго, солнечного «я» отчетливо замурлыкал, что она еще очень молода, что без поражений не бывает побед, что она, в конце концов, не бедна — у нее было припрятано сколько-то благоразумных долларов. Когда она думала, чем бы ей заняться, ей поначалу ничего не приходило на ум — она испытывала отвращение при мысли о необходимости делиться своими переживаниями с Руфатом, с подругами, ей противно было думать, что сейчас она ляжет в кровать с пилюлей тазепама в животе и проснется завтра выспавшаяся и несчастная, чтобы ехать в «Эрикссон», уже переполошенный ее внезапным заявлением. Затем должны начаться дни бездействия, вновь рассылка резюме по агентствам, интервью в фирмах, где ей придется шиковать белыми зубами и прекрасным английским, опять новый коллектив, запах ксерокса и шум компьютера.

«Я устала», — сказала она Ободовской. Да, она действительно устала. И опять второе «я» нежно замурлыкало: «Когда бы ты дождалась от фирмы отпуска? Тебе еще ждать бы восемь месяцев, пока ты дождалась бы своей Италии. А сейчас ты свободна как птица...» Она прикинула, что нынешняя ее свобода и отдых в Италии несовместимы, как гений и злодейство. Денег хватало только на дешевый отдых в Турции, скажем, или в Греции. В Греции она была, в Турции, этой полуцивилизованной стране, она страшилась встретить отвратительное изобилие соотечественников, которые отравили все зарубежные курорты. Или, может быть, хватит снобствовать? Сейчас она уже не бизнес-леди, не менеджер PR, а такая же русская гражданка, в ближайшее время, вероятно, со скромным достатком, а то и вовсе без оного. Она вспомнила, как еще в школе путешествовала с подругами в Гурзуф. Славно было есть персики на пляже, зарывая косточки в песок, и читать Оскара Уайльда вслух. Может быть, Крым? Судак или Ялта?

Она притормозила подле крупного магазина и вышла из машины. Пестрая витрина обещала товары для отдыха. Золотые женские торсы, лишенные головы и конечностей, демонстрировали бикини, на атлетических манекенах мужчин химически ярко зеленели гавайские рубахи и шорты.

Тень прошла по ее лицу, когда она вновь повторила для оптимизма: «Свободна!» Нежданная свобода от «Эрикссона» закрепощала ее несвободу от Руфата. Руфат, обезумевший от любви и ревности, уже неоднократно склонял ее к замужеству — от этого она, разумеется, отказывалась. Ему также не удалось поработить ее экономически — она принимала материальные вклады в свою жизнь только цветами и недорогими подарками. Становиться восточной пленницей претило ее славянской душе. Однако же все ее попытки свести отношения с Руфатом до ровного и ненавязчивого дружества проваливались. Руфат устраивал сцены, страшно вращал черными глазами, сжимал поросшие волосом кулаки — он становился страшен в этот миг. Потом он вдруг терял весь свой пыл, забивался в угол, и на его чувственные, красивые глаза набегали детские слезы. Ее сердце не выдерживало, она подходила к нему, обнимала за голову, он прижимался к ней, целовал ей руки. Она тоже плакала в унисон с ним и думала: «Черт побери, как же меня утомили эти мыльные оперы!» Отношения с Руфатом явно изжили себя. Было время — он ее радовал своей беззаботностью, своим солнечным восточным темпераментом, истинно восточным мастерством ухаживать за женщиной и, конечно, своей ревностью, которая бывала ей умилительна и сообщала их отношениям истинно юношескую страстность. Но со временем и юношество это стало казаться ей инфантильным, и методы ухаживания стали отдавать однообразием, и в его темпераменте она стала видеть одно лишь мужланство. Эти отношения, в основе которых лежала чувственность, стали скучны враз, как только его объятия и поцелуи стали обыденностью, повторяющимся эпизодом ночного быта.

«Крым!» — решила она. Ее спасет Крым. Персиковые косточки в песке, пользительный для щитовидки морской йод, голозагорелые пляжники, фото с обезьянкой и искусственной пальмой. И без Руфата. Она знала, что дела не позволят ему оставить Москву. Две или даже три недели на море помогут решить проблему.

Она купила масло от загара, плавательные очки, кричащего цвета панаму и яркий купальник. В Крыму она сможет жить, как королева. Завтра же, пользуясь связями «Эрикссона», она закажет лучшую гостиницу Ялты, лучший номер с видом на море, билет «СВ» до Симферополя.

Как ни странно, от этих мыслей ее самочувствие вернулось от безысходной тоски к обычной грусти, в общем-то, даже терпимой. Она заехала в ресторан, поужинала не без аппетита, затем стала выбираться пресненскими переулками к центру. Ошибившись поворотом, она свернула в какую-то ухабистую, безлюдную улочку, освещаемую фарами «КамАЗа» позади себя. Грузовик, ревя и грохоча, уже давно тащился позади нее — она явно мешала ему, но свернуть не могла и, то и дело замедляя скорость, искала, как бы ей выбраться. Справа от нее была стена какого-то завода, слева заброшенные дома, в редких не треснутых окнах которых горел сиротливый свет. «КамАЗ» урчал позади, треща выхлопом, а она продвигалась вперед словно ощупью, окунаясь колесами в невысыхающие лужи. Фары осветили стену впереди. «Не может быть, чтобы тупик», — подумала Ирина. Действительно, ведь «КамАЗ» позади, наверное, знает, куда едет. Хотя, возможно, ему надо остановиться у какой-нибудь из железных дверей с надписью «Машины не ставить!» для заводских нужд. Ей было неловко остановиться, и она, почти совсем утишив скорость, доползла до тупика. «КамАЗ» позади было отстал и погасил фары. Ирина остановилась перед стеной, тупо глядя в нее. На узкой улице ей было не развернуться. И сейчас надо выбираться задами, когда «КамАЗ» наконец въедет на территорию завода. Надо было спросить у аборигенов, как ей отсюда выбраться к улице 1905 года. Она приоткрыла дверь, чтобы выйти, и вновь услышала позади ворчание большой машины. «Кажется, он тоже влип, — подумала она, — вот у него и спрошу, что делать». Между тем рев мотора приближался. Слышен был плеск расходящихся брызгами луж. В какой-то момент Ирине стало страшно. Впотьмах казалось, что «КамАЗ» несется на нее со страшной скоростью. Она приоткрыла дверь и выставила ногу, чтобы выйти, как вдруг сзади с силой в машину врезался грузовик. Передняя дверь рванулась, увлекая за собой Ирину. Не осознавая, каким образом, Ирина оказалась на мостовой, ударившись о стену. Послышался скрежет металла и сухой звон закаленного стекла. Какая-то деталь с нечеловеческой силой ударилась о стену и рикошетом отлетела, звякнув по асфальту. Тут же раздался пронзительный визг из кустов и топот ног. Ирина приподняла голову, но ничего не увидела. Голова ее опустилась на мостовую, и Ирина замерла в позе бегущего человека, в одной туфле, с ссадинами на коленях.

...Она пришла в себя, видимо, довольно скоро. Была совершеннейшая тишина, если не считать визгливого удаленного лая маленькой собачки, чем-то привычно взбешенной. Можно было подумать, что столкновение машин в переулке — вещь вовсе обывателям неинтересная, даже незаметная. Ирина подтянула под себя ногу — колено отозвалось тупой болью. При зыбком свете, отраженном серым московским небом, Ирина увидела, что оба колена ее содраны об асфальт, но уже не кровоточат. Кровь запеклась уродливыми черными бляшками. Ира села, привычным жестом поправила прическу и, не обращая внимания на сплющенную, искореженную машину, на громаду «КамАЗа», накренившегося в ее сторону, стала снимать колготки. По нынешним временам колготки — это пол-аванса для какой-нибудь скромной труженицы. Отделавшись от колготок, Ира попыталась встать. Колени заныли, но, видимо, никаких особенных повреждений не было. Стоять было трудно, оттого что в икрах билась непонятная дрожь. Ни в мозгу, ни в душе Ира не ощущала никакого волнения, но тем не менее организм всячески пытался напомнить ей, что совершилось нечто ужасное. Однако подсознание всячески старалось подавить мысли о происшедшем или, во всяком случае, придать им удобную форму. Ира оглядела машину — та не подлежала ремонту. И капот, и кабина были раздавлены, по асфальту черной лужей растекся солидол. Ира развернулась и пошла в направлении едва светящейся улицы. На пути она вспомнила, что надо бы записать номер грузовика, и ей пришлось вернуться. Она опять подошла к своей машине, запустила руку в кабину и попыталась извлечь сумочку. Руль вдавился в сиденье, сумочка зацепилась за тормозную педаль, отчего Ирине пришлось провозиться не меньше минуты. Она вынула записную книжку и ручку, методично переписала цифры и с облегчением пошла в сторону улицы. Там ей удалось, правда, с трудом, поймать такси — движение было не оживленным. Таксист — пожилой болтливый мужчина, всю дорогу рассказывал ей о пробках на дороге — какие они были прежде и где и какие места Москвы нынче особенно докучны в этом отношении. Ира сидела, не слушая его болтовню, лишь изредка вежливо кивая и говоря что-то вроде «ну-ну» или «да-да». В голове безраздельно царствовала какая-то звенящая, тупая пустота. По приезде она расплатилась с таксистом и, прихрамывая, поднялась к себе наверх.

Из-за двери ее квартиры гремела какая-то веселая, беззаботная музыка, пахло жареным луком. Судя по всему, ее дожидался Руфат, уже давно выклянчивший ключи и взявший на себя хозяйственные хлопоты. Сама Ирина была никакая хозяйка. Если бы Руфат не готовил, она бы, верно, всю жизнь питалась по столовкам. Она открыла дверь своим ключом, вошла. Руфат — разгоряченный, с раскрасневшимся, вспотевшим лицом, высунулся из кухни, снял фартук и, выйдя, заключил ее в объятия. Она все так же апатично приникла к его плечу и закрыла глаза.

— Ты что так поздно? — спросил он, выдыхая слабый запах алкоголя и мятной жвачки. — Я уж заждался. Я тебе твое мясо любимое приготовил.

Ирина кивнула, не отрывая лица от его плеча.

— Да что с тобой? — спросил Руфат, слегка отстраняя ее и вглядываясь в весь ее облик. Действительно, Ира выглядела неважно. Прическа ее пришла в совершеннейшее расстройство, юбка перекосилась, так что молния оказалась на боку. Наконец, колени ее, вовсе содранные, пламенели алыми язвами.

— Ты что? Ты что? — испуганно и бестолково спрашивал Руфат, холодея от фантазии, что могло случиться.

— Ничего. Не бойся. Жива, — отвечала Ирина, входя в кухню и садясь.

— Это что? На улице? — Руфат вытаращил черные глазищи, в которых пока читались только лишь страх и волнение. Ирина знала, что сейчас Руфат начнет метать глазами молнии, страшно ругаться, звонить своим приятелям с мифическим проектом всех убить и прочая. Ирина вздохнула.

— Я попала в аварию, — сообщила она, — чуть не сдохла.

— Какую аварию? — переспросил Руфат, уже гневно насупливая брови.

— В меня врезался грузовик, — устало сообщила Ирина.

— Где? — В очах Руфата промелькнули первые зарницы.

— Не знаю, на какой-то улице. Почем я знаю. У нас есть выпить?

— Ты даже не знаешь где? Едем сейчас же!

— Куда?

Видимо, этот вопрос поставил Руфата в тупик, отчего он спросил:

— Милиция была? Акт составили?

— Да какая милиция... Улица была безлюдная, ночь. Я сама не знаю, как я туда забралась.

— Едем в милицию!..

— Ну куда я поеду, — улыбнулась Ирина, показывая на свои ноги. — Дай мне чего-нибудь глотнуть.

Руфат залез в холодильник и вынул бутылку вермута.

— Расскажи по порядку, как все произошло, — сказал он, стараясь соблюсти внешнее спокойствие.

— Я гоняла по Москве... — уныло начала Ирина, — кстати, я решила ехать в Крым.

— Какой Крым?! Ты что?!

— Ну, это неважно, ладно. Ты мне нальешь или нет?

Руфат наполнил стакан и кинул в него ломтик лимона.

— Так вот, — продолжила Ирина, — меня выгнали с работы. Вернее, я сама ушла.

— Выгнали? Ушла? Почему?

— Так получилось. Меня подставили. Не надо было раньше времени высовываться с пражским контрактом. Этот вонючка начальник решил прибрать мои денежки.

Подробности Ирина сообразила не рассказывать, опасаясь за жизнь Ободовской. Того, что она сказала, было уже достаточно для того, чтобы Руфат, страшно поводя глазами, заорал, что он убьет начальника, чего бы это ему ни стоило, что он размозжит пустую башку этого поганого комсомольца и далее, как обычно. Ирина покладисто выслушала, потягивая мартини.

— Ну так вот, — опять продолжила она, — я было думала обратиться к юристу, но тут ничего не поделаешь. Фирма может расторгнуть контракт без объяснения причин. Теперь у меня нет ни машины, ни работы.

Зависла пауза. Вдруг Руфат посмотрел на Ирину просветленным взором и улыбнулся.

— У тебя есть я, — сообщил он нежно.

Ломтик лимона уткнулся Ирине в нос, и она отставила с тоской бокал.

— Руфат, пожалуйста, не надо, — умоляюще сказала она, — мне и без того неважно.

— У тебя есть я, — повторил убедительно Руфат, — и

этого достаточно. Не в деньгах счастье, теперь ты понимаешь?

Он уже совершенно уверовал, что Ирина принадлежит ему безраздельно, и жадно желал делиться мечтами о будущем.

— Ты можешь вообще не работать. Проживем как-нибудь!

Он присел подле нее на корточки и взял ее руки в свои. Она тупо посмотрела на него.

— А этот Владимир Дмитриевич просто не существует. Я его убью.

— Руфат, пожалуйста, не надо... — вяло протестовала она.

Но Руфат уже воспарил на крыльях фантазии. В его пламенной речи смешивались картины их будущей счастливой жизни и страшных мук, на которые был обречен шеф. То голос Руфата обличал, дрожа от ярости, то бархатно обволакивал Иринины редкие мысли сладостной негой. Перед Ириной открывались врата рая, чтобы войти в него, ей надо было только лишь переступить через изуродованный труп начальника.

Но Ирина переступила через себя.

— Да, Руфат, — сказала она. — Я действительно начну новую жизнь. Положи ключи на полочку, когда будешь уходить...

Глава 17

ЧУЖИЕ

Сынку показалось, что жизнь сильно ушла вперед, что город сделался каким-то другим, более красивым, но вместе с тем и более озлобленным.

Сколько ж он тут не был? В монастыре время странным образом пропадало, теряло смысл и содержание, которое имеет в городе.

Сынок прослужил бугром всего два дня, даже меньше. На третий собрали их несколько здоровых до драки, злых и беспощадных и послали в Москву. Надо было наводить порядок.

Объект — Курский вокзал и вся прилегающая к нему территория, включая самодвижущиеся экономические зоны, то есть электрички. В последнее время там развелось слишком уж много конкурентов, откуда ни возьмись вдруг появились искалеченные людишки. Было ли это появление стихийным или в игру вступила какая-то тайная сила, и предстояло выяснить Сынку. И чем быстрей, тем лучше...

По сути, его работа заключалась в координации действий специальной карательной бригады братства. Он должен был прощупать почву, выяснить обстановку, а уж действовать будут без него — до сих пор многие считали, что он со своей культей боец ненадежный. А в том, что рано или поздно нужно будет помахаться, Сынок не сомневался.

Невдалеке от вокзала, в темном незаметном проулке стояла строительная бытовка, маленький такой вагончик без колес и с заколоченными окнами, позабытый строителями лет десять назад. Вагончик проржавел насквозь, рассыпался уже по частям, но был еще вполне пригоден для жилья.

Сынок постучал условным стуком в дверь. Ему открыли. Из темного чрева вагончика пахнуло немытыми телами. В монастыре он уже от такого духа отвык.

— Кто здесь? — Сынок отмахнулся от круживших у его лица жирных навозных мух.

В ответ нечленораздельно замычали. Сынок понял, что местные обитатели крепко спали и он их разбудил.

— Саша с Пашей где?

— А сам-то кто? — буркнули из дальнего угла.

— Сынок я. Где эти пропидорки?

— По бану шляются...

— К вечеру вернусь, чтобы прибрались. Вопросы есть?

— Я не понял... Чего этот козел хочет?

Сынок мгновенно выбросил кулак на голос и попал невидимому бунтарю точнехонько в челюсть.

Сынок был единственным из всех вокзальных обитателей братства, кто должен был походить на нормального человека и ничем не отличаться от пассажиров, встречающих и провожающих — приличная одежда, бритые щеки, одеколон... А как в таких условиях сохранить человеческий облик?

— Чтоб все дерьмо отсюда выгребли.

Он отыскал близнецов на вокзале. Верней, они сами

к нему подвалили, покинув свои насиженные места у стеночки.

— Хочешь редиску? — предложил Паша.

— Вот что, близняшки, вы же давно здесь крутитесь, успели присмотреться?

— Пашка, почеши мне под лопаткой, — Саша подставил брату спину, и тот начал ожесточенно ее чесать. — Ниже... Еще ниже... Блохи обнаглели...

— Чужих много?

— Много. Не продохнуть.

— Покажь.

— Вон тот вчера только обрисовался... — Паша украдкой кивал на старика-гармониста, который наяривал революционные песни прямо между окошками билетных касс.

— А вон ту шлюху я вообще впервые вижу, — Саша показывал на согнувшуюся в три погибели женскую фигуру, которая шныряла в людском потоке и тянула прохожих за рукава.

— И вон тот, с палкой...

— Вишь, пацан бегает?..

— А этих цыган целый табор...

В общем, чужаков оказалось действительно много. Десятки. И по их безмятежному виду легко было определить — они ничего не боятся. Беспредел какой-то.

— Во, гляди, какая чикса! — восторженно ахнул Паша.

Прямо им навстречу бежала девушка с тяжелым чемоданом наперевес. Взгляд ее судорожно метался по сторонам.

— Простите, — обратилась она к Сынку, — где здесь третий путь? Я заблудилась!

— Вам туда, — Сынок только мазнул по ней взглядом и указал на лестницу.

Она даже не поблагодарила его. Цокая каблучками, понеслась к поезду.

— Вот бы ее отпетрушить... — мечтательно облизнулся Саша.

— Рачком... — дополнил фантазии братца Паша.

— Ребят, кстати, а как у вас с этим? — загоготал Сынок. — Тоже один на двоих?

— Да пошел ты... — надулся Саша.

— Лучше скажи, чужаков мочить будем? — спросил Паша.

— Ага, особенно ты будешь.

Сынок не забыл, как братья-близнецы предали его в первый же день. Общался с ними скорее по необходимости. Терпеть не мог стукачей и предателей.

Вышли на платформу загородных электропоездов.

— Прокачусь, пожалуй, — сказал Сынок.

— Куда? — осведомился Паша.

— Не состарься раньше времени.

— Подумаешь! Маяком стал! — обиделся Паша. — Видали таких. Если бы наши родители, царство им небесное, не умерли, мы бы вот так же, как дамочка эта, сидели бы сейчас в «СВ» и тебе в рожу плевали, понял?

Сынок не ответил, вошел в тамбур среднего вагона, прислонился к стенке, закурил, стряхивая пепел в дыру между поездом и перроном. Эти близнецы своими родителями всех достали. Чуть что — мы белая кость, а вы — дерьмо. А родители, дескать, у нас были первейшие в стране люди. Что там в стране — в мире! Мать — Долорес Ибаррури, а отец — Эрнест Хемингуэй!

Над братьями смеялись сначала, но те были так настойчивы, так упорны, такие приводили подробности, что потихоньку им стали верить. Сынок вспомнил одну из фотографий, которую нашел в котомке близнецов, — действительно, женщина походила на героиню испанского народа, а отец — на великого американского писателя. И даже баба Люся, авторитет в области культуры, сказала как-то — Хэм и Долорес могли пересечься. После этого над близнецами смеялись поменьше. Впрочем, даже если это было правдой, в работе Саше и Паше это никак не помогало. Кто сейчас помнит про пламенную революционерку и бородатого писателя-алкаша?

Хриплый голос машиниста объявил, что состав следует со всеми остановками. Куда следует, Сынок не расслышал, да это и не важно было. Двери со свистом закрылись...

Он оторвался от стенки и медленно пошел по вагону. Народу в электричке было немного, при желании можно было даже отыскать свободные места. Сынок отыскал, сел.

Долго ему ждать не пришлось. Сначала появились продавцы газет, книг, конфет, дешевых зонтиков и всякой мелочи, а уж за ними потянулась настоящая клиентура.

— Люди добрые, обращаюсь к вам!..

— Сами мы не местные, приехали в Москву, а денег на обратный билет нет...

— Мои родители умерли, а я совсем один...

Когда очередной попрошайка равнялся с Сынком, тот протягивал мелкую монетку и тихо спрашивал:

— У кого один шарик на двоих?

Это был пароль. Многие отвечали, что «у бабки с дедкой — колобок», но были и те, кто лишь непонимающе вращал глазами или переспрашивал:

— Чего?.. У кого?..

Одного из таких побирушек, молодого широкоплечего парня с рыжей шевелюрой и загадочным недугом, который был совершенно несовместим с жизнью, если, конечно, срочно не сделать сложнейшую операцию, Сынок проводил до дверей, вышел вслед за ним на какой-то безлюдной станции.

По своему опыту Сынок знал, самые отважные и упертые — старички, за ними по степени смелости шли женщины любого возраста, а уж чем здоровей был детина, тем легче его было взять на понт.

Он схватил рыжего за шею и придавил к земле, после чего оседлал его, как детскую деревянную лошадку.

— Будешь тихо себя вести, останешься жить, — зловеще произнес Сынок. — На кого работаешь, шваль?

— Помогите! — завизжал детина.

И Сынку пришлось хорошенько стукнуть его лбом об асфальт. Вообще-то, увечить чужаков было как-то не принято. Зачем повышать им квалификацию? Ведь чем больше синяков, ссадин и кровоподтеков на лице, тем жалостней человек выглядит. А вот отбить почки — совсем другое дело, но сейчас Сынку не хотелось возиться.

— На кого работаешь?

— Мне деньги на операцию нужны-ы-ы... — заканючил парень и тут же еще разок поцеловался с асфальтом. — Бобик! Бобик сказал, что все подмазано!

— Кто такой Бобик?

— Ты че? Бобика не знаешь? Его все, мля, знают. Только попробуй меня тронуть, он тебе, мля, голову отрежет!

— И сколько вас таких по Москве шляется?

— Всех не перережете! Мы еще вас перережем!

— Где найти Бобика?

— Он тебя сам, мля, найдет! — раздухарился рыжий. — Он тебя, мля, уроет!

— Посмотрим, кто кого уроет... — Сынок разжал руку и отскочил в сторону. — А ты ему привет от меня передай при встрече...

— Да пошел ты! — у здоровяка из разбитого носа хлестала кровь. — С-сука!.. Коз-зел!..

Зачирикали провода — электричка на Москву была совсем уже рядом. Сынок презрительно сплюнул и нырнул в подземный переход.

— Что, падла, зассал? — кричал ему вслед детина, неуклюже ползая по платформе. — Трус поганый! Мы еще с тобой встретимся! Я еще, мля, тебя найду!

Глава 18
БЕДНЫЕ ЛЮДИ

Как-то неприятно мазанули по ней эти глаза.

Ирина, как всякий нормальный человек, страшилась уродств. Люди без рук или без ног или даже глухие казались ей не просто ущербными. Они казались ей вообще существами другого порядка. Как вараны, скажем, или птицы. Ведь что-то же у них там происходит в голове, когда они перестают быть людьми, потому что человек с крыльями, скажем, уже не человек, как и человек без рук, без ног, без глаз, — что-то происходит, от чего они совсем меняются. Ирина даже с отчетливой брезгливостью представляла себе какой-то особый, нечеловеческий запах у инвалидов. И всегда старалась держаться от них подальше из суеверного подсознательного страха, что вокруг ущербных распространяются миазмы несчастий.

А этот здоровый однорукий парень, который мимолетом взглянул на нее, показался особенно неприятным, даже более страшным, чем обыкновенный бандит.

— Ну все, хватит! — вслух приказала она себе, бросив чемодан на мягкий диван спального купе. — Хватит, забудь все! Ты едешь на юг, в конце концов. Что тебе за дело до этих инвалидов, до этих бандитов, до этой Москвы, в конце концов. Жизнь продолжается. Ты молодая, симпатичная, если не сказать — сногсшибательная, здоровая и свободная.

Такая самопсихотерапия несколько взбодрила. Ирина когда-то обещала сама себе, что по утрам, если поднимется вовремя, будет проводить такие сеансы психотерапии. Она даже прочитала, как надо проводить подобные сеансы. Очень просто. Надо затверживать себе неопровержимые истины о самой себе. Начинать с простого: как зовут, сколько лет, где училась, кем работаешь. А потом перейти к более сложному, но тоже без головоломок: что я однозначно умею. Умею, скажем, убирать квартиру, готовить обеды, слушать классическую музыку, поддерживать друзей. Здесь тоже от всеобщего перейти к индивидуальному: восприимчива к языкам, разбираюсь в людях, умею, скажем, отличать хорошую одежду от подделки. Это Ирина действительно умела. Вспомнить хотя бы, как она рассмотрела плащ на убитой соседке. И так дальше, дальше, дальше выходить на собственную уникальность. Это здорово придает сил. А уже потом следующий шаг: что я могу сделать. В самых скромных перспективах. Могу пойти на курсы арабского языка, могу вести сложные переговоры и так далее.

Сейчас Ирина этим не занялась, а просто вышла в коридор, открыла окно и стала смотреть на платформу.

Посадка на поезд заканчивалась. Москва, со всей ее тяжеловесной суетой, уже как бы отодвигалась, уходила, таяла и освобождала душу.

Женщину с грудным младенцем на руках подсаживал в вагон красавец парень, черноволосый, волоокий, с ленцой сытого самца.

Эта сценка слегка заинтересовала Ирину по двум причинам: «Чем-то похож на Руфата. Но слишком сладкая мордашка». И: «Не дай Бог, в мое купе. А судя по несчастьям, которые на меня свалились в последние дни, так оно и будет».

На всякий случай Ирина убрала чемодан под диван, и вовремя. Женщина с ребенком заглянула именно к ней и виновато спросила:

— Седьмое место здесь?

— Да.

— Здравствуйте. Соседями будем.

— Очень приятно, — покривила душой Ирина.

— Вы не беспокойтесь, он спокойный. Мы даже волнуемся, молчит и молчит.

— Да я не волнуюсь, что вы, — снова соврала Ирина.
Поезд тронулся.

Женщина уложила младенца на диван, погугукала с ним, тот поулыбался, но потом присосался к поданной бутылочке и вскоре заснул.

«Действительно, спокойный младенец, — подумала Ирина. — Вот мне бы такого».

Ирина была нормальной женщиной и ей, конечно, хотелось ребенка. Вернее, она считала это данностью, впитанной с детства, — женщина должна родить. Для Ирины это не было проблемой. Она и не задумывалась над мещанским установлением, что у ребенка обязательно должен быть отец. Фигня все это, дорогие товарищи. И без отцов вырастают прекрасные люди. Но как только она представляла себя в роли «дойной коровы», как только представляла бессонные ночи, все эти памперсы, присыпки, коляски, ползунки и соски, беспрерывный детский плач, ей становилось страшно до ужаса. Нет, она не сможет. Она не сможет отдать свои планы, свои дела, устремления и мечты даже собственному ребенку. А совместить — у нее на это не хватит сил.

— На юг собрались? — спросила женщина, уложив младенца к стеночке.

— Да.

— В Крым?

— В Ялту.

— Там сейчас хорошо, наверное. Ох, сколько я уже не отдыхала.

— А вы куда?

— Я ближе, намного ближе. Так что вы не беспокойтесь. Мы вас скоро одну оставим. А тут хорошо, — оглядела женщина купе. — Мягко, тихо. Да? Я первый раз таким поездом еду. Это муж настоял. Где-то денег заработал, все, говорит, поедешь, как люди. Тем более что с ребенком. Мы сами с Украины, муж тут на стройке работает. Это я к нему приезжала.

— И правильно. — Ирина несколько поменяла свое отношение к волоокому красавцу, если он муж женщины, то ничего, приличный парень.

— Теперь домой к маме еду. Как вы думаете, ничего я сынка родила?

— Да замечательный сынок, — уже совершенно искренне сказала Ирина про спящего тихого младенца.

— А вы каждый год в Ялту ездите?

— Нет, давно уже не была.

— Тоже отдохнуть не получается?

Ирине неловко было признаться этой женщине, что отдыхает она каждый год и даже не по одному разу, но ездит не в Крым, а на Кипр, на Майорку, была на Канарах, даже в Майами. Ирина ограничилась скромной формулой:

— Нет, я за границей люблю отдыхать.

— Ой, хорошо, наверное, — вовсе не позавидовала женщина.

— Ничего, — иронично подтвердила Ирина.

— А дорого, поди?

— Дороговато.

— Что ж теперь решили в Крым?

Ирина подумала, что за свои пять тысяч долларов могла бы все же отправиться в Италию, но это было бы впритык, приходилось бы все время рассчитывать, прикидывать, хватит ли, в чем-то себе отказывать, а Ирина так не хотела и не могла. Но правду попутчице она не сказала.

— Да нас там целая компания. Институтские друзья.

— А-а. Вы и в институте учились?

Ирина еле сдержала снисходительную улыбку.

— Училась.

— А у меня так и не вышло. Сначала мама приболела, зарабатывать надо было, потом замуж вышла, а потом — вот дитятко родилось.

«Вот и я бы так, если бы родила, — подумала Ирина, восхищаясь собственной прозорливостью. — Нет, дети подождут».

— А я на агронома хотела выучиться. Теперь уже агрономами никто не хочет, а раньше — хорошая работа считалась. Теперь уж все, теперь какие нам институты?

— Ну что вы, — покровительственно сказала Ирина, — какие ваши годы? Можно заочно учиться. В любом возрасте. А сейчас — вообще не проблема.

— Заочно, это как? — искренне удивилась женщина.

«Есть еще люди, не отягощенные элементарными знаниями, — почему-то тепло подумала о женщине

Ирина. — Господи, у нас в стране темных женщин всегда было пруд пруди».

Она подробно рассказала попутчице о заочном обучении, о вечернем, а в конце добавила, что в Москве сейчас можно любой диплом и так купить.

— Да вы что?! — ахнула попутчица. — Как это?

— Очень просто. Впишут вашу фамилию, имя, отчество и специальность, какую захотите. И стоит недорого.

— Божечко мой, никогда такого не слыхала! Ой, спасибо вам!

Ирине стало интересно. Женщина эта явно не знала многого, чему Ирина за время совместной поездки могла ее обучить. Кому же не нравится роль наставника, тем более если ученик благодарный.

И Ирина методично стала посвящать попутчицу, которую, кстати, звали Зина, во все премудрости столичной жизни, неизменно вызывая у той восхищение и неподдельный интерес.

Женщина не прибеднялась, но Ирина от широты души и на каком-то подъеме решила оплатить вечерний чай и пирожные, которые разносили по вагону.

Ребенок действительно оказался на удивление тихим. Проснувшись, он не плакал, а только тянул ручонки к матери, а та кормила его или меняла пеленки.

— А что вы памперсами не пользуетесь? — спросила Ирина.

— Ой, есть у меня, муж купил. Но я берегу. Такие дорогие.

«Бедные люди, — посочувствовала Ирина. — Вот сколько у нас еще таких искренних, простых, но ужасно бедных людей...»

Глава 19

БОБИК

В бытовке прибрали, даже подмели, что стало для Сынка приятной неожиданностью, уже не так воняло. А вот мухи все равно жужжали.

При появлении Сынка все обитатели вагончика, четверо бледных доходяг, которых он раньше не встречал, расползлись по углам. У одного из них Сынок заметил под глазом огромный синячище.

— Вот, мы тебе пожрать оставили... — заискивающе улыбнулся «фингал». — Тушенка, хлеб...

Сынок плюхнулся на кучу тряпья, заменявшую кровать, заглотил кусок тушенки и, смачно отрыгнув, обратился к присутствующим:

— Кто-нибудь знает Бобика?

Все молча замотали головами.

Паша и Саша колотили каждый своей ручонкой в жестяную дверь.

— Наших бьют!

— Менты? — Сынок вылетел из бытовки.

— Чужие!

Когда Сынок примчался на вокзал, налетчики уже скрылись, но жертв и разрушений после себя оставили предостаточно. Больше всего досталось Афганцу, ему выбили плечо, но главное, расколотили о стену инвалидную коляску. Золушку избили до потери сознания. Досталось практически каждому, кому-то больше, кому-то меньше. Били безжалостно.

Саше и Паше, правда, не досталось.

— Ты как? — Сынок склонился над Афганцем.

— Худо... — стонал тот. — Были бы ноги, я бы им...

— Кто они?

— Не знаю... Никогда не видел... Молодые пацаны... Пятеро... Косили под спартачей, с шарфами красно-белыми.

— А если встретишь еще раз? Узнаешь?

— Одного точно узнаю... Он, падла рыжая, коляску разбил...

— Рыжий? — Сынок сразу вспомнил попрошайку из электрички.

— Ох, были бы ноги...

Афганца и Золушку отнесли в бытовку. Пока их приводили в чувство, Сынок сбегал к телефонному автомату, переговорил с командиром боевиков. И вернулся с уже готовым планом.

— Передайте всем, что завтра в десять ноль-ноль начинается зачистка, — сказал он Саше и Паше. — Запомнили? Ровно в десять пусть сваливают! Ни минутой позже!

На следующее утро в точно означенный срок на вокзале остались одни чужаки. Все дети братства успели тихонечко покинуть территорию и рассосаться по всему району. Кто-то решил отсидеться в подземных переходах, кто-то просто отдохнуть, пошляться по улицам, подышать свежим воздухом.

Сынок дождался команду на площади — парней в бело-голубых динамовских шарфах.

— Все здесь?

— Все.

— Пошли.

Но на вокзале их ждал неприятный сюрприз — парней в красно-белом было еще больше.

Свалка началась нешуточная.

Дрались тихо, профессионально, зло.

Видя, что перевес на стороне противника, Сынок громко крикнул:

— «Динамо» чемпион!

Это был сигнал о приближении милицейского наряда.

Красно-белые шарфы метнулись на платформу и, отжав двери, заскочили в отъезжающую электричку.

А бело-голубые остались.

— Вот так-то! — победоносно вскинул руку Паша. — Знай наших!

— Они так не отступят, — остудил его пыл Сынок. — И какая падла им настучала?

Ночью, когда Сынок прогуливался по привокзальной площади, услышал вдруг за спиной:

— Войны хочешь?

Обернулся — знакомый детина.

Он был прилично одет, его густая рыжая шевелюра была аккуратно забрана в хвостик. Вот только широкая полоска пластыря на носу несколько портила его облик.

Сынок не ответил, лишь пренебрежительно взглянул на рыжего и сплюнул сквозь зубы.

— Может, договоримся? — интимно предложил детина. — Места много, на всех хватит...

— Убить тебя прямо здесь?

— Попробуй... — Рыжий шагнул в сторону, и Сынок

увидел нескольких угрюмых парней, которые покуривали чуть поодаль.

— Понятно... И о чем договориться хочешь?

— Делиться надо, дядя.

— С кем? С тобой, что ли?

— Я рыбка маленькая, есть, мля, и покрупней.

— Это ты про Бобика?

— А хотя бы и про него.

— Круто. Твой Бобик неприятности себе на жопу ищет.

— Ты бы о своей жопе побеспокоился.

— Ладно... Давай-ка пройдемся...

— Куда?

— Тут недалеко, не здесь же базарить.

— А чем, мля, тебе здесь не нравится?

— Ментов кругом много...

— Я твоих ментов не боюсь, — заявил рыжий.

Вот-вот, именно этих слов и ждал от него Сынок. Дыма без огня не бывает... Неужели кто-то переметнулся?

— А меня боишься? Так я один, а вас вон сколько... — Сынок похлопал себя по пустому рукаву рубашки. — Из меня вояка хреновый...

Они молча шли по мрачным проулкам. Первым шагал Сынок, рыжий сразу вслед за ним, компания угрюмых парней держалась в сторонке.

— Куда ведешь? — наконец обеспокоенно спросил рыжий.

— В отстойник.

— А что там?

— Ничего... Тихо, спокойно... Подсоби-ка...

Рыжий помог Сынку перелезть через невысокий забор и перелез сам. Они оказались в темном тупике, загроможденном пассажирскими вагонами. Вокруг не было ни души, лишь маленькие тени пугливо метнулись из-под ног... То ли кошки, то ли крысы.

— Веселое, мля, местечко... — поежился рыжий.

— Ну? Выкладывай.

— Бобик хочет тридцать процентов вашей выручки.

— Сколько тебе лет? — после небольшой паузы спросил Сынок.

— Восемнадцать...

— Сидел?

— Нет. А что?

— Оно и видно. Вот что, дружок... Ты только за лоха меня не держи. Собралась кучка пацанов и решила, что им все по зубам, что они смогут перевернуть весь мир. Конечно, у этой кучки есть предводитель, какой-то взрослый человек. Взрослый, но глупый. И никакой он не Бобик. Запомни, ни один уважающий себя кент не будет носить собачью кликуху. Он скорее удавится... Так что с Бобиком промашка вышла... Сам выдумывал?

— На понт меня, мля, взять хочешь? — ехидно захихикал рыжий. — Да разве дело в кликухе? Ты что, так ничего и не понял? Все, что было до этого дня, — шуточки. А завтра вас резать начнут. И ты будешь первым... Думаешь, мля, спасут тебя твои менты? Не спасут, не надейся... Но есть еще возможность договориться. Последняя возможность. Мы же не просим много... Только поделиться.

— Ты закончил?

— Нет, я еще должок хочу тебе вернуть... — и рыжий со всего размаху засветил Сынку промеж глаз. — Вот теперь мы с тобой в расчете.

Сынок закачался, но на ногах устоял.

— В расчете, — согласился он. — Без обид.

Вступать в драку не было смысла — замесят. И вообще надо было сработать под дурачка.

— Что ты решил? — спросил рыжий.

— Я ничего не решаю. Надо посоветоваться.

— Хорошо. И когда будет ответ?

— Не знаю, не от меня зависит... Дня через два...

— Крайний срок, мля, завтра.

— Как тебя найти?

— Я тебя сам найду. — Рыжий кивнул своим приятелям: — Пошли, пацаны.

Они ловко перепрыгнули через забор, и в следующую секунду их осветили фары патрульного автомобиля.

— Стоять, ни с места! Проверка паспортного режима!

Ловушка захлопнулась. Сквозь дыру в заборе Сынок наблюдал за тем, как милиционеры обыскали парней, защелкнули на их запястьях наручники и утрамбовали в «газик». Сейчас их отвезут в отделение и хорошенько отмутузят. Но проблемы это не решит. А проблема была, в этом Сынок не сомневался. Кто-то стоял за этим отребьем и этот кто-то знал ситуацию изнутри.

Глава 20

ВАЛЮТА

К вечеру поезд остановился на незаметной станции и стоял очень долго.

— Это граница, — сказала попутчица. — Русская таможня. Эти поезда из России не проверяют. Вот наши будут трясти основательно.

— А вы что-нибудь запрещенное везете?

— Да откуда у меня?! — почти испугалась женщина. — Я этих долларов и в глаза не видела.

— Долларов? А что доллары? — насторожилась Ирина.

— Так вот доллары и нельзя везти.

— Как нельзя? — у Ирины моментально пересохло в горле. — Почему?

— Нет, конечно, можно, но там надо на вокзале декларацию или что заполнять, всякие справки.

— На каком вокзале?

— Так на Курском, откуда мы едем, — уже начинала понимать тревогу Ирины женщина. — А у вас что, есть доллары?

— Хм... У меня только доллары и есть.

— Так ничего. Вы их оставите на таможне, а на обратном пути вам их отдадут.

— Замечательно! — вскочила Ирина. — А на что я жить буду? У меня рублей только на дорогу. Господи, что за новости?

— Это не новости. Это уже давно. Вы ж не ездите.

— И что мне теперь делать? Может, не говорить?

— Обыскать могут, — с сомнением сказала попутчица. — А вас... — и замолчала.

— Что — меня?

— Так вы видная такая... Могут обыскать.

«Ну, конечно, — подумала Ирина лихорадочно, — кто ж поверит, что я на юг еду с сотней рублей в кармане?! Ну надо же! Думала, сяду в поезд и все — проблемы побоку!»

Попутчица встала, открыла дверь и выглянула в коридор. Потом плотно закрыла ее и, присев поближе к Ирине, сказала шепотом:

— Наврала я вам, есть у меня доллары. Муж дал. Сто

долларов. Я их спрятала — никто не найдет. — И она отвернула край голубого конверта, в который был укутан ребенок. — Кто на ребенке искать станет? Только вы не говорите никому.

— Зиночка, солнышко вы мое! Припрячьте и мои деньги, — взмолилась Ирина. — У меня просто безвыходное положение.

— Ой, нет, боюсь.

— Да не бойтесь вы! Действительно, кто на ребенке будет искать? Вы меня так выручите! Я вам заплачу!

— Вот это не надо! — обиделась попутчица. — Если вы про это будете говорить — я обижусь на вас сильно. Никаких денег мне не надо. Тоже придумали — что я такого для вас сделала? Это, выходит, и я вам должна заплатить, что вы мне столько всего рассказали? Давайте ваши деньги, и чтоб я больше не слышала.

Ирине стало ужасно стыдно. Вот привыкла всех мерить одной меркой.

Поезд тронулся. Русские таможенники так и не появились.

Ирина достала из сумки пачку стодолларовых купюр и протянула попутчице.

— Много, — с сомнением взяла та. — Ой, боюсь.

— Да не бойтесь вы. Правда, ничего не будет. А если найдут, я скажу, что это мои.

— Хорошо, — вздохнула женщина. — Только я в пакетик заверну, чтоб мальчик мой ваши денежки случаем не описал.

Такая забота о деньгах умилила Ирину.

Женщина достала полиэтиленовый пакет, сложила в него деньги и засунула поглубже в детский конверт.

— Давайте с вами о чем-нибудь говорить, — сказала Ирина. — У вас лицо уж очень испуганное.

— Да ну вас! — улыбнулась женщина.

— Ничего-ничего, все будет хорошо.

Надо было действительно о чем-нибудь веселом и беззаботном говорить, но никакая тема в голову не лезла. Ирина тужилась улыбаться, но получалось плохо, неестественно.

Так и докатили до украинской таможни.

А дальше все было, как предсказала Зина.

Вошли двое парней в форме и спросили:

— Что везем?

— Ничего особенного, — сказала Ирина деревянным голосом, хотя хотела легко и просто.

— Валюта?

— Нет валюты. Не заработали.

— Точно?

— Точно. — Ирина уже обретала уверенность. Таможенники прицепились к ней, на Зину внимания не обращали.

— Покажите ваши вещи.

— Вот сумка, а там внизу — чемодан.

— Открывайте.

Ирина достала чемодан, открыла его, но таможенник сначала вывалил все из сумки, тщательно пересмотрел, прощупал сумку, с удивлением отложил и только тогда принялся за чемодан. Когда и в чемодане он не обнаружил ничего запрещенного, достал переговорное устройство и кого-то позвал.

— Все? — спросила Ирина.

— Нет, не все. Подождите.

— Да что вы ищете?

— Деньги.

— Нет у меня денег, я же сказала. Вот сто российских рублей.

— И вы хотите, чтоб я поверил, что вы без денег едете на юг? — ухмыльнулся таможенник.

Наконец дождались. Пришла в такой же форме женщина. Они заперлись в купе, и Ирине пришлось раздеться догола. Женщина проверила все. Денег не было.

Время от времени Ирина смотрела на попутчицу, та была ни жива ни мертва.

— Вот же привязались, — обращалась к Зине Ирина, пытаясь приободрить ту. Но Зина только криво улыбалась.

Ирине позволили одеться. Вывели обеих женщин в коридор и тщательно осмотрели купе.

— Ну ладно, — сказал на прощание таможенник. — Придется поверить. Добро пожаловать в Украину.

Когда они ушли, Ирина еще какое-то время не могла прийти в себя. Зина — тоже. Что называется, пуля просвистела у виска.

Поезд уже давно шел на всех парах, когда женщины смогли произнести первые слова.

— Ой, заберите их скорее, — сказала Зина.

— Нет-нет, подождите еще. А вдруг они вернутся?

— Да мне ж скоро выходить! — она глянула в окно и засуетилась. — Божечко мой, подъезжаем! Ой, Ириночка, родненькая моя! Поможете мне?

— Конечно!

— У меня там не богато. Только вот две сумки. Меня встретят.

Она вынула деньги и сунула пакет в руки Ирине.

— Пошли, пошли.

Ирина спрятала пакет в карман и схватилась за сумки.

— Ой, не успеем, — суетилась Зина.

Они вышли в темный тамбур, поезд действительно стал замедлять ход.

— Зина, спасибо вам огромное. Я так не могу. Давайте я вам хоть сто долларов дам. Ирина сунулась в карман за деньгами.

— Вы с ума сошли! — закричала Зина. — Вы меня убить хотите! Как я людям в глаза буду смотреть?! Да ни за что! Да я скорее помру! И сейчас же прекратите!

Ирина оставила свою затею. Но в благодарностях рассыпалась до самой остановки, до тех пор, пока Зина не вышла и весело не помахала ей на прощание.

— Сколько до Ялты? — спросила Ирина первого приличного таксиста, который предложил ей подвезти.

— Чем платить будем?

— В рублях возьмете?

— А шо, не деньги? Конечно возьму. Семьдесят рубликов.

«Ну и дешевизна, — подумала Ирина. — За такие деньги только по Москве проехаться. Но тут же нищета, тут они и рублю рады».

По дороге таксист пытался расспрашивать про московскую жизнь, про новости, но Ирина попросила его смотреть на дорогу — говорить о столице ей не хотелось.

Она смотрела на дорогу, на показавшееся скоро за деревьями море и оттаивала.

— Куда в Ялте? — спросил таксист, когда показался ботанический сад.

— В гостиницу «Ялта».

Таксист не удержался, уважительно оглянулся на пассажирку. Гостиница «Ялта» была самой дорогой. За ночь за номер там брали столько, что иной частник мог только мечтать заработать во всех своих комнатушках за все лето.

Ирина расплатилась с таксистом щедро. Отдала ему всю сотню. Тот донес ее вещи прямо до конторки администратора и даже оставил свой телефон на случай, если ей снова понадобится машина.

— Слушаю вас, — любезно улыбался администратор.

— Я Пастухова. Я у вас номер бронировала.

— Когда?

— Позавчера. Это шестнадцатое было.

— Так-так-так... С сегодняшнего дня, так?

— Да, с восемнадцатого августа.

— Все в порядке. Есть ваш номерок. Сколько будете оплачивать?

— Сначала недельку. А там посмотрим.

— Отлично, — администратор заполнил какие-то бумажки, указал на кассу. — Пройдите, пожалуйста, к кассе. Вот ваша квитанция.

— Никуда я не пойду, — капризно сказала Ирина. — Что вы, девочку нашли на побегушках? Сами заплатите. Вот вам деньги, сколько там?

Она посмотрела в квитанцию. Ничего себе, крутовато. А сервис, конечно, совковый. Как всегда, пойди, принеси, заполни...

— Как прикажете, — улыбался администратор. Ожидал на чай, разумеется.

— А я пока в номер поднимусь. Где тут у вас носильщики?

Администратор махнул пальцем, подбежал дюжий парняга.

— Микола, доставь госпожу Пастухову в пятьсот двадцатый. В люкс.

— Бу сделано. Это ваш чемодан?

— Да. — Ирина достала из сумки пакет, из которого так и не удосужилась вынуть доллары. — Значит, с меня...

В пакете была газета. Свернутая во много раз и даже зачем-то разрезанная газета.

Ирина машинально отложила пакет в сторону и снова раскрыла сумку — она просто перепутала. Но больше никакого пакета в сумке не было.

Улыбался администратор, услужливо держал вещи носильщик, а до Ирины все не могло дойти — денег нет. Деньги куда-то пропали. Каким-то образом в пакете, который она отдала Зине, оказалась нарезанная бумага.

Ирина еще похлопала себя по карманам, даже открыла чемодан, но все никак не хотела впустить очевидное — денег нет. Нет денег!

Ситуация становилась уже совсем унизительной оттого, что она по-барски тут распоряжалась, что заказала люкс и потребовала носильщика, что устыдила администратора. А теперь оказалась пустышкой.

Озарение пришло как молния — Зина! Тут же ослабилось громоотводом самоуверенности — эта простушка, нет! Она не могла. Она просто перепутала пакеты. Но уже подкралась ужасная правда — тебя надули, Ирочка, тебя примитивно, тупо, неумело на-ду-ли.

Впрочем, сейчас было не до экскурса в недавнюю историю, сейчас надо было расквитаться с настоящим, которое нависло над Ириной в виде администратора гостиницы «Ялта» и носильщика. Ирина теперь уже для вида снова осмотрела сумку, открыла чемодан — спасена! Господи, как же она раньше не вспомнила?! Кредитка! У нее же кредитка «Виза».

— Я не вожу с собой наличные, — тут же обрела она прежнюю уверенность и высокомерие. — Снимите с карточки.

Ирина шлепнула на стойку пластиковый прямоугольничек. — Сколько там причитается...

— К сожалению, — развел руками администратор, — мы с кредитных карточек еще не снимаем. Но у нас есть банкомат, вам помочь?

Ангел ее тогда спас. Она сказала:

— Нет, я сама.

Метнулась к банкомату, вставила в прорезь кредитку...

Это было восемнадцатое августа 1998 года. По кредитным карточкам российских банков во всем мире были остановлены выплаты.

Глава 21

ЧЕЛОВЕК СО СТОРОНЫ

Никто даже себе представить не мог, что такое может случиться. Когда Сынка позвали, чтобы он посмотрел, он не мог поверить своим глазам. Даже ему, видавшему виды, было не по себе.

Ванечка лежал в луже собственной крови лицом вниз.

Вернее, тем местом, где лицо должно было бы находиться. На самом деле лица не было, просто не могло быть. Потому что голова Ванечки представляла из себя какой-то бесформенный кусок мяса, из которого в нескольких местах торчали осколки черепа.

Он лежал между мусорными баками, далеко от того места, где должен был промышлять.

— Он же... Как он тут оказался? Он же должен был быть в переходе.

Никто не мог ничего ответить. Все стояли и молча смотрели на то, что осталось от Ванечки.

— Менты где? — Сынок наконец сообразил, что нужно вызвать ментов, чтоб они тут все огородили и убрали труп подальше от чужих глаз.

— Нету ментов, — пробормотал кто-то.

— Ну так бегом, позвать! — Сынок схватил за шиворот одноглазого старика без зубов. Кажется, его звали Золушка — для Сынка сейчас это было не принципиально. — И чтоб через минуту был здесь.

— Ага, ага, шейшаш шдеуаю, — прошепелявил старик и шустро засеменил к вокзалу.

— Циклоп, — пробормотал Сынок.

— А? — переспросил его кто-то.

— Ничего. — Просто он вспомнил, что старика называли Циклопом. А как же еще называть одноглазого.

Бомжи толпились возле мертвого Ванечки, привлекая к себе внимание прохожих. Сынок заметил это и приказал расходиться по точкам.

— Чего тут выстроились, дармоеды?! «Бобы» я за вас зарабатывать буду, что ли? А ну бегом по местам!

Но расходиться никто не спешил.

— По местам! — Сынок размахнулся и двинул в грудь безногого Афганца на коляске. Коляска перевернулась и Афганец, брякнув поддельными медалями, кувыркнулся по асфальту.

Удар подействовал на попрошаек убедительней любых слов, и они мигом бросились врассыпную.

— Помогите ему подняться! — крикнул Сынок вдогонку. — Эй ты, Золушка, останься тут!

Да, Золушкой как раз звали этого худосочного парнишку, побитого церебральным параличом и от этого при каждом шаге вилявшего всем телом в разные стороны.

Золушка остановился неподалеку в нерешительности.

— Иди сюда! — приказал Сынок.

Золушка нехотя подошел поближе, предпочитая, однако, держаться на некотором расстоянии.

— Ты ведь должен был работать с ним? — спросил Сынок.

— Кто, я? — Золушка испуганно завертел головой, как будто Сынок мог обращаться к кому-то еще.

— Головка от буя.

— Да, должен был... — обреченно согласился Золушка.

— И что там случилось? — Сынок снова посмотрел на Ванечку и с трудом сдержал рвотный позыв.

— Я ничего...

— Не видел?! — Сынок закончил фразу за перепуганного Золушку. — Ну конечно, я ведь именно для того вас расставил по двое, чтобы вы ничего не видели. Да?

— Да... То есть нет, то есть...

— Что там случилось?! — оборвал его Сынок.

Но договорить он не успел, потому что подоспели менты.

— Ну, чего тут у тебя? — Капитан Сердюк посмотрел на Сынка и достал сигарету. — Спички есть?

— Что? — переспросил Сынок.

— Через плечо. Спичку дай! — Сердюк взял у Сынка коробок. — Кто это так Ванечку?

— А я откуда знаю?

— Чего ты меня звал? — Сердюк недоуменно посмотрел на него.

— Как, чего? Ты ж мент.

— Ага, ну и что? — Сержант сплюнул прямо в кровавую лужу. — И что, что мент?

— Ну как... — Сынок пожал плечами. — Разбирайся.

— Ага, мне больше делать нечего. — Сердюк огляделся по сторонам. — Скажи, кто его, я разберусь, а так нечего голову морочить. Зови свою роту, пусть уберут тута.

— Как это? — опешил Сынок.

— А ты как думал? — рассмеялся Сердюк. — За что меж нами «бобы»?

— За «крышу», — ответил Сынок.

— Во! — Сердюк поднял в воздух указательный палец. — Вот именно, за «крышу». Я, так и быть, глаза закрою. Или ты хочешь, чтоб вас вообще прикрыли из-за жмурика? И мне на хрен на свою смену трупак вешать?

Сынок еле сдержался, чтобы не выбить этому хряку пару зубов. Когда Сердюк ушел, он повернулся к Золушке и сказал:

— Давай, собирай опять наших. Пусть спрячут его пока в канализации. А вечером с мусоровозкой вывезем.

Золушка подошел к нему и жарко зашептал на ухо, неприятно дыша чесноком:

— Сынок, Ванечку какой-то мент забирал.

— Что? Чего ты мелешь? — Сынок недоверчиво посмотрел на Золушку. — Какой еще мент?

— А вот такой. — Золушка испуганно огляделся по сторонам. — Подошел, документы проверять хотел. А какие у Ванечки на фиг документы? Ну он его и поволок куда-то.

— Ты чего, напился? — Сынок недоверчиво принюхался к Золушке, но от того несло только чесноком и мочой.

Все это было очень странно. Менты нищих на Курском никогда не хватали. Только иногда гоняли для проформы, да и то в те дни, когда нагрянет начальство. Братство отстегивало ментам, и за это его люди имели «крышу» и не имели конкуренции. Неужели болтовня пацанов про Бобика оказалась правдой?

— Точно тебе говорю! — Золушка перекрестился. — Я еще сам удивился, зачем это им Ванечку хватать. Ну, думаю, может, проверка нагрянула, они и прогибаются? Но тогда почему нас не предупредили? Да и мента этого я никогда раньше не видел.

— Так это не из наших мент был?

— Не-а. — Золушка помотал головой.

— Ладно, — сказал Сынок, задумавшись. — Зови людей, пусть убирают.

Вскоре от трупа не осталось и следа. Ванечку завернули в большой полиэтиленовый мешок, обмотали скотчем и сунули в люк.

А вечером Золушку тоже убили.

Его нашли повешенным на заборе, с выколотыми глазами и отрезанным ухом.

— Это Золушка? — удивленно воскликнул Сердюк, когда его снова позвали.

— Да. — Сынок угрюмо исподлобья посмотрел на милиционера.

Нищие столпились в кучу и тряслись от страха.

— И что все это значит? — спросил Сердюк, глядя на болтающееся на заборе тело.

— Это значит, что больше ты от нас ни копейки не получишь, пока со всем не разберешься, — ответил Сынок.

— Как это? — Едва речь зашла о деньгах, Сердюк сменил растерянное выражение лица на грозный вид стража порядка. — Как это — не заплатите?

— А вот так. — Сынок зло улыбнулся. — Мы вам за что платим? Чтоб вы нас охраняли. Нет охраны — нет платы. И тело на этот раз сами убирайте. Никто из моих к нему и пальцем не притронется. Так что поторопись, пока прохожие не обнаружили.

Золушку тоже увел какой-то мент. Это видел Афганец. Причем мент сначала хотел забрать самого Афганца, но мимо проходили какие-то подвыпившие дембеля и не дали в обиду «своего». Когда Афганец рассказывал все это Сынку, тот лихорадочно пытался сообразить, зачем нужно грохать нищих и кому это могло понадобиться.

— Он, главное, уже меня потащил куда-то, а тут эти... — Афганец только теперь понял, что был на волосок от смерти. Руки у него тряслись, зуб на зуб не попадал, а по лицу блуждала глупая бессмысленная улыбка.

— Как он выглядел? — перебил Афганца Сынок.

— Кто?

— Конь в пальто. Мент этот как выглядел?

— Ну как, как... — Афганец наморщил лоб, показывая, что задумался. — Нормально выглядел. Как мент.

— Мент! — Сынок почувствовал, что ситуация начинает уходить из-под его контроля. — Какого он роста был, волосы какого цвета, глаза. Может, ты его раньше видел, может, у него акцент какой-то.

— Акцент какой-то, — повторил Афганец, — точно, у него акцент какой-то был.

— Какой? — облегченно воскликнул Сынок.

— Ну я не знаю. — Афганец пожал плечами. — Нерусский какой-то акцент.

— Козел! — сорвался Сынок. — Урою!

— Хохляцкий! — воскликнул Афганец. — Хохляцкий у него был акцент, точно. Он шокал все время: «Шо ты

134

тут сидишь, шо это у тебя за медали, шо тебе не нравится»... А так ничего особенного. Ростом поменьше тебя, не толстый, не худой.

Они сидели в грязной бытовке, где обычно спала свободная смена. Теперь тут собрались все нищие. На работу выгнать было никого невозможно. Сынок прекрасно понимал, что их можно заставлять, грозить, даже бить сколько угодно, и все равно они предпочтут торчать тут, сбившись в кучу, как тюлени.

— Ладно, сидите тут, — махнул рукой Сынок. — По крайней мере до утра. Запритесь, я скоро вернусь. Да, и давайте бабки, которые заработали.

Нищие нехотя полезли по карманам, выуживая пригоршни монет и бумажек.

Оставив нищих в бытовке, Сынок заскочил в ларек, купил бутылку водки и пошел в отделение милиции.

Сердюк еще не сменился. Сидел в каптерке и пил водку со свободными ментами.

— Приятного аппетита. — Сынок достал свою бутылку и поставил на стол.

— Чего приперся?! — зло воскликнул Сердюк. — Или, может, бабки принес?

— Бабки эти ты еще заработать должен, — улыбнулся Сынок и плеснул себе в стакан. — Дело есть.

— Да пошел ты со своим делом! — Сердюк грохнул кулаком по столу, так что звякнули подпрыгнувшие стаканы. — Завтра чтоб я тебя с твоей шушерой тут не видел.

— Как скажешь... — Сынок забрал со стола свою бутылку и направился к двери. — Пока.

— Постой! — крикнул капитан, когда Сынок уже хотел закрыть за собой дверь. — Погоди, я сейчас.

— Я жду на улице, — сказал Сынок, ухмыльнувшись, и закрыл за собой дверь.

Конечно, Сердюк ни за что не прогнал бы с вокзала нищих. Ведь это именно благодаря им — калекам, лохотронщикам, кидалам, щипачам и прочей вольной братии — его оплывшая жена могла позволить себе каждую неделю посещать салон красоты, его тупоумная дочурка — учиться в престижной школе с математическим уклоном, а сам он мог содержать смазливую любовницу, обходившуюся гораздо дороже жены и дочки, вместе взятых.

— Ну чего тебе? — спросил он, выйдя на улицу.

— Это был мент, — сказал Сынок.

— В каком смысле?

— В прямом. Мои видели, как он сначала Ванечку увел, а потом Золушку.

— Ты своим козлам по репе настучи, чтоб не врали! — вспылил капитан. — Чтоб кто-то из моих мог пойти на такое... Да ни за что!

— А это и не из твоих. — Сынок отхлебнул водки прямо из горла. — Это какой-то со стороны.

— С какой еще стороны? — ничего не понимал Сердюк.

— Раньше его никто тут не видел. К вам ведь пополнение не поступало?

— Какое пополнение, когда нам своих кормить нечем! Нет, конечно, не поступало, — капитан покачал головой.

— Скажи, а со стороны никакой мент не может на вашу территорию завалиться?

— Чтоб тут бомжей грохать? — Сердюк ухмыльнулся. — А зачем ему это надо?

— Не знаю. — Сынок пожал плечами. — Он с хохляцким акцентом говорит. Среднего роста, нормального телосложения.

— Смотри, ты прям как мент говоришь, — ухмыльнулся Сердюк. — А откуда про акцент хохляцкий знаешь?

— Он с Афганцем разговаривал. — Сынок закашлялся. — Своим всем передай, что, если кто встретит, пусть вяжет сразу. Кто поймает — премию дам, тысячу рублей. Даже две.

— Кому сейчас эти рубли нужны... — вздохнул Сердюк. — Ладно, передам.

— Ну тогда пока, я потопал. — Сынок снова отхлебнул водки и зашагал прочь...

Глава 22

ГЕРМАН

Ирина шагнула на перрон, и ноги сразу ослабели. Родная сумеречная Москва... Сейчас она приедет домой, примет ванну, напьется, отключит телефон и завалится спать. И будет дрыхнуть до тех пор, пока бока не заболят.

— Дорогу!

Это носильщик везет перед собой громоздкую тележку и с надеждой вглядывается в лица пассажиров. Но его услуги никому не требуются. Экономический кризис, ни у кого денег нет. Лучше уж грыжу заработать, а дотащить чемодан бесплатно.

Ирина выгребла всю мелочь, какая у нее осталась. Два с полтиной. И на метро хватит, и еще пятьдесят копеек останется. Живем!

Сколько унижений ей довелось пережить за эти дни — страшно вспомнить. В гостиницу ее, конечно, не поселили.

Пришлось идти на Приморский бульвар и становиться в печальную очередь старух, торгующих поношенным тряпьем. Продала купальник, еще кое-что. Брали неохотно. Деньги вдруг стали мелкими, а люди жадными. На билет не хватало даже в общий вагон.

Мучила одна мысль — встречу эту заразу, убью на месте. Хотя понимала, что никогда больше не встретит.

А как хотелось есть!

Одна встреча-таки была. Она увидела вдруг того самого таксиста, которому так щедро отвалила на чай. На всякий случай подошла. Он ее не сразу узнал — что-то в Ирине изменилось разительно. Была барынька, стала чуть ли не побирушка.

— А что стряслось? — опешил таксист.

— Обокрали, — честно призналась Ирина. — Подчистую обокрали.

А дядька оказался душевный. Пустил ночевать и даже, выписав паспортные данные, под клятвы немедленно, как только вернется, выслать, дал взаймы недостающие на билет деньги.

Всю ночь Ирина прорыдала в подушку — занятие это уже входило в привычку. Ругала себя, весь свет и истерично думала, что, если этот добрый дядька сейчас полезет к ней, она ему не откажет.

Одна странная мысль утешала — ниже падать уже некуда. Значит, должен, должен начаться подъем, должна пройти вся эта морока...

У окошка кассы ее ждал сюрприз — проезд в метро успел подорожать. На жетончик теперь не хватало.

— В такой шляпе, а материшься, — укоризненно взглянул на Ирину какой-то дедок. — Совсем молодежь распустилась.

Она и сама не заметила, как крепкое словцо сорвалось с ее языка. А шляпа — панама, которую некуда было деть, действительно дурацки смотрелась в городе.

Больше всего в жизни она не любила унижаться. А унижаться придется — иначе бабулька не пропустит ее в метро, как не пропустила наглого долговязого паренька.

Ну, дай Бог, в последний раз. Только бы доехать до дома.

Ирина так и стояла посреди вестибюля с чемоданом в руке, не решаясь подойти к бабульке. И в тот момент, когда она уже была почти готова, когда отваги набралось достаточно для решающего последнего, как она думала, рывка, она увидела его... Вернее, сначала она услышала мужской голос и почему-то обернулась, а затем уже увидела. Они даже встретились глазами... Красавчик. Сладковатый самец.

Она не могла перепутать. Это был он.

Молодой человек был одет так же, как и в тот день. Так же, как и в тот день, рядом с ним была женщина с грудным ребенком.

«Зина!» — ахнула безмолвно Ирина.

Нет, женщина и ребенок были другие.

«Теперь понятно. Это целая система, конвейер. Какую же роль исполняет этот негодяй? Телохранителя? Проводника?»

От неожиданности в ее голове вдруг все перемешалось. Ирина никак не могла собраться, никак не могла сообразить, что ей нужно сделать. Позвать милиционера? И что? Этот тип скажет, что видит Ирину первый раз в жизни. И будет прав.

Она решила просто проследить за ним, тем более что для этого ей не надо было никуда прятаться. Можно даже идти рядом, можно даже заговорить с ним... А дальше? Дальше Ирина еще не придумала.

Парочка с ребенком вышла из метро. Ирина — за ними. Тип подбежал к ларьку, купил минеральной воды и печенье. Глядите-ка, и деньги у него водятся... Еще бы... Заботливо уложив продукты в пакет, он вернулся к женщине, приобнял ее, они о чем-то пошептались... И поспешили на перрон.

Разумеется, этот поезд шел в Симферополь. До отправления оставались минуты. Женщина поцеловала красавчика в щеку, вошла в вагон и вскоре появилась в окне, помахала рукой. Тип махнул ей в ответ.

Поезд дернулся, хрустнув стыками, и медленно заскользил вдоль платформы. Тип подождал, когда последний вагон скроется за далеким поворотом, и только после этого направился к зданию вокзала.

Несмотря на всю свою внешнюю импозантность, он был совершенно неприметным. Ирина даже несколько раз теряла его серую спину и никак не могла отыскать ее среди сотен других серых спин, но он вдруг оказывался совсем рядом, так рядом, что она при желании могла дотронуться до его руки. Но желания не было. Был только страх. Животный страх. И еще большая решимость.

Но Ирина боялась этого человека так сильно, что у нее ноги подкашивались. А ведь не было в нем ничего угрожающего. Напротив, очень даже милый молодой человек, идет себе спокойно, никого не трогает, улыбается. Вот-вот, что-то было отталкивающее в этой улыбке, улыбке человека, который совершает мерзость, гадость, подлость, а этого никто не видит... Окружающие думают, что он один из них, но он совсем другой, особенный. У него есть тайна, суть которой заключается в том, что все кругом дурачки, потенциальные жертвы, а он умнее их всех, вместе взятых. Он — кукловод, ему только стоит дернуть за ниточку... Но в ту минуту кукловодом была Ирина. Так ей, во всяком случае, казалось.

Людской поток вынес их на привокзальную площадь. Только бы он не нырнул в метро. Тогда надо было бы раскрываться, устраивать скандал, звать милицию, другого выхода бы не оставалось. А это плохой выход, неправильный... С такими людьми нужно бороться их же оружием — неожиданным ходом. Что это за ход и в чем его неожиданность, Ирина пока не знала, но ее мозг работал на полную катушку. Ей нужно было время, еще несколько минуток.

Будто услышав ее мысли, тип остановился у входа в метро, будто раздумывая, входить или не входить. Не вошел... Сунул в рот сигарету, прикурил, бросил пустую пачку в урну. И медленно побрел по улице...

Ирина уже раз десять перекладывала чемодан из одной руки в другую, но он становился все тяжелее и тяжелее. Хоть выбрасывай... Но с такой ношей не успеть. Уйдет.

— Молодой человек! Эй, серая жилетка!

Тип обернулся.

— Это вы мне?

Она же не хотела его окликать, само собой получилось! А дальше что?

— Простите, я вижу, нам с вами в одну сторону!..

— Вполне возможно, — тип смотрел на Ирину как-то насмешливо, чуть склонив голову набок.

— Вы не поможете мне поднести чемодан? Я тут рядом совсем живу, на улице... — она запнулась. Просто не могла вспомнить названия хоть какой-нибудь ближайшей улицы. — Ну, прямо у Театра Гоголя.

— Считайте, что вам повезло, мне туда же... — Тип подхватил чемодан, взвесил его в руке. — Ничего себе... Что у вас там? Деньги?

— Все денежки тю-тю... — Ирина улыбнулась ему самой заискивающей улыбкой в мире.

— С пользой отдохнули? — понимающе констатировал типчик.

— Не то слово! Меня, кстати, Ира зовут. А вас?

— Предположим, что Герман.

— Предположим?

— Герман, Герман... Пошли?

— Пошли...

Глава 23

ОМОНОВЕЦ

Первое, что увидел Сынок, войдя в бытовку, был Циклоп. Он лежал прямо на полу и еще дергал ногой. Глаза у него смотрели куда-то в потолок, а изо рта текла розовая пена.

— Ну шо, это он?

— Он.

Этот мент стоял у Сынка за спиной, в углу. Когда Сынок обернулся, он увидел его глаза. Простые серые глаза. Даже какие-то добродушные, с мелкими морщинками в уголках. Такие морщинки обычно бывают у людей, которые много смеются. Лет ему было тридцать — тридцать пять, не больше.

— Ну шо, это ты тут главный? — Мент был немного

ниже Сынка ростом, но под курткой угадывалась довольно крепкая фигура. К тому же в руке у него был нож с
длинным тонким лезвием, на котором еще осталась за-
пекшаяся кровь.

— Я тут главный, — кивнул Сынок, глядя этому человеку прямо в глаза. — А ты Бобик?

— Сам ты Бобик. Не-ет, — засмеялся тот, — теперь я
тут главный. А ты тут теперь рядовой сотрудник.

— Кто так решил? — за спиной у Сынка сидело еще
шестнадцать человек, но никто из них и пальцем не по-
шевельнет. Надеяться можно только на себя.

— Я так решил, — ответил мент. — Так что давай
бабки.

Сынок полез в карман и стал выкладывать на пол
деньги.

— Вот так, молодец. И с этого дня — половина моя.
Лично проверю. Все понятно?

Сынок молча кивнул. Сейчас главное было ни в чем
ему не противоречить, а то на полу, рядом с замершим
уже Циклопом, окажется еще один труп.

— Да, кстати, шоб вы не вздумали на меня в мусарню
стучать. — Мент достал из кармана удостоверение и сунул
его под нос Сынку: — Гляди!

Сынок взглянул.

— Дьяченко Николай Романович, полковник МВД.
Отряд милиции особого назначения. Очень приятно, Николай Романович. — Сынок выхватил книжечку из руки
полковника.

— Отдай немедленно! — грозно заревел тот.

Сынок послушно протянул, но в следующий момент
полковник оказался уже на полу.

— Вали его, ребята! — закричал Сынок, пытаясь выбить у мента нож. — Никакой он не мент! Туфта!

Но никто даже не двинулся с места. Все оцепенели,
словно кролики перед удавом.

Сынок все же сумел выбить нож, но в следующее
мгновение уже мент сбил с ног Сынка и принялся изби-
вать его сапогами. Сынку никак не удавалось подняться.

— Шо, с одной клешней, на меня?! — орал мент, ду-
бася Сынка по ребрам. — Недолго тебе осталось!

Еще несколько ударов в живот, и Сынок перестал
шевелиться, скорчившись на полу.

— Шо, и все? — удивился полковник. — Уже сдох, чи шо? А я думал, он покрепче, раз его маяком назначили.

Полковник отер руки о штаны и сказал:

— Значит, так, ребята, теперь вы под моей «крышей». Поняли? И никаких других ментов. Я за все отвечаю. Главным назначаю... — Его глаза пристально осмотрели нищих.

Те сидели притихшие и покорные.

— А он еще шевелится, — сказал вдруг до боли знакомый голос из двери.

Саша и Паша, заискивающе улыбаясь, показывали полковнику на Сынка.

Полковник посмотрел на Сынка, пнул ногой.

— Старшими назначаются мои друзья Саша и Паша. Им будете сдавать всю выручку. Если их кто обидит — передо мной ответите.

— Вы посмотрите у него в карманах — у него должен быть ключ от ячейки. Он деньги оставляет в камере хранения, — подсказали услужливо Саша и Паша.

— Успеется. Значит, поняли, что я не шуткую. Я еще и с вашим братством разберусь. Все, за работу!

Мент нагнулся над распластавшимся на земле Сынком.

— Ну, где у тебя тут золотой ключик?

Сынок дернулся и вдруг вцепился полковнику в горло. Тот не ожидал, рванулся, попытался освободиться, но Сынок, не разнимая хватки, резко дернул руку вниз. Что-то хрустнуло, полковник захрипел, и из горла его прямо на Сынка хлынула бурая кровь. Сынок дернул рукой еще раз, и мент, как мешок, повалился на пол рядом с Сынком. Ноги и руки его затряслись в предсмертной судороге, и через минуту он затих.

— Убил... — нарушил мертвую тишину чей-то шепот. — Мента убил!..

Нищие с ужасом смотрели на Сынка, который только что на их глазах вырвал горло человеку. Лицо у него было в крови, глаза блестели. Он достал из кармана куртки чудом уцелевшую бутылку водки, зубами открутил крышку и сделал несколько крупных глотков.

Протянул бутылку Афганцу, но тот отшатнулся, словно Сынок протягивал ему яд.

И тут, вдруг выйдя из оцепенения, нищие бросились бежать. Через полминуты никого не осталось.

Паши с Сашей тоже след простыл.

«Вот так, — подумал Сынок. — Теперь и мне надо делать ноги... Хотя никакой он не мент...»

На фотографии в удостоверении человек был похож на этого мента. И только. Но на погонах у него было только две звезды — это успел рассмотреть Сынок.

Глава 24

ПРОПАСТЬ

У Германа был бархатистый голос. Ирине вдруг показалось, что она знает этого человека много-много лет, и столь резкий переход на «ты» совсем ее не смутил. И было уже совсем не страшно. Она даже подумала, что, быть может, Герман ни в чем и не виноват... Ну, мало ли...

— В Крыму была?

— Ага.

— В Ялте?

— Ага.

— Долго?

— Две недели.

— Завидую. Все никак не могу вырваться. Жену с дочерью вот отправил, а сам никак... Работа...

— А не страшно жену с дочерью одних отпускать в другой город, в другую, можно сказать, страну?

— Да нет. Вот на прошлой неделе подруга у нас жила — вот это страшно. Воровка оказалась, представляете? Только когда уехала — обнаружили.

— Ваша подруга?

— Нет, жены... Я всегда не любил этих подруг...

— А жену любишь?

Ирину понесло. В обычной обстановке она бы никогда не позволила себе так разговаривать с мужчиной. Но обстановка-то была необычная... И сразу откуда-то вдруг взялись эти дешевые пэтэушные интонации, и голос сделался каким-то дурным, визгливым, как у провинциальной дешевки. Но самым противным было то, что Герман, судя по всему, действительно не имел к ее бедам никакого отношения. Подруга жены. Их тоже обокрала... С какой стати ему отвечать за нее?

— А почему тебя никто не встретил? — вопросом на

вопрос ответил тип. Верней, какой уж он теперь тип? Нормальный мужик.

— Ты меня встретил... — пожала плечиками Ирина.

— Это незапрограммированная случайность. А в целом?

— А в целом — неважно.

— И всегда находится человек, который помогает поднести чемодан до дома?

Знать бы еще, где этот дом. Глупее ситуации не придумаешь. Ирина украдкой оглядывалась по сторонам, пытаясь определить, долго ли еще осталось до Театра Гоголя, но все вокруг было таким незнакомым.

— Нет, я очень разборчива, — кокетливо улыбнулась Ирина.

— Польщен...

Сумерки сгущались, зажглись фонари.

— А кем ты работаешь? — в один голос спросили они друг друга.

И засмеялись.

— Я ученым работаю. Правда, глупейшее словосочетание — работать ученым?

— Что-то не верится.

— Более того. Я профессор.

— Ты совсем не похож на профессора...

— Я знаю, что тебя смущает. Очки не ношу.

— Точно! Ученый должен быть в очках.

— Да, только очки — это признак близорукости или дальнозоркости, но никак не большого ума.

— И что ты изучаешь?

— Квантовую механику. Боюсь, если я тебе начну подробно рассказывать, ты все равно ничего не поймешь. О своей работе лучше расскажи.

Но Ирина и слова не успела сказать, как Герман ее перебил:

— Прости, пожалуйста... Вон, видишь, окошко горит на последнем этаже?

— Вижу.

— Там я и живу. А знаешь, почему свет горит?

— Почему?

— У меня собака темноты боится.

— Как это? А разве такое бывает?

— Оказывается, бывает.

— А что за порода?

144

— Порода редкая. Хочешь посмотреть? — И Герман поставил чемодан на асфальт.

— Посмотреть?.. — растерялась Ирина.

— Как умная женщина, ты должна понять, что под таким предлогом я просто приглашаю тебя в гости.

— Я поняла...

— Мое несколько навязчивое поведение основывается на целом ряде неопровержимых фактов. Например, я знаю, что тебе будет очень сложно отказаться от моего приглашения. Мотивировать?

— Попробуй, профессор...

— Ты только что с поезда, у тебя ни копейки денег. Поправь меня, если что не так. Тебя не было в Москве две недели, за это время все продукты в холодильнике испортились, если они вообще там когда-нибудь были. Разумеется, тебя мог бы ждать дома вкусный ужин, если бы ты жила с родителями или с молодым человеком. Но ведь ты живешь одна?

— Это у меня что, на лице написано?

— В глазах. У тебя взгляд женщины, которая привыкла рассчитывать только на себя и на свои силы.

— И вывод?

— Ты хочешь есть. Я слышал, как у тебя урчало в животе. А у меня в духовке жарится индейка и через... — Герман посмотрел на часы: — Через десять минут она будет готова. Но прежде, — он многозначительно поднял вверх палец, — прежде чем ты начнешь разглагольствовать о собственной честности и непорочности, я хочу тебя предупредить — очень люблю свою жену. Очень.

Он смотрел на нее уже без усмешки, и взгляд его был надежен. Его речь лилась плавно и мягко. Ирина невольно вспомнила шепот низкой аккуратной волны, набегающей на берег. И Руфата... По сравнению с Германом Руфат теперь представлялся ей совсем уж жалкой и ничтожной личностью. Как легко можно ошибиться в человеке.

Все тревоги окончательно покинули ее. И кроме того, она вдруг поняла, что через минуту упадет в голодный обморок. Жареная индейка, покрытая хрустящей корочкой...

Да, Ирина примет предложение Германа и попытается как можно мягче рассказать ему о подруге жены, об этой Зине. И вместе они придумают, как вернуть деньги.

Когда входили в подъезд, Ирина споткнулась о половицу, но Герман не дал ей упасть, крепко взяв под руку.

— Не надо благодарностей, — шутливым тоном произнес он. — Это мой долг. К тому же твой расквашенный нос испортил бы мне весь аппетит.

Это был старый дом, и лифт в нем тоже был старый. Для того чтобы войти, нужно открыть дверцу.

— Только после вас... — согнулся в галантном поклоне Герман.

Нет, он не заигрывал с Ириной. Он просто шутил, у него просто было хорошее настроение.

Они втиснулись в лифт, Герман нажал кнопку последнего, девятого этажа. Кабина надрывно застонала и медленно потянулась вверх.

— Скажи, почему ты улыбался? — тихо спросила Ирина.

— Когда?

— На вокзале. Ты шел и улыбался.

— Не,помню... Быть может, о том, что дурость человеческая неисчерпаема? — Он положил руку на ее плечо. — Ты что, сучка, думаешь, я тебя не узнал?

И только сейчас она очнулась. И не сразу смогла понять, где находится.

— Дура ты... — изменившимся голосом прорычал Герман. — Какая же ты дура...

И нажал на «стоп». Лифт дернулся и замер.

В голове Ирины царил туман, действительность накатывала яркими вспышками. Она же сама подошла к нему... А потом они шли куда-то, и он все говорил, говорил... А она ему что-то отвечала. А он заговаривал ее...

— Знаешь, что я сейчас с тобой сделаю? — мужчина дыхнул жаром ей в лицо.

Ну конечно же... Он водил ее за ниточки... Это же сразу можно было понять... Он же приехал на вокзал на метро, а сам живет в двух минутах ходьбы, а у самого индейка в духовке... Нет никакой индейки, и живет он не здесь... И имя себе он выдумал на ходу... Он вел ее за собой с самой платформы, он заманивал ее в этот дом, в этот подъезд, в этот лифт... Но как она могла? Всего-то две минуты... Это какое-то помешательство... Это гипноз...

— И только попробуй пискнуть, сучка!..

Ирина ощутила, как что-то острое ткнулось ей в живот. Она опустила взгляд — нож...

— Тебе один раз сильно повезло, — и вновь в его глазах появилась издевательская усмешечка. — Но второго такого раза не будет.

— Отпусти... — взмолилась Ирина.

— Ну скажи еще что-нибудь, сучка... — оскалился Герман.

— Не убивай... Я никому не скажу...

— Это точно, не скажешь...

И в это мгновение в лифте погас свет. Мгновение между тем миром и этим, когда срабатывает инстинкт самосохранения, а рассудок отключается за ненадобностью. Мгновение, когда тело наливается титанической силой, а каждая клеточка организма борется за жизнь, когда перестают действовать все законы физики...

Ирина перехватила его руку, и тело ее вывернулось гаечной резьбой. Она подсела под него, вгрызлась в него зубами.

Он взвыл, выдернул руку. Стены лифта были слишком узки, он не смог замахнуться, только вспорол лезвием обшивку. Другой рукой судорожно вцепился ей в волосы, оторвал ее голову от своих брюк, приподнял ее за шею, поставил перед собой, прислонил к стене... От боли в паху он обезумел... Он наносил удары один за другим, засаживая нож по самую рукоять. Но она почему-то не кричала... Он устал... Остановился... Сунул руку в брюки... Там все в крови...

— Сучка... — голос дрожал и ломался. — Вот сучка...

Нашарил кнопку первого этажа, вдавил... Он держался за ручку двери, готовый распахнуть ее в тот же момент, как только лифт остановится на первом этаже. И сразу бежать... Он этот район хорошо знает...

Пятый, четвертый, третий... Долго, очень долго... Наконец, первый...

Свет ослепил его. Он выбрался из лифта почти на ощупь, но не успел сделать и шага, как ему заплели ноги... Он вырвался, шагнул, но споткнулся о бордюрчик, рухнул на бетон... Он только и смог, что перевернуться на спину, выдернуть снова нож. Он попытался еще прикрыть голову руками, но длинный твердый стержень уже глубоко входил в его глазницу...

...Ирина кое-как доковыляла до скамейки, бухнулась

на нее... Ей казалось, что она вся в крови, вся — с макушки до пяток. Крови все еще теплой, почти горячей. Она не замечала, что до сих пор держит в руке искромсанный ножом чемодан. Она не слышала своих рыданий.

— Эй, хватит там! — Из окна на первом этаже высунулась сердитая старушка.

На улице было уже почти темно, она видела сидящую на скамейке девушку, но не видела крови.

— Хватит, я тебе говорю! Ишь, развылась! Прекрати реветь! Немедленно прекрати!

Девушка замолчала.

— Чего-то я тебя раньше не видала, — голос бабульки подобрел. — Что, выгнали? Али сама ушла? А туфля где? Девка, слышь меня? Куда туфлю подевала, дурында ты пустоголовая?

Девушка не отвечала, лишь всхлипывала тихонько.

— И нечего из-за этих мужиков реветь, — со знанием дела посоветовала старушка. — Молодая еще, тыщу себе таких найдешь... Гляди-ка, вон какая красивая... Чего гришь? Не расслышала я чевой-то. Сильно любила? Да пошли ты его к черту лысому! Сам еще на коленках приползет!

— Убила!.. — хрипло простонала Ирина. — Я человека убила!

Пропасть, которая перед ней теперь распахнулась, — не имела дна...

Глава 25
ЗАЩИТНИК

Юрий Петрович Гордеев имеет толстенный ежедневник, в котором по минутам расписывает свои богатые событиями трудодни, и заглядывает в него аккуратно через каждый час по команде брезгливо пикающих наручных часов. Утро Юрия Петровича начинается, как и у большинства землян, с пробуждения, но то, от чего пробуждается Юрий Петрович, несколько необыкновенно. Чуть забрезжит свет в окошке, Гордеев открывает глаза сам, без всяких будильников. Он просыпается от чувства долга.

Поднявшись и омочив нежной профильтрованной

водой лицо, Юрий Петрович поглощает ананасовый йогурт и приступает к комплексу физических упражнений. Проще говоря, он делает зарядку, но делает ее основательно, подробно, потягивая каждую мышцу. После того как лоб Гордеева покрывается испариной, адвокат погружается в заранее наполненную прохладную ванну. Далее несколько минут раздумий около гардероба, благоухающего ароматом мужских духов. Хоть Юрий Петрович всегда останавливает свой выбор на одном и том же сером костюме, он все же прежде предпочитает поперебирать, поразмыслить. Ну, а уж когда надет костюм и портфель набит нужной документацией, адвокат Гордеев завтракает бутербродами с охотничьей колбаской, запивает горячим кофе и по ходу просматривает несколько теленовостей.

В то утро просмотр телепрограмм закончился для него плачевно. А именно — он опрокинул чашку с остатками кофе и прибавил к дорогому отливу своего пиджака несколько крупных темно-коричневых пятен. Причиной тому была вовсе не его неуклюжесть. Юрий Петрович уронил чашку, увидев на экране телевизора после заставки «Дорожного патруля» заплаканную и перепуганную физиономию Иры Пастуховой.

Он хорошо знал Ирину, мог ожидать от нее многого, но увидеть ее в «Дорожном патруле», где под зверским осветительным прибором день ото дня перелистываются рожи всяких мошенников и бандитов!..

— Вот так дела! Это любопытно... — проговорил вслух адвокат, но, вспомнив об испачканном пиджаке, он вдруг сорвался с места и помчался в ванную, под холодную воду: «Тьфу ты... Не отстирается поди».

Словом, досада от поставленных им кофейных пятен на любимом костюме победила любопытство или, если хотите, тревогу за своего товарища по работе. Хотя в общих чертах он успел словить суть дела, он слышал слово — «убила».

— М-да, Ирочка, удивить ты умеешь, — бурчал Юрий Петрович, сидя в своей машине, постукивая пальцем по кожаному рулю. — Что-то теперь тебе будет?

Он был одет уже не в костюм, а в ядовитого цвета свитер и старые потертые джинсы, что помешало бы не знающему его человеку предположить в нем адвоката. Но Юрий Петрович вовсе не преследовал такой цели. Дело в том, что, провозившись с кофейными пятнами, он совершенно не заметил, как иссяк его временной запас, стал торопиться и, не желая опаздывать, надел на себя первое, что подвернулось под руку, — вот отчего он имел столь непрезентабельный вид, а застряв в пробке, совершенно ссутулился и потемнел лицом. Все это не должно было с ним происходить! С кем угодно, но только не с ним. Да, адвокат Юрий Петрович Гордеев ненавидел опоздания и никогда не верил россказням о пробках, застреваниях в лифтах и прочем. «Я почему-то не попадаю, — говорил он в таких случаях, — вы ищите причину в себе! Я-то готов даже поверить, что вы в нее попали, в пробку то есть, но почему? Просто потому, что у вас на пути возникла пробка? Нет, любезные мои, от того, что она у вас в голове!»

Гордеев опаздывал на встречу по делу об ограблении коммерческого магазина. Хозяин этого магазина, не то чеченец, не то ингуш, сам якобы нашел грабителя и доставил его в милицию. Никаких доказательств, кроме пламенной жестикуляции кавказца, у обвинителей не было, но дело на «грабителя» все же завели. Для Гордеева было очевидным то, что обвинение куплено и здесь не что иное, как сведение счетов. «Грабитель» — молодой парень из Подмосковья — при встрече ничего не сказал ему и вид имел напуганный.

Не взялся бы Гордеев за это дело, если бы не его дальняя родственница, кажется, троюродная племянница. Она была давно знакома с подследственным и, может быть, даже весьма близко. Юрию Петровичу это не было интересно. Если бы он и взялся за это дело, то только лишь из меркантильных интересов. У племянницы был огромный капитал. Слишком огромный, чтобы ей кто-нибудь мог в чем-то отказывать. Дельце было темное и небезопасное. Мало ли что предпримет тот, кто так настойчиво хочет засадить его подзащитного за решетку? Защищать человека, против которого нет никаких улик, нетрудно, но человека, против которого заводят уголовное дело, не имея этих самых улик... Первым делом Гордеев решил выяснить подробно, с кем он связался. То есть кто те богатенькие недоброжелатели. Для этого он обратился к одному своему могущественному давнему приятелю, на встречу с которым теперь опаздывал.

Не вытерпев черепашьего хода в длинной веренице

машин, Гордеев съехал на обочину, взял с заднего сиденья портфель и, оставив свой «СААБ» мигать красной сторожевой лампочкой, поспешил к быстрому и надежному метрополитену. Давненько он в него не спускался. Метрополитен для Гордеева был связан со студенческим веселым беззаботным временем, когда, целуя, краснели, а краснея, приходили в неведомое прежде и после умиление. На станции «Маяковская», когда ему было около десяти лет, в переходе он нашел потерянный кем-то альбом с редкими марками, а на «Кировской» бесхитростный советский пионер Юрочка Гордеев дал в глаз переростку-однокласснику, нарисовавшему на подкладке ранца немецкие кресты. А вообще-то, жизнь его текла счастливо, как у всех, выросших в благополучных семействах.

Выбравшись на поверхность из метро, Юрий Петрович почти побежал, зажав портфель под мышкой и придерживая его обеими руками. Остановившись у светофора в ожидании зеленого света, он принялся разглядывать свое отражение в стекле табачной палатки. Скривив лицо в знак недовольства увиденным, он вновь посмотрел на светофор и вдруг стал нервно пританцовывать, перескакивая с ноги на ногу. Горел по-прежнему красный, а машины текли так плотно, что не было видно противоположной стороны дороги. Вот как бывает — еще утром, сидя за рулем автомобиля, он ругал нерасторопных пешеходов, а теперь ненавидел автомобилистов.

Наконец загорелся зеленый, и Гордеев рванул, как молодая лань, через дорогу, чуть ли не сметая с пути идущих навстречу пешеходов. Но, когда он миновал эту дорогу, ему предстояло пройти коротенький бульвар и встретить еще одну лавину гудящего транспорта. Гордеев чувствовал, что теряет самообладание, и был готов плюнуть на все магазины — ограбленные или процветающие, — плюнуть на себя и на свою профессию.

В этот момент он почувствовал мощный толчок в спину, после которого кубарем покатился на землю. Оказавшись на земле, он автоматически прикрыл голову руками, опасаясь таких же мощных толчков в голову. Эта его предосторожность тут же оправдала себя. Юрию Петровичу показалось, что по нему пробежался взвод солдат с криками: «Отсеки его от дороги! Держи, ломай его, ломай! Ух, гад! Ну, что, не убег?! А, гад! На, сука... На, скотина!..»

Гордеев понял, что бьют не его, а кого-то рядышком — по нему лишь пробежались... Он осторожно поднял голову и увидел пятерых милиционеров, бьющих ногами и дубинками какого-то человека.

Все это происходило на бульваре, на виду у множества перепуганных прохожих. Гордеев встал, отряхнулся и пошел прочь.

«Ничего себе, работнички, — подумал он, — это у всех-то на виду! Ведь он не был вооружен и не оказывал сопротивления. А что, если бы я сейчас подошел, представился и ... Тьфу... Да ничего...» И тут он вспомнил об утреннем «Дорожном патруле». Вдруг для Гордеева стало ясно, что именно из-за этого утреннего репортажа он не только лишился серого костюма с радужным отливом, но и пришел в такое душевное смятение. Теперь же он почувствовал необыкновенную тревогу за судьбу Ирины. Вероятно, все, что с ним произошло, действительно было следствием этой тревоги. Он всегда был рад видеть Иру, любил послушать ее сплетни. Именно ее и ничьи больше. Да и она, он чувствовал это, испытывала к нему весьма теплые чувства. Никогда не забывала поздравить с днем рождения или с двадцать третьим февраля. Обязательно что-нибудь да подарит. Иногда что-нибудь очень не дешевое. Например, на последний его день рождения она подарила ему роскошный мужской одеколон — не такой, какой нравился Гордееву, но ведь не забыла же о нем! А серый костюм с радужным отливом? Пусть заплатил за него он, но он никогда бы не выбрал его без помощи той же Ирины. Она не поленилась пойти по его просьбе с ним в магазин.

«Я не просто могу... Я должен ей помочь», — сказал он вслух. Люди, ожидающие вместе с ним около светофора зеленого света, вопросительно повернулись к нему.

Через два часа, встретившись-таки со своим влиятельным другом, разузнав, что нужно, он мигом справился, где содержится Ирина, и решительно направился туда. Встреча с другом еще больше огорчила его. Хозяин ограбленного магазина оказался зятем одного преступного гения, практически неуязвимого на территории коррумпированной России. Но Гордеев смирился с тем, что этот день, мягко говоря, для него неблагоприятный, и решил, что ему всего лишь нужно перетерпеть его, не отчаяться...

Смешно! Отчего здесь отчаиваться?! Завтра все образуется.

Подъехав к отделению милиции, в котором временно содержалась Ирина, Юрий Петрович зашел в продуктовый магазин. Он знал, что необходимо передать задержанной. Ирина наверняка была голодна. Он купил буханку хлеба, палку колбасы, минеральной воды, несколько помидоров. Он было подумал, что надо бы купить сигарет, но вспомнил, что Ира не курит. А то бы он, как принято, купил ей несколько пачек «Примы» без фильтра. Известно, что сигареты с фильтром задержанным не полагаются из соображения, что те могут вскрыть себе вены. Такие случаи бывали. Заключенный поджигал фильтр, затем наступал на него, и из-под пресса выходило острое режущее оружие.

Он предъявил дежурному свое адвокатское удостоверение и попросил позволить ему встретиться с задержанной. Но тот сказал только, что Ирину уже увезли в ИВС. Юрий Петрович посмотрел на часы, время улетало неумолимо. Нужно было срочно забирать свою машину, если ее уже не уволокли куда-нибудь, и ехать в консультацию, где у него через полчаса начнется прием.

В консультации он оформил соглашение на ведение дела Ирины Пастуховой, сам определил свой гонорар и попросил секретаршу выписать ему ордер на ведение защиты.

После консультации, где он взял на себя еще два, правда, весьма незначительных дела, Гордеев наконец смог возвратиться в прокуратуру. Предъявив следователю, принявшему к своему производству дело Пастуховой, ордер на ведение защиты, Юрий Петрович объяснил ему, что у Ирины нет родственников, и буквально уговорил его принять от него передачу для нее и записку. Тот поломался для виду, но согласился.

Сил у Гордеева не осталось даже на то, чтобы принять ванну. Он всегда принимал вечером ванну и всегда с пеной. Сняв обувь, он прошел в гостиную, включил телевизор, взял радиотелефон, прошел в кухню, набирая на ходу номер своего коллеги Сенечкина, поставил на огонь чайник и засунул в микроволновую печь разогреваться пиццу. Коллеге Сенечкину он звонил, чтобы извиниться. Он должен был сегодня заехать к нему, чтобы обговорить защиту в суде по общему делу. К удовольствию Гордеева,

Сенечкина не оказалось дома. Юрий звонил из чувства долга, но у него совсем не было желания ни с кем разговаривать.

«Нет, сегодня просто поразительно неудачный день, — думал Юрий. — Если завтра будет такой же, то уйду из коллегии на юрисконсультскую работу. К едрене-фене! В ту же «Пепси-Колу».

Напряжённый график жизни адвоката Гордеева объяснялся не тем, что он хотел заработать как можно больше, а тем, что он вообще хотел хоть как-то выжить. Клиенты консультации, как правило, были люди небогатые, с делами мелкими, но протяженными. Впрочем, Гордеев честно брался и за эти дела. Однако, как ни мало платили ему за адвокатские услуги, налоги оказывались каждый раз чуть ли не больше самого заработка. Поэтому приходилось искать приработок, что называется, на стороне. А таких приработков у хороших адвокатов могло набраться немало. Были незаконные: становиться на «картотеку» к какому-нибудь вору в законе, получать в месяц тысяч пять и в ус не дуть. Правда, до тех пор, пока вора не засадят. Вот тут уж отрабатывать полученное приходилось сполна. Гордеев знал таких адвокатов — они таскали в тюрьму наркотики, водку, совали взятки следователям, судьям, словом, ходили уже вне закона. Вскоре и сами оказывались за решеткой. Был другой заработок — юрисконсультская работа по соглашению в какой-нибудь крупной фирме. У каждого адвоката было, как минимум, две таких точки. Эта работа была куда благороднее. Вот сейчас таким образом Гордеев подрабатывал в «Эрикссоне». Можно было еще писать юридические справочники, за них неплохо платили, но у Гордеева на это уже совсем не оставалось времени.

«Как там Ирина-бедняжка? — вернулся Гордеев к событиям сегодняшнего дня. — Это немыслимо. Я до сих пор не знаю, что там произошло. В чем ее обвиняют? Неужели в убийстве? Это же смеху подобно. Не могла Ира никого убить. Она мухи не обидит. Впрочем, если... Ну, все, спать! Спать, а завтра видно будет. И утром — никакого телевизора».

Юрий Петрович заполз под одеяло и мгновенно заснул. Через минуту бархатный храп заполнил его квартиру, и он просматривал первые сны.

Как только забрезжил рассвет, Юрий Петрович вскочил с постели и бросился в ванную. На этот раз в утренних процедурах не имели места физические упражнения и долгий выбор, что бы надеть. Через двадцать минут Гордеев ехал на своем авто в прокуратуру.

Следователя он ждал недолго, вернее, совсем не ждал. Тот был на месте, но все отвлекался на какие-то телефонные разговоры, а Гордеев тем временем изучал разложенные перед ним на столе документы. И самые его худшие опасения оправдывались — Ирина убила человека.

— Могу я получить с ней свидание?

— Разумеется, — добродушно улыбнулся следователь, накручивая диск телефона.

Встреча в изоляторе вышла трогательной. Увидев Гордеева, Ирина разревелась и кинулась к нему на шею.

— Ну, ну, Ириша, — успокаивал он ее, — не нужно. Сейчас мы с тобой побеседуем и...

— Юрочка, миленький... Я была так рада... Твоей записке... передаче... Ты... Не представляешь себе!..

— Ну, почему же, представляю... Я думал... Представлял, как ты тут...

— Вытащи меня отсюда! Я не хотела! Я не виновата!

— Я верю, верю, Ирочка, верю!

— Ты же знаешь меня! Знаешь!

— Знаю, Ирочка, знаю...

— Почему они меня тут держат?

— Значит, так, Ирина. Ты мне сейчас все еще раз расскажешь. Все как было, а я постараюсь, чтобы тебя отпустили. Под подписку о невыезде, под залог, во всяком случае. Тебе предъявляли обвинение? Ты подписалась под текстом? Сказала, что не согласна с обвинением?

— С каким таким обвинением?

— Ну под чем-нибудь ты подписывалась?

— Подписывалась.

— Показания давала?

— Да.

— А теперь рассказывай мне все по порядку.

— Я не виновата.

— Я не сомневаюсь в этом. И, пожалуйста, расскажи только правду. Врать, если понадобится, мы вместе будем.

— Да я и не собиралась врать. Я никому не собиралась

врать и не врала. А тебе и подавно. Что ты, Юра! Я и следователю правду рассказала...

Я говорила, что в подъезде, в лифте он на меня набросился с ножом... Я испугалась... Он... Я... В общем, если бы я не... то он бы меня убил. Это точно. Я бы никогда не осмелилась, если бы не поняла, что он меня убить хочет. И то я не рассчитывала, что так получится...

— Так что же ты сделала?

— А ты разве не знаешь?

— Все, что я мог, — прочитал. Но хочу услышать не от следователя, а от тебя.

— Я его убила.

— Убила...

— Ну да, я... Но, Юрий Петрович, миленький, я не хотела! Я не знала... Я не виновата...

— Но как? Как ты его убила?

— То есть? Что ты имеешь в виду? Как я могла, да?

— Нет. Чем ты его убила? Отчего он умер? Расскажи подробно — кто кого куда бил, толкал и...

— Я его убила своей туфлей.

— Чем? Чем ты его?.. — Гордеев вдруг неестественно вдавил голову в плечи.

— Стукнула, дура, туфлей своей. Каблуком попала в глаз. Я не рассчитывала. А он вдруг раз... И как будто сам туда провалился. Как будто... Ну, в общем...

— А есть ли у тебя какие-нибудь побои?

— То есть?

— Ну, синяки, ссадины.

— Нет. То есть почти.

— Так есть или нет?

— Есть.

— Какие?

— Один синяк на руке. Один на животе. И еще шея поцарапана.

— Надо их зафиксировать. Будешь ходатайствовать о судебно-медицинском освидетельствовании.

— Юрий Петрович, Юра, что же теперь будет-то со мной, а? Что, Юрий Петрович?

— Погоди об этом. Рано еще, ты мне скажи лучше — знала ли ты его?

— Знала. В том-то и дело, что знала.

— Откуда же?

— Он деньги у меня украл.

— Когда? Где?

— Незадолго до того, в поезде.

— Расскажи.

— Да чего рассказывать. Ехала я с ней поезде...

— Стоп. С кем — с ней?

— А с ним еще женщина была.

— Так. А он?

— А он не ехал. Он ее провожал.

— А кто деньги украл?

— Женщина.

— Какая женщина?

— Она сказала, что она его жена. Зина зовут. Она сначала прикидывалась дурочкой... А потом...

— А как же ты с ним в том подъезде оказалась? Ты что, с ним продолжила знакомство?

— Да нет. Я его вообще не знала. Я его потом случайно увидела, когда вернулась. Увидела и пошла...

Очень долго длился этот запутанный разговор. Гордеев задавал вопросы, просил начать снова, повторить, записывал необходимое, опять спрашивал, но сидел с видом ничего не понимающего человека.

Действительно, чтобы выдумать такое, нужна уникальная фантазия. Не видел Гордеев здесь даже элементарной логики, но и не верить Ирине ему тоже не хотелось...

Глава 26

САРАЙ

Сынок уже знал эту дорогу, но теперь она была куда более веселой. Не воняли под боком немытые бомжи, не суетились охранники. Он сидел на заднем сиденье депутатской «Волги», которая от обычной отличалась не только мотором «Ровер», но, самое главное, удобством салона. Кожаная обивка, два кондиционера, радиотелефон, бар, телевизор.

Машина эта, наверное, была выкуплена из думского гаража в первозданном виде.

Молчаливый шофер гнал без соблюдения правил, но не дергал, как обычный городской лихач, а стартовал и притормаживал плавно. Сынок подумал, что и этого водителя скорее всего купили вместе с машиной.

После того как он вынужден был завалить того самозванца — полковника, Сынок на какое-то время оказался в полном одиночестве. Вдруг куда-то пропали все его напарники, он никого не мог найти из команды. Ему самому пришлось прятаться по подвалам и чердакам, ожидая каждую минуту облавы, ареста и даже смерти. Убит человек в милицейской форме — кто станет разбираться?

Так продолжалось почти неделю. Сынок уже решил, что надо потихоньку пробираться на Кавказ. Там он мог затеряться, хотя бросать родную Москву очень уж не хотелось.

И вот как-то вечером его нашел маленький мужичок и передал, что завтра в шесть утра его будет ждать черная «Волга» возле гастронома «Рязанские ступени» на Пролетарке.

Всю ночь Сынок провел на чердаке соседнего дома. Ездить на метро он не решался, пробрался сюда ночью.

А утром ровно в шесть подъехала эта чудо-машина и повезла его по Рязанскому шоссе.

Сынок долго раздумывал, не ловушка ли это? Завезут куда-нибудь в лес и грохнут. Но потом подумал, что так сильно тратиться на него не стали бы. Могли убить в любом подвале. Нет, тут было что-то другое. И чем дальше он уезжал от столицы, тем больше крепилась уверенность — его не убьют.

И еще понял — жизнь его круто меняется.

К полудню подъехали к бывшему монастырю. Но не к главным зеленым воротам, а к неприметной калитке сбоку.

Выглянул охранник, распахнул калитку и впустил Сынка.

Когда Сынок обследовал братство в прошлые разы, он почему-то эту калитку не увидел. Теперь он понял, почему. Сразу за ней начинались ступени, уходящие глубоко вниз. А там — каменный коридор, который метров через пятьдесят снова переходил в ступени, которые теперь уже вели наверх.

Ну вот и свершилось — Сынок оказался в главном здании.

Интерьер тут вовсе не напоминал ту спартанскую обстановку, в которой проходили свои, так сказать, курсы повышения квалификации обыкновенные бомжи.

Тут было уютно и даже не без шика. В комнатах стояли кожаные диваны и глубокие кресла. Работали телевизоры, звонили телефоны, бегали по коридорам ребята в белых рубашках с черными галстуками, напоминающие обыкновенных клерков. Уже потом Сынок понял, что это и были обыкновенные банковские клерки. У братства было немало финансовых дел, был и свой банк, который, кстати, занимал в рейтингах надежности газеты «Коммерсантъ daily» первые места.

Если бы Сынок был хоть чуть-чуть романтиком или поэтом, он сказал бы — святая святых, но он просто подумал: «Крутое местечко».

Провожатый завел его в комнату, где сидела за компьютером обыкновенная секретарша и с кем-то говорила по телефону.

— К Константину Константиновичу, — сказал провожатый.

Секретарша жестом приказала Сынку — садись, отпустила провожатого и продолжала что-то уточнять по телефону.

У нее были обе руки и обе ноги, причем весьма стройные. Она была не слепая и не глухая. Поэтому она была для Сынка существом из другого мира, куда ему доступ запрещен. Но он все равно пялился на вырез кофточки и на ножки, чувствуя, что остался обыкновенным мужиком, что ему так не хватает чистого женского тела. Грязные пьянчужки, дешевые проститутки, которым было все равно с кем спать, оставляли в его закосневшей душе чувство гадливости, словно он прилюдно занимался онанизмом. И теперь он почувствовал, что, может быть, эта чистенькая секретарша не так уж для него недоступна.

— Константин Константинович, — отговорив по телефону, нажала кнопку интеркома секретарша. — К вам пришли.

— Впусти.

Секретарша встала, раскрыла дверь кабинета и пригласила:

— Входите, пожалуйста.

Сынок с трудом заставил себя не вскочить пацаном от такого любезного обращения. Он заставил себя медленно,

159

с ленцой подняться и, улыбнувшись секретарше — улыбка была принята благосклонно, — пройти в кабинет.

За столом сидел тот самый толстяк, который в первый день порезал грудь Сынка скальпелем.

«Как давно это было», — подумал Сынок.

— А, старый знакомый, — узнал и старик. — Больше не дуешься?

Так Сынок и признался! Обиду на старика он затаил надолго.

— Нет, — сказал он, глядя прямо в глаза толстяку.

— Ну и отлично. Сам понимаешь, эту голытьбу, натурально, учить надо жестоко. А то бардак в минуту организуют. А у нас контора серьезная. Ты уже понял?

— Понял.

— Ты вообще, гляжу, понятливый. Ну ладно. Что пить будешь? Чай, кофе, сок?

— Чай.

— Отлично, — старик нажал кнопку интеркома. — Людочка, нам два чая с лимоном. — Подмигнул Сынку: — Что, глянулась тебе девка?

— Ничего, — признался Сынок.

— Поработаешь, будет и у тебя такая, натурально. А может, и лучше.

Секретарша внесла поднос, удалилась, виляя бедрами. Теперь Сынку она уже не показалась такой уж привлекательной.

«Тоже сучка, — решил он, — только подороже».

— К делу, Сынок, — отхлебнув пахучего чаю, сказал старик. — Держать тебя на улице — нерентабельно. Знаешь, что это слово значит? Это значит, что ты кадр ценный. Ты же в Чечне воевал?

— Было.

— Так чего такой опыт тратить по мелочевке. Мы и серьезными делами занимаемся. Я тебя в курс всего вводить не буду, не дорос.

— Я или ты?

— Не выеживайся, — посоветовал старик. — Ты не дорос. Но если главное — мы занимаемся, натурально, улицей. Сечешь? Знаешь, сколько времени человек проводит на улице?

— Не знаю.

— А есть натуральная статистика: четырнадцать процентов всей своей жизни. Это значит, почти десять лет.

Сечешь? Дорога на работу, с работы, по магазинам и рынкам, прогулки и т. д. На эту жизнь он тратит около двадцати процентов своих денег...

— Наукой занимаетесь?

— Без науки, Сынок, сегодня нельзя, — наставительно сказал старик.

— Я это и без науки знаю.

— Да что ты знаешь?! Попрошайки, инвалиды, лохотронщики — все это мелочевка, жидкое молоко. Мы, Сынок, натурально, пенки снимаем. Впрочем, тебе пока об этом рано. Значит, так, переводишься ты в команду повыше — это уже не грязная уличная работа, а чистая, братская, ха-ха-ха... То есть здесь, в братстве покантуешься.

— Охранником, что ли?

— Натурально. А что, есть возражения?

— Не буду, — рубанул воздух единственной рукой Сынок. — Хватит. Послужил бугром — больше не хочу. Я овчаркой никогда не был и не буду.

Старик вдруг как-то поскучнел, глаза полузакрылись, он сложил татуированные руки на большом своем животе и даже, казалось, задремал.

— Давай возвращай меня на улицу, — уже спокойнее сказал Сынок.

— Это можно, — чуть не зевнул старик. — Тебя к какому отделению милиции подвезти?

Сынок скрипнул зубами.

— На понт берешь?

— Какой понт, Сынок, ты — убийца, нашлись свидетели и показали на тебя. Ты в федеральном розыске. За тебя ни один дурак полушки ломаной не даст. С такими, как ты, не церемонятся. Завалят без всяких «руки вверх». Придурку укрытие предлагают, а он тут целку строит. Но раз ты принципиальный, — пожал плечами старик и потянулся к интеркому.

— Ладно, — остановил его Сынок. — Только я больше с бомжами не работаю.

— А кто тебе сказал, что ты к бомжам пойдешь? Тебя сейчас народу показывать не стоит. Тут для тебя более интересная работенка найдется.

— Какая? Цемент таскать?

— Дурачок ты, Сынок, даром что здоровый, — улыбнулся Константин Константинович. — Я вот недавно во

Франции был, знаешь, какая там проблема? Они когда-то понавезли к себе черножопых, а теперь не знают, как от них избавиться. Те только для черной работы пригодны, а во Франции рабочая сила не нужна, нужны мозги. Так вот нам тоже твои мозги нужны.

Как будут распоряжаться мозгами Сынка, старик так и не сказал, вызвал секретаршу и сказал:

— Людочка, проводи нашего героя.

Секретарша вильнула бедрами и пошла впереди, даже не оглядываясь на Сынка.

Они снова спустились по ступенькам, но не вернулись к калитке, а вышли в боковое ответвление и двинулись по длинному коридору.

— Хорош, — сказал Сынок, — дальше я сам.

В самом деле его волновало столь близкое присутствие приятно пахнущей, чистой, красивой и молодой женщины, пусть и продажной, как он решил для себя.

Секретарша словно не услышала его.

Лампочки в коридоре попадались все реже, все большие промежутки были в полной темноте.

Сынок остановился:

— Все, я сказал, сам дойду.

Секретарша продолжала идти, и тогда Сынок нагнал ее, схватил за руку и толкнул к холодной стене:

— Ты что, глухая?! Или иностранка? Тебе русским языком сказано — отвали.

Было видно даже в темноте, как презрительно сверкнули глаза секретарши, как окинула она Сынка уничижительным взглядом сверху вниз.

— Это ты отвали — дерьмом воняешь, — сказала она.

Она была обыкновенная слабая женщина, Сынок мог перешибить ее позвоночник даже свой культей. Но он в мгновение потерял всю свою силу и напор. Он ослабел, как мальчик, которому девочка сказала, что не будет с ним целоваться, потому что у него прыщи.

Секретарша высвободила свою руку и снова пошла вперед, бросив на ходу:

— Тебя не пропустят.

Сынок поплелся сзади.

Когда добрели до выхода, когда секретарша показала в глазок какой-то документ, когда вышли на свет Божий, то оказалось, что они уже не на территории монастыря.

Это было похоже на дачный поселок — аккуратные

162

белые коттеджики за оградками, кое-где даже бассейны, отдыхающие, загорающие на солнышке люди — мирно и уютно.

Секретарша довела Сынка до такого же коттеджа, по-домашнему достала из-под- коврика ключ, открыла дверь и сказала:

— Там все найдешь.

Как же приятно быть чистым! Как же приятно надеть вместо задубевшей камуфляжки цивильную одежду, свалиться на кровать и сказать себе — могу спать, а могу не спать. Могу делать, что хочу.

Сынок нашел в коттедже не только ванну с горячей водой, не только вполне приличный гардероб и даже по своему размеру, он нашел бар, полный хорошей выпивки, холодильник с разными заграничными вкусностями, телефон, который работал, и телевизор, у которого было аж двадцать четыре программы.

На улицу выходить не хотелось, половина программ была на английском языке, от водки сразу закружилась голова, а импортная еда показалась Сынку пресной.

Поэтому он лег на кровать, сказал себе вышеприведенную формулу и выбрал сон.

Ночью дачный поселок спал.

Сынок прошелся мимо всех домиков, нарочно стараясь шуметь, никто не вышел, никто его не остановил.

То, что его статус вырос несравнимо с прошлым, Сынок понял давно, а это значило, что и знать он теперь должен был куда больше.

Вот странная вещь: он провел в монастыре почти месяц, он послушал разговоры, посмотрел, чем занимаются другие, каждую свободную минуту старался хоть что-нибудь разведать, а получалось, что выискивал только новые загадки, которые никак не отгадывались.

Дверь, ведущая в подземный коридор к монастырю, была закрыта, но не для Сынка же.

Теперь идти пришлось в полной темноте. В главном здании никого не было, кроме охранников, которые дулись в карты в прокуренной комнатенке. Комнаты нараспашку, компьютеры работали, кое-где даже звонили безответные телефоны.

«С этим потом, — решил Сынок, — тут я еще разберусь».

Сейчас ему надо было решить некоторые давние загадки.

И он вышел в бомжатник.

Теперь он шел по территории не крадучись. Теперь не нужно было прятаться — никто не запретил ему гулять по ночам.

А путь Сынка лежал к загадочному пустому сараю, закрытому так тщательно.

Снова пришлось находить вход, потому что прежний был наглухо заколочен.

Внутри сарайчика снова никого и ничего не было, но кое-что изменилось.

Сынок шагнул в темноте на середину и вдруг с ужасом почувствовал, как земля под его ногами шевельнулась. Сынок отступил, присел и ощупал пыль.

«Фигня какая-то. Земля и земля. Показалось».

Но только сделал два шага вперед, как снова почувствовал, что почва двигается.

Сынок свалился как подкошенный и припал к земле ухом. То, что он услышал, встряхнуло его тело как ударом тока — из-под земли доносился слабый человеческий стон. Очень близкий, совсем рядом.

Сынок вцепился пальцами в землю и стал ее разгребать, теперь он явственно чувствовал шевеление и слышал стон все ближе и ближе.

Пот катился градом, но не от усталости, а от ужаса. Еще гребок, еще, и рука ткнулась во что-то мягкое и липкое. Сынок поднес ее к лицу — в слабом свете увидел черную жижу.

— Да что такое?! — прошептал он хрипло.

Снова коснулся липкого, теперь осторожно, ощупал и понял, что это человеческое плечо. Без левой руки. Волосы зашевелились на голове. Сынок стал грести землю еще остервенелее, пока не показалось безжизненное туловище, а сразу вслед за этим, чуть не в самое ухо — стон.

Сынок сдвинул мертвое тело, а из-под него поднялась из ямы голова. Рот у головы раскрылся и даже не прохрипел, а пробулькал:

— Паша...

Это был сиамский близнец. Тот самый, что подложил

Сынку в карман украденный скальпель, что вместе с братом продал его пацанам с их Бобиком и омоновцу. Тот самый предатель и подлюга, которого Сынок так люто ненавидел.

— Саша, ты? — все еще не верил себе Сынок.

Голова мелко вздрогнула, Саша со свистом втянул воздух и простонал:

— Сынок... Гады, даже убить не могут... Пашу... тоже...

— Сейчас, Саш, сейчас, — заторопился Сынок. Он стал выгребать землю вокруг Сашиного тела, но тот вдруг дико вскрикнул:

— Кончай!.. Не могу! Дай подохнуть...

Сынок еще какое-то время греб, но вдруг увидел, что голова завалилась набок, Саша захрипел.

— Сынок... Тебе правду скажу... Не братья мы с Пашей... Он с Узбекистана, а я с Белоруссии... Сынок, помоги мне...

— Что, Саша, что?

— Убей меня. Не могу больше...

Что мог сделать Сынок? Он нежно обнял Сашину голову, прижал ее к себе, сказал:

— Прощай, — и резко повернул ее вбок. Хрустнули позвонки — Саша умер.

Больше в яме никто не стонал, хотя Сынок попытался копать дальше, но только раскопал еще два трупа, один из которых был когда-то веселым и шебутным парнем по имени Зорро.

«Как собаки, — подумал Сынок. — Жили грешно и померли... страшно. Да, ребята, войти в братство легко — выйти невозможно».

Глава 27
ДОВЕЛИ

— Боже мой, почему я не могу ничего вспомнить?! — восклицала Ирина, мечась по комнате для свиданий. Она понимала каждой клеткой, что сейчас она должна рассказать все, что помнит, вспомнить мельчайшие, незначительные для обычного глаза подробности, детали, из которых впоследствии острый ум Гордеева выстроит крепость, где она будет недосягаема для злого и неправедного закона. Ее мучило и угнетало также то, что этот человек, Гордеев, этот очень занятой адвокат, бросает дела ради того, чтобы помочь ей спастись. Она понимала, что будет спасена, и потому в неоплатном долгу перед ним.

Может быть, Гордеев был религиозным человеком, держал в перспективе загробную, горнюю, лучшую жизнь, где небесный адвокат припомнит на Страшном суде его заслуги перед Ириной. Но сейчас видно было, что он думал не о спасении своей души, а лишь об Ирине, о ее спасении. И она, сжимая виски ладонями, не могла припомнить ничего из происшедшего — ничего! Перед ее внутренним взором вставали только страшные и отвратительные картины — изуродованное лицо бандита, темнота в лифте, едва чувствительные, но жуткие, как в кошмаре, удары ножа в чемодан. Она понимала, что Гордеев — пусть он и не говорит этого — все ждет от нее, ждет путного, связного рассказа о злосчастном дне, и этого рассказа не слышит. Ей нужно было спасать себя, помочь Юрию, от нескольких правильно найденных слов зависело, сколько еще она будет ничтожеством, недочеловеком. И этих слов она не находила!

— Ира, успокойся, — увещевал ее Гордеев, — все не так страшно. Тебе нужно только сконцентрироваться и рассказать мне, а потом объяснить следователю, что же в самом деле произошло.

Она понимала, что он утешает ее, что он говорит клише обычных фраз, уже тысячу раз говоренных в подобных ситуациях, которых он тоже, бедняга, уж насмотрелся дай боже. Ей было неловко и стыдно перед ним. Однако она действительно попыталась собраться. Она села, отдышалась, приняла никак не вяжущуюся с ее состоянием раскованную позу и нарочито спокойно начала свою повесть:

— Я этого человека заметила еще в поезде.

— То есть он ехал в одном поезде с тобой? — уточнил Гордеев.

— Да нет, вовсе нет, — опять завелась Ирина, — нет, он со мной не ехал в поезде, но я видела, как он подсаживал в поезд сначала эту тварь, которая у меня украла деньги, а потом другую тварь, такую же точно, как эта. Какие суки! — воскликнула Ирина и залилась слезами.

Юрий Петрович помолчал с минуту, давая возможность Ирине осушить потоки горьких слез. Он понимал с первых минут, что сегодня, по всей вероятности, добиться от Ирины путных ответов не придется. Но хотя бы можно будет задать ей вопросы, которые станут предметом ее неустанного раздумья наедине с собой в камере. Эти вопросы были готовы, оставалось только выждать приличное для них время. Пока же Ирина плакала по поводу того, как горько обманулась в людях. Когда шлюзы ее слез закрылись, Юрий Петрович продолжил расспросы.

— Ты увидела его...

— Я увидела его на вокзале с этой тварью, — порывисто продолжила Ирина. Она не пояснила, с какой из тварей именно, но Гордеев догадался, что со второй.

— Они стояли, — глаза Ирины расширились, видно было, что картина дня начинает вставать перед ее внутренним взором, — и трепались о чем-то. Он улыбался, сволочь. Я как его увидела, во мне такая злоба вскипела, я прямо думала, сейчас вот как дам чемоданом по башке, чтобы дух вон. Потом решила: надо в милицию обратиться.

— Но от этого плана ты отказалась?..

— Да, мозгов хватило. Даже не мозгов, а, как сказать... интуиции, что ли? Я вот как чувствовала, что эти мусора, они...

Гордеев покачал головой. Пребывание в тюрьме производит на всякого человека свое педагогическое воздействие. Представить в устах Иры еще несколько дней назад слова «мусора», «суки» и прочие, которые она стыдливо не произносила при Гордееве, но готова была произнести, было никак не возможно. Какая ошибка называть тюрьму «исправительным» заведением, а фактическую каторгу «исправительными работами». Тюрьма — это институт разврата. Который может погубить даже самые добродетельные души.

— Я почти чувствовала, что на этом вокзале все не кругло. Мне говорили сколько раз, что вокзальная милиция — это особая статья, что они заодно с преступным миром. Я поэтому и не пошла ни в какую милицию, а решила сама проследить.

— А как у тебя возникла такая мысль, проследить самой? Чего ты хотела этим добиться?

— Как чего? — удивилась Ирина. — Ну... Мне же нужно было понять, откуда он. Я бы, может, на него бандитов навела. У меня одноклассник, Комаров, бандит. Хотел раньше идти в институт физкультуры, но потом... Теперь торгует оружием на Калининском проспекте. Он из солнцевской мафии. Я бы на них наехала бандитами и все. Мне только бы чиркнуть Комарову адресочек, а дальше все было бы как по маслу.

Юрию Петровичу показалось, что Ира гордится тем, что в друзьях у нее есть настоящий бандит. Он уже не в первый раз замечал, что воспитанные люди из хороших кругов заискивают перед бандитами не из желания воспользоваться их услугами, не от страсти к насилию, а только лишь оттого, что в этом ручательстве — «у меня друг — бандит» — была какая-то надежность, нечто дающее уверенность в себе, в собственной защищенности, которую, увы, не давало россиянам ни одно законодательство со времен «Русской Правды».

— Я пошла за ним, — невольно впадая в сказовую интонацию, продолжала Ирина, — мы шли, значит, шли...

Гордеев не торопил ее, понимая, что ей надо вспомнить все, как было, так что неизбежны были риторические остановки.

— ...и мне показалось, что он понял, что я за ним иду. Да, ну можно понять конечно. Как я ни старалась быть незаметной, все равно — с моей дурацкой пляжной панамой — ее некуда было пристроить, таскала на голове, как клоун, — с чемоданом... Да, с таким чемоданом конспирация невозможна. Наконец он просто остановился и обратился ко мне...

Ирина весьма подробно изложила все обстоятельства разговора с покойным. Покойник из ее слов получался обаятельным мерзавцем, мерзким обаяшкой, подонком, сволочью, довольно симпатичным мужчиной небезразличного женщине возраста, он походил также на Руфата. В общем, получился довольно противоречивый портрет женской кисти, но в целом это был, конечно, мерзавец, о смерти которого и родная мать вряд ли пожалела бы.

— Он, сволочь, прикинулся вроде бы порядочным. Рассуждал, как благородный, о том, какая у него жена, какая у него собака, а я-то, дура, поверила. Только что саму «обули»...

Гордеев опять поморщился, слушая огрубленную, необычную в устах Ирины простонародную речь.

— ...а мне никакой науки. Заговорил со мной человек по-человечески, а я уж, как Каштанка, к нему и кинулась и хвостом завиляла, и уж с ним готова была всю жизнь разговоры разговаривать про то, какая у меня жизнь несчастная. Хоть бы пошевелилось у дуры, что неспроста все это...

Она опять попыталась заплакать от досады на свою беспечность, но сдержалась, понимая, что ее слезы скоро исчерпают лимит жалости Гордеева. Она нуждалась в его сочувствии и не хотела расходовать его по пустякам. Она решила про себя, что будет сдержанней.

— Ой, не Чингачгук я — на швабру пятьсот раз наступлю. Я, правда, подумала, что приду к нему — сразу позвоню Руфату. Скажу хотя бы, где я. Но мозгов недостало подумать, что, может, я и не дойду до телефона. А как можно было угадать? Он милый, представительный, весь обаяшка. Да разве на него глядя можно было предположить, что он начнет меня резать в лифте?

— Как он пытался тебя убить? — несмотря на нейтральность интонации, Гордеев весь внутренне сжался, представляя себе, что Ирина оказалась в пределах аршинного пространства лифта наедине с убийцей.

— Да знаешь, как в фильмах ужасов. Или, скорее, в мультиках. Там, когда страшная сцена, чтобы дети не боялись, свет гаснет в кадре. А потом все продолжается. Погас свет — на секунду все успокоились, вспомнили, что все это понарошку. Так и у меня. Вижу рожу, вижу финку, вижу, что смерть моя пришла, а потом гаснет свет.

Она вдруг посмотрела в окно и беззаботно рассмеялась.

— Знаешь, Юра, я сейчас хотела сказать: «Вся жизнь пронеслась у меня перед глазами», — как по́шло! Ничего такого не было. Честно сказать — я чуть не описалась. Да если уж совсем честно — описалась я, да. Вот так!

Она опять засмеялась и превратилась на несколько мгновений в прежнюю Ирину, словно и не было никакой тюрьмы, следствия, близкого конца ее социальной жизни. Сейчас ее беспокоило только то, что она так неприлично испугалась тогда.

Она, придя в оживленное и наклонное к юмору настроение, продолжила:

— Он меня уговорил зайти к нему домой, дескать, так мол и так, их самих провела эта Зина, она и их обворовала, намекнул, что может найти на нее управу, что она от него никуда не уйдет. И знаешь, со мной так давно уже по-людски никто не говорил, что я растаяла и поплелась за ним — легковерная, как гимназистка. Только поинтересовалась, балда, не будет ли он иметь в мою сторону эротических поползновений. Интересно, у меня, наверное, мания величия. Какие поползновения ко мне можно иметь — ты бы меня видел после этого Крыма.

Она опять помрачнела, вспомнив последние минуты, когда можно было все переменить, сделать шаг не в ту, а в другую сторону.

— В общем, мы зашли в подъезд, затем в лифт. И тут, едва лифт стал подниматься, он выхватил нож — я увидела, что это нож, — и нажал на «стоп». Лифт, конечно, останавливается, свет гаснет. Знаешь, все, как в снах девственницы, — лифт, мужчина с ножом. Сюжет для Зигмунда Фрейда. Я, понятно, закрываюсь чемоданом и чувствую, как он тычет в чемодан своей финкой. Мне бы заорать, а я молчу, как рыба. Потом уж он только, чувствую, продырявил чемодан так, что мне лезвие уперлось вот сюда, — она показала на подреберье, — ну, думаю, кранты. Как заору! И в обморок, кажется, попыталась упасть. Прям даже в голове мелькнуло — сейчас вот, думаю, спрячусь, забьюсь в уголок, он меня, может, и не найдет. Скорчилась, а сама туфлю снимаю. Могучий у меня все-таки инстинкт самосохранения! Он, гад, то ли нечаянно кнопку нажал, то ли специально — выйти. Я же затихла, он думал, что убил, так я понимаю. Только двери открылись, я его — раз, за ноги, головой толкнула, он упал и головой о кафель. Но мало. Вижу, поднимается. Тут я ему аккуратно каблуком в глаз. И, ты знаешь, я об этом думала — кажется, не жалею. Правда.

Она честно посмотрела Гордееву в глаза. В ее взгляде была такая детская наивность, непосредственность, что невозможно было осудить эту девушку за то, что она убила человека.

— Я даже не поняла, что убила его. Конечно, испугалась, когда увидела, что мой каблук торчит у него из глаза. Он повалился с лестницы, пополз на улицу, мычит, ну, все такое... Я за ним. Тут мне не то чтобы жалко его стало, но как-то надо было ему помощь оказать, он уже все-таки не убийца, а потерпевший. А я, когда его нагнала, поняла, что он, хоть и шевелится, но уже не живой. Меня стало тошнить. А тут еще старуха какая-то из окна, или не старуха, а просто женщина какая-то — не помню, у меня все смешалось в памяти, — стала голосить. Потом милиция приехала.

Ирина опять остановилась в горестной задумчивости. Гордеев позволил себе прервать ее молчание.

— А где оставался нож?

— Нож? Не помню. В лифте, наверное. — Она силилась вспомнить, но никак не могла. Перед ее взором все еще стояло изуродованное болью и смертью лицо обидчика. — ...В руке у него. Да, он в этот нож вцепился и не выпускал, вот почему я его и приложила. Я еще подумала, когда он из лифта выпал, сейчас убегу. А он поднимается с ножом — не спастись. Да, точно, он, даже когда умирал, нож не выпустил.

— То есть когда приехали оперативники, нож был у него в руке?

— Ну да, а куда же ему деться? Или в руке или рядом с трупом. Я к нему не подходила — мне было как-то не по себе. Ты, надеюсь, понимаешь? Мне на него живого удовольствия никакого не было глядеть, а уж на мертвого, да когда сама же и убила...

— А как тебе удалось убить его каблуком?

— Я и сама на себя удивляюсь. Это же с какой злобой надо было бить, чтобы череп расколоть? Видимо, я ему за все свои беды вдарила.

Гордеев посетовал внутренне на свое недостаточное знание анатомии. «Надо подробнее изучить акт судмедэкспертизы и посоветоваться с кем-нибудь из врачей», — записал он в памяти.

— Ему действительно удалось пробить твой чемодан?

— Да, да, — оживленно закивала Ирина, — чемодан хороший, кожаный, его просто так не продырявишь. А он сделал столько дырок в нем... Да ты можешь посмотреть.

— Что же, — подытожил Гордеев, — все не так уж плохо. Ты действовала в пределах необходимой обороны. Статья тридцать восьмая УК. Это нынче не является преступлением. Тебе угрожали ножом — улика налицо, тебя пытались убить, даже нанесли удары, ранив не тебя, правда, а...

— Чемодан, — обрадовалась как ребенок Ирина этой наивной шутке.

— Да. Так что, я думаю, через два-три дня ты окажешься на свободе.

— А скорее нельзя? — помрачнела Ирина.

— Нет, скорее не получится. Это зависит не от меня. Ты пойми...

— Я понимаю. Я просто домой хочу.

Глаза Ирины наполнились слезами, нос раскраснелся, она обхватила голову руками и прижалась к Гордееву, горько плача.

— Ну, погоди, успокойся. Еще только один вопрос, — гладил ее по голове защитник. — Просто такой человеческий вопрос — как ты могла?

Ирина вдруг отшатнулась и серьезно сказала, словно это и было главным оправданием для нее:

— Довели!

Глава 28
ЕЩЕ ОДНО ИСПЫТАНИЕ

Три дня прошло в полном безделье. Сынок смотрел телевизор, пил, загорал, спал от души, привык постепенно к заграничной еде. Даже разок от скуки позвонил... в «Скорую помощь», потрепался с телефонисткой.

Шок от страшной находки прошел. Да, теперь Сынок знал кое-какие тайны братства, но, честно сказать, разве он не догадывался об этом раньше?

«Крутая команда, — думал Сынок, — это то, что мне нужно. Я попал по адресу. Если они так запросто крошат людей, то какие же бабки крутятся у них? Не может быть, чтобы они зарабатывали на одних бомжах, лохотронщиках, цыганах и прочей муре. Нет, Константин Константинович пургу гонит — с улицы много не нагребешь. Да и потом — расходы какие! Чем больше народа, тем меньше кислорода. А тут тысячи людей должны крутиться. Тут только за одним порядком следить — упаришься. Нет, эти ребятки открыли где-то золотую жилу, а вся бомжатина только для прикрытия. С другой стороны, эта жила должна же быть как-то с бомжами связана. Если они хоть что-то кумекают, то не станут рисковать миллионами ради копеек».

Загадки так и не разрешались. Одно Сынок теперь

знал наверное: он перешагнул ступеньку и теперь к этой самой золотой жиле куда ближе.

К вечеру третьего дня безделья, когда Сынок уснул на горячем солнышке, заглянул через забор сосед. Это был худосочный очкарик лет двадцати, Сынок видел, как он, словно сомнамбула, бродил по своему участку, чуть не натыкаясь на предметы.

«Ботаник, — решил про себя Сынок, — ученый, видать, сильно».

— Здравствуйте, давайте познакомимся, — сказал сосед без всяких подходов. — Меня зовут Чип.

— А где Дейл? — неумело схохмил Сынок.

Сосед шутку не понял, более того, тревожно оглянулся по сторонам и сказал:

— Не знаю. Вы его ждете?

— Та-ак, — вздохнул Сынок, поднимаясь, — ты, стало быть, в танке.

— Нет, вы меня с кем-то спутали, — снова не воспринял образности речи Сынка сосед.

— Извини, я так, пошутил. Давай знакомиться. Меня Сынок зовут.

— Очень приятно. Я вот по какому поводу к вам. Вы, наверное, скучаете один. А у нас по вечерам собирается милая компания. Почему бы вам?.. Вы извините, может быть, у вас другие планы, но если вдруг вам захотелось немного посидеть среди милых людей, то милости просим в девять вечера в девятый коттедж.

— Спасибо, конечно, только я не очень компанейский.

— Это ничего, мы там очень тихо...

Как только сосед скрылся, Сынок бросился в ванну скрести свою трехдневной небритости рожу, мыться, наглаживать брюки. Утюга не было, но для Сынка это не было неразрешимой проблемой. Он сбрызнул штаны, сложил их аккуратно по стрелкам и засунул под матрас. Конечно, какое-то время пришлось самому поработать утюгом, зато стрелки были остры и изящны.

К назначенному времени он уже маялся часа два, одетый, как в хороший ресторан, чистый до отвращения, выбритый и надушенный каким-то импортным одеколоном, который нашел на туалетном столике.

Действительно, Сынок никогда не был душой компании. Тусовщиком его не назовешь. Но, может быть потому, что после ампутации никто никогда его на вечеринки не звал. Слишком уж стремительно менялась его жизнь — не до тусовок было. А кому же не хочется просто посидеть в компании, поболтать о том о сем, слегка выпить...

Но Сынка еще распирало любопытство. Что за люди живут в этом поселке? Что за элита тут собралась, чем занимаются, что знают, откуда они здесь?..

К девяти часам он уже стоял возле коттеджа, волнуясь, как пацан, и все не решаясь позвонить.

Дверь открыла, Сынок чуть не отшатнулся, секретарша Людочка. Теперь она посмотрела на Сынка без ненависти и даже без снисходительности. Только вскинула удивленно брови.

— Не узнала, богатым будешь. Ну, заходи, — улыбнулась она.

— Мне тут Чип... Я сначала не хотел, а потом подумал... — начал лепетать Сынок, но Людочка его слушать не стала, повернулась и ушла в комнату.

Сынок косолапо двинулся следом и попал в небольшой кружок действительно милых людей, никто не был пьян, никто не шумел, все улыбались приветливо.

Сынок пожал всем протянутые руки. Узнал, что в компании есть кроме Чипа и Людочки Каэс, Зиг, Амос, Мата и Дон.

Было странно, что эти вполне интеллигентные с виду люди представлялись такими птичьими именами. Их, впрочем, это совсем не смущало.

Пили сухое вино. Сынок терпеть не мог этого кисляка, но крепился. Разговоры были самые отвлеченные — о политике, о кино, музыке, светские сплетни, почерпнутые из журналов и газет.

Сынок в разговоре участия не принимал. Политик из него был никудышный, кино он смотрел по телевизору, но никогда не досматривал до конца, а музыкальные познания ограничивались Пугачевой и Розенбаумом. Пестрых журналов не читал, да и вообще не помнил, когда читал что-нибудь, кроме названия магазинов.

Каэс начал рассказывать какую-то увлекательную историю о клакерах. Так, оказывается, называли театральных жучков, которые обсели все самые видные московские театры. Помимо того, что они спекулируют билетами, они еще дерут плату с артистов. Если артист отказывается платить, клакеры устраивают ему театральный провал. Засвистывают спектакль, устраивают скандал, а если артист щедро платит хотя бы теми же билетами, то клакеры устраивают ему овацию с криками «браво!», «бис!», «гений!».

«Каэс, каэс... — соображал Сынок. — Что такое это «каэс»? Чего-то с театром, наверное, связано».

Зиг начал усыпляющий рассказ о смутном понятии — психология. Сыпал такими терминами, что у Сынка ум за разум заходил — всякие «либидо», «супер эго», «подсознание»...

«А этот доктор психических наук! — догадался Сынок. — Или сам в психушке бывал».

Оказалось, что Амос неплохо разбирается в хирургии, Дон рассказывал о разных экзотических способах умерщвления человека: от банального отравления до воздействия микроволнами.

Чип начал было что-то про компьютеры, но Людочка вдруг откровенно зевнула.

«Что они тут делают? — все не мог сообразить Сынок. — Какой-то академгородок».

— Ладно, ребята, пора баиньки, — сказала она решительно. — Кто мне поможет убрать?

— Я могу, — сказал Чип, поправив очки.

— Нет, ты мне в прошлый раз половину стаканов перебил. — Вот Сынок у нас еще не дежурил.

«Если мыть посуду, то я помощник еще тот, — ухмыльнулся Сынок, — я ей намою».

Гости попрощались и разошлись. Мыть посуду Людочка Сынка не заставила. Дала в руку веник и сказала:

— Подметешь, получишь награду.

Сынок принялся рьяно мести пол. Но не успел сделать и половины работы, когда секретарша заглянула в комнату и сказала:

— Все, заслужил.

И распахнула полы халатика, который уже был на ней. Под халатом Людочка была голой.

«Так не бывает!» — последнее, что подумал Сынок перед тем как вообще забыть о мыслях.

Людочка в постели была умелой и, что не очень понравилось Сынку, веселой. Она высмеяла Сынка за семейные трусы, похихикала над его поспешностью, а культя и вовсе вызвала в ней приступ хохота.

175

— Первый раз трахаюсь с одноруким.

Она умело приостанавливала его страсть, брала инициативу в свои руки — если еще хоть какая-то инициатива была у Сынка — и, словно забыв о партнере, доводила себя до неистовства.

В какой-то момент Сынку захотелось схватить все свои вещи и удрать. Он чувствовал себя предметом, вроде вибратора. Но Людочка и это угадывала. Она становилась вдруг ласковой и внимательной. Словом, она довела Сынка до белого каления, а потом вдруг откинулась на подушку, потянулась за сигаретами и сказала:

— Скучно, правда?

— Чего? — не своим голосом спросил Сынок.

— Одно и то же. Надоело, — улыбнулась Людочка. — Какие вы все, мужики, однообразные. Заберется сверху и пошел, как колхозник, — гы-гы-гы... Я думала, с тобой будет необычно как-то. А ты — как все...

Сынок уже остыл и теперь начал закипать ненавистью. Но Людочка вдруг сказала:

— А ты с двумя пробовал?

— Чего? — снова опешил Сынок.

— Ну с двумя женщинами сразу. Да куда тебе! А хочешь попробовать?

Она не стала дожидаться ответа остолбеневшего Сынка, потянулась к телефону, быстро набрала номер и сказала:

— Мата! Беги к нам. Только одна. Все, ждем, ножки раскинули.

Сынок не успел и дух перевести, как в комнате появилась Мата. Когда она успела раздеться, Сынок так и не понял.

По сравнению с Людочкой Мата была не просто умелой, она была профессионалкой. Скоро уже и Людочка, и сам Сынок стонали от наслаждения. Сынок уже через минуту был готов. Но отвалиться и хотя бы отдышаться ему не дали. Еще через минуту он был снова в полной форме.

Потом Сынок сбился со счета, потом он просто вырубился.

А когда пришел в себя, то увидел, что Маты уже в спальне нет. Людочка подавала ему бокал с вином и сигарету.

— А ты — ничего, — похвалила она. — Наголодался, поди.

Сынок теперь с удовольствием выпил терпкого напитка и сладко затянулся сигаретой. Он действительно чувствовал себя героем.

— Ну, давай поговорим.

— Чего?

— Какой богатый лексикон. Ты еще какие-нибудь слова знаешь кроме «чего»? Я, например, много «чего» знаю. Тебе же интересно, куда ты попал? Что за люди, что делают. Хочешь расскажу? А?

Да, у Сынка было много вопросов. Но он вдруг почувствовал какой-то подвох. И вообще, вся эта сексуально-сказочная история показалась ему вдруг вовсе не его заслугой, а каким-то спланированным действием.

«Ах, вон что, — подумал Сынок, — она меня проверяет. Она с самого начала меня проверяла».

— Давай, — сказал он. — А правда, что Киркоров сын Пугачевой?

— Дурак, — зло сказала Людочка.

И Сынок понял, что выдержал какое-то испытание...

Глава 29

ЗЧМТ

Танатологическое отделение второго медицинского института находилось вот уже сто двадцать пять лет на Малой Пироговской улице. Некогда Московские высшие женские курсы распались на три дружественных института, в студенческих кругах именуемые «медики, педики, тонкие химики», то есть на медицинский, педагогический институты и институт тонкой химической технологии. Медицинский корпус украшала со стародавних времен впечатляющая вывеска «Анатомическій театръ». С утра до ночи заплаканные или рассеянные родственники незабвенных толпились с венками и цветами у подъезда, затрудняя студентам и педагогам подступы к альма-матер. Рыдали сироты и вдовицы, а бравые медики растворяли окна, выпуская на улицу запах тлена, бегали, не переменяя рабочей одежды, в пельменную на границе трех вузов — всюду была жизнь, всюду было отрицание смерти.

Гордеев оставил «СААБ» на улице, зашел со двора в административный отдел и, предъявив удостоверение, попросил встречи с заведующим кафедрой судебно-медицинской экспертизы, профессором Кормилиным. Профессор был на конференции, и Гордееву рекомендовали встретиться с заместителем по науке, доцентом Саввовым, молодым преуспевающим патологоанатомом. Саввов оказался дружелюбным нескладным здоровяком, на первый взгляд туповатым и косноязыким. Но вскоре, разговорившись, Гордеев понял, что с этим малым можно иметь дело — Саввов не имел желания что-либо скрыть в своей деятельности, а напротив того, радовался, что нашел наконец-то свежего собеседника, с которым можно было поговорить о работе.

— Понимаете, ото всех приходится скрывать, кто я, — доверительно сообщал он Гордееву, — а знаете, обидно. Ведь на самом деле патологоанатом — самый честный перед Богом человек. Вот клянусь вам, что за всю историю медицины из-за патологоанатомов никто не умер. А возьми любого участкового терапевтишку — так непременно десяток народу уморил. Как пить дать. У нас даже такое понятие существует — «кладбище». У всякого доктора есть свое «кладбище» — ведь пока не уморишь нескольких пациентов, приличным врачом не станешь. Это тайна профессиональная, об этом не принято говорить. Но ведь так и есть! Неправильно поставленный диагноз, неправильное лечение. Температура, озноб — грипп. Температура, озноб — грипп. Температура, озноб... малярия! И нет человека. А поди отличи малярию во время эпидемии гриппа. Только мы и отличаем.

Саввов достал нужное дело, порывшись в кафедральном архиве. Он надел очки и приобрел комически-серьезный вид. Проборматывая слова, он стал читать заключение, явно досадуя на необходимые длинные казенные формулировки, не имеющие прямого отношения к делу.

— Вот, — радостно огласил он находку, — слушайте, тут все понятно: «Вследствие удара острым тяжелым предметом подвержено тотальному разрушению левое глазное тело. Разорвана нижняя склера, меймбомиевая железа, имеется обширная гематома в районе нижней прямой и наружной прямой мышцы таких-то размеров... Обширная гематома в районе нижней косой мышцы... Разрушение большого крыла основной кости в районе foramen opticum, верхней глазничной щели. Прободение в область головного мозга составляет три и семь десятых сантиметра. Смерть наступила вследствие органического нарушения коры головного мозга, обширного кровоизлияния в мозг и выхода серозного вещества...

Саввов еще с упоением прочитал с полстраницы медицинских терминов, стараясь расширить кругозор Юрия Петровича.

— Разрушена основная кость, что это значит? — осведомился Юрий Петрович, стараясь скрыть невежество.

— Не основная кость, костная стенка глазницы. Да ничего, — сказал Саввов, пожав плечами, — ломом били, наверное.

— Как, то есть, ломом?

— Ну а чем еще? Острый тяжелый предмет. Лом. Что же еще?

— Скажите, а вы присутствовали при составлении акта?

— Нет. Юридически, конечно, присутствовал, но вскрытие производил профессор Кормилин со студентами. Не буду же я проверять деятельность такого светила, как Кормилин? Он был моим научным консультантом, он порядочный человек, что бы там про него ни говорили...

— А что про него говорят?

— За глаза и царя ругают, — сухо ответил Саввов.

— Скажите, а такую рану можно нанести каблуком? — спросил Гордеев, чувствуя неладное, какую-то ложь, затесавшуюся среди медицинских терминов в акте экспертизы.

— Конечно. Если двенадцать сантиметров каблук, наступить этим каблуком на глаз человеку, попрыгать, то можно. Но лучше приставить каблук к глазу, и жахнуть по нему пару раз молотком. Тогда точно.

— Спасибо, — произнес Гордеев, чувствуя, что получил неоценимые сведения. — А может получиться так, что упал человек, ударился затылком и умер?

— От ЗЧМТ? — удивился неосведомленности Гордеева врач. — Да сколько угодно.

— От чего?

— От ЗЧМТ — закрытая черепно-мозговая травма.

Инсультик — и лежишь под образами. Но что вам закрытая, у вас тут открытая — у трупа глаза нет, а вы спрашиваете, не ударялся ли он затылком. Тут про затылок никто и не вспомнил.

— А если мне все-таки потребуется узнать, была ли получена жертвой еще и черепно-мозговая травма? Эксгумация может помочь установить этот диагноз?

— Эксгумация? Ну, это уж слишком... На эксгумацию решаются в крайних случаях, по особому распоряжению прокуратуры. Да нет, вам лучше поговорить с профессором Кормилиным. Хотя, я думаю, он скажет вам то же, что и я. Ну вот, глядите, он же вам все подробно описал, даже гиперподробно. Он такой педант...

Гордеев покинул оптимистичного патологоанатома с чувством сорвавшейся надежды. С одной стороны, значимо было то, что каблуком невозможно было нанести описанного в деле увечья, с другой — не была зафиксирована закрытая черепно-мозговая травма, вероятный инсульт, от которого, видимо, а вовсе не от каблука Ирины, наступила смерть. Было ли это упущение профессора Кормилина, или на составление акта судмедэкспертизы повлияли иные обстоятельства, но Гордеев покинул морг в убеждении, что с сегодняшнего дня патологоанатомия уже не так чиста нравственно перед человечеством, как описывал доктор Саввов.

Глава 30

РОТА

Голова с самого утра болела просто невыносимо. И ведь не пил особенно...

Завтрак в горло не полез. Только бутылка пива кое-как втиснулась в изнасилованный желудок. Стало немного легче. Пошатавшись немного по двору, повалился на неизвестно как тут оказавшуюся визгливую раскладушку, Сынок закрыл глаза и тут же задремал.

Проснулся он от того, что кто-то поливает его водой. Противной холодной водой. И еще хихикает при этом.

Сынок дернулся, чтобы схватить обидчика, но тот резко отскочил в сторону, громко рассмеявшись.

Это была Людочка.

— Что, головка бо-бо? — спросила она, снова наклонив чайник.

— Кончай. — Сынок с трудом сел. — Чего надо?

Странно, но Людочка, хоть и пила вчера не меньше, чем Сынок, сегодня выглядела как огурчик.

— Мне ничего от тебя не надо. Константин Константинович к себе зовет.

Сынок закурил сигарету, от чего во рту стало еще противнее, поднялся на ноги и побрел за Людочкой.

Но пришли они не в главное здание монастыря, а в огромное помещение, похожее на спортзал.

— Я на тебя поставила, — загадочно сказала Людочка и исчезла.

В спортзале кроме Константина Константиновича были еще люди. Восемь человек качались на тренажерах. Всех их Сынок изредка видел в монастыре, но никого из них не знал лично. Они держались как-то особняком, даже бугры старались обходить их стороной. В «академ-городке» эти ребята тоже не жили.

Когда Сынок вошел, все прекратили занятия и замерли, пристально рассматривая его.

— Вот, ребятки, прошу любить, натурально, и жаловать! — Константин Константинович легкой пружинистой походкой подбежал к Сынку. — Как звать?

— Сынок, — немного растерялся тот.

— Нет, раньше как звали? — засмеялся старик. — Мама тебя как называла?

— Так и называла, сынок. — Сынок пожал плечами.

— Слышали?! — хохотнул старик.

Зал грохнул.

Константин Константинович отшагнул в сторону, а из-за его спины вдруг кто-то резко подпрыгнул и ногой ударил Сынка в грудь.

Зал замер. Любой другой от этого удара отлетел бы метров на пять. Но Сынок только отступил немного в сторону.

— Ни хрена себе, — удивленно произнес бивший.

— Молчи, жопе слова не давали! — на мгновение лицо Константина Константиновича превратилось из добродушного в злое и безжалостное — таким уже Сынок его однажды видел. Но он тут же опять повернулся к Сынку, и на его лице опять появилась улыбка.— Скажи, Сынок,

181

а правду люди говорят, что ты на Курском бану менту горло выдрал?

— Не знаю, я не слышал. — Сынок пожал плечами.

— Правильно, — старик кивнул. — Врут, наверное. Ну а теперь так, есть у меня одно вакантное местечко. И два кандидата. Даже не знаю, кого из вас взять.

Сынок обернулся — в другом конце зала стоял Исмаил.

— Этот чурка тоже вроде ничего. Что посоветуешь? — спросил Константин Константинович Сынка.

Сынок пожал плечами:

— Его бери. Мне и так хорошо.

— Будет еще лучше, — пообещал старик. — Косой, Пряник, поработайте с ним!

Косой был высокий худой блондин лет тридцати, похожий на прибалта, а Прянику дали такую кличку, наверное, из-за формы тела. Это был маленький, плотно сбитый, не очень поворотливый рябой мужичок.

Косой начал бить первый. Быстро, хлестко, метко, со знанием дела. Удары наносил исключительно по голове и по ногам. Сынок попробовал обороняться, но получалось это довольно плохо. Каждый удар Косого попадал точно в цель. Сам же Сынок, как ни старался, никак не мог его достать. Косой очень ловко уворачивался от ударов.

Затем в дело вступил Пряник. Подскочив к Сынку, он вдруг ухватил его за ноги и повалил на пол. Но когда он сам попытался встать, Сынок ухитрился сделать ему подножку. Пряник грохнулся на землю, Сынок вскочил на него и зажал его шею между ногами. Пряник попытался высвободиться, но не смог. Через некоторое время он начал задыхаться. Сынок что есть силы сжимал бедра, перекрывая Прянику воздух. Еще немного, и...

Но тут что-то яркое вспыхнуло у него в голове, а перед глазами потемнело.

Очнулся он тут же, в спортзале, лежа на полу. На него никто не обращал никакого внимания, потому что как раз в этот момент двое других мужиков избивали Исмаила. У того, правда, все складывалось не так успешно, как у Сынка. Он уже держался на ногах исключительно за счет того, что мужики, как куклу, швыряли его из стороны в сторону. Если перестать его лупить и оставить в покое, то он тут же рухнет на пол без посторонней помощи.

Так оно и случилось — еще пару ударов, и Исмаил брякнулся на доски, как мешок с картошкой. Но, правда, тут же опять вскочил на ноги, а в следующий момент опять оказался на полу.

— Отволоките их в каптерку! — приказал Константин Константинович.— После обеда опять ими займемся.

До обеда Сынок с Исмаилом провалялись на матах в каптерке. У Сынка все тело ныло так, словно по нему пробежался по меньшей мере табун лошадей. Исмаил тоже выглядел, как поломанный Буратино.

— Чего они от нас хотят? — спросил Сынок у Исмаила.

— Ты что, дурак? — пробормотал Исмаил, еле шевеля разбитыми губами. — Радоваться должен, что тебя взяли.

— Куда?

— В роту. — Исмаил с трудом приподнялся на локте. — Ты что, про роту не слышал?

— Нет. — Сынок покачал головой.

— Ну ты даешь! — искренне воскликнул Исмаил и тут же поморщился от резкой боли в голове. — В роте жить самый кайф. Делать ни хрена не надо, кормят от пуза, знай себе железо качай.

— И все? — недоверчиво переспросил Сынок.

— Ну там раз-два в месяц выезжают на разборки, — махнул рукой Исмаил. — Ну там палаток пару разгромить, еще чего-нибудь учудить, в основном так, по мелочи. Но главное — бабки. Они платят бабки. И очень большие бабки.

— Сколько? — спросил Сынок.

— Не знаю. — Исмаил пожал плечами. — Кто-то говорит, что тысячу рублей, кто-то — что тысячу долларов. В месяц.

— Понятно. — Сынок из последних сил сел прямо на полу. — И это они нас с тобой испытывают, что ли?

— Ну что-то в этом роде. — Исмаил задумчиво огляделся по сторонам. — Интересно, а дальше что будет?

— Как раз ничего интересного. — Сынок улыбнулся. — Дальше нас с тобой стравят, как собак, и посмотрят, кто останется цел.

— Думаешь?

— Увидишь. — Сынок тряхнул головой и поднялся на ноги. — После обеда будем драться.

Так оно и случилось. На обед Сынку и Исмаилу дали

по две говяжьих котлеты и по сто граммов водки. А после обеда их повели через «академгородок» к дальнему ангару. Сынок и не думал, что у братства так много земли и помещений.

— Значит так, — сказал Константин Константинович, когда их обоих втолкнули внутрь гулкого, разогретого солнцем железного сарая, — мне совсем не интересно, что вы там будете делать. Но через десять минут один из этого сарая должен выйти, а второй останется там. Как вы решите, кому остаться, а кому выходить — не мое дело. Только к тому, кто остался, мы пустим трех собак. Пряник, приведи собачек, пусть посмотрят.

Это были овчарка, доберман и стаффордширский терьер. На всех на них были намордники. Пока были.

— Ну как, нравятся? — старик пнул овчарку ногой. Та набросилась на него с таким рычанием, что от одного звука можно было перепачкать штаны. Остальные собаки тоже принялись рваться с поводка, так что Пряник и еще один мужик с трудом могли их удержать.

— Все, время пошло, — сказал Константин Константинович и захлопнул дверь. Послышался металлический лязг закрываемого снаружи замка. В ангаре стало совсем темно.

— Что будем делать? — спросил Сынок, оглядывая голые стены сарая и потолок с длинной балкой. — Нужно как-то...

Но договорить он не успел. Потому что Исмаил вдруг сзади со всей силы ударил Сынка ногой в шею. Сынок не удержался и, потеряв равновесие, полетел на землю. А Исмаил сзади запрыгнул ему на спину и, схватив за горло, принялся душить.

— Прости, Сынок, — шипел он, — ничего личного. Я просто жить хочу...

Пальцы его, словно стальные, все сильнее и сильнее сжимались на шее Сынка. Уже становилось трудно дышать. Уже темнело в глазах. Сынок изо всех сил пытался схватить Исмаила и сбросить его с себя, но сделать это одной рукой ему никак не удавалось. Тогда он, собрав последние силы, резко перевернулся на спину. Исмаил слетел с него и кубарем покатился по земле. Но тут же вскочил и со всей силы двинул Сынка ногой в пах.

Сынок согнулся пополам, но тут же ударил Исмаила головой в живот. А когда тот рухнул на колени, Сынок сначала вцепился в его шевелюру, приложил пару раз мордой об колено, а когда Исмаил стал захлебываться кровью из сломанного носа, Сынок отпустил его волосы и, поднимаясь, сказал:

— Ну вот и все... Пусть теперь сами решают...

Глава 31

НОВОСТИ

Игорю Владимировичу Чекмачеву было поручено это дело уже две недели назад. Он уже несколько раз допросил подозреваемую, но все понял с первого допроса. Конечно, он выполнит все следственные действия по данному делу, конечно, он составит все протоколы и постановления, подошьет все справки, медицинские заключения и прочую бюрократическую бумаженцию, предъявит обвинение, ознакомит обвиняемую и ее адвоката с материалами дела, составит обвинительное заключение и отправит дело в суд, но это будет не скоро, а сейчас он скучал. Ему все было ясно. Никаких хитростей он тут не усматривал.

— Так вы говорите, — обращался Игорь Владимирович к Ирине своим сухим, канцелярским голосом, — что потерпевший угрожал вам ножом?

— Да какой он потерпевший? — вновь начинала возбужденно говорить Ирина. — Я же говорю, он был подонок, убийца, вор! Это он выкрал у меня деньги в поезде!

— Но вы говорили прежде, что деньги у вас украла женщина?

— Да, женщина. Но это его знакомая. Я видела, как он разговаривал с ней на перроне.

— И вы не заявили о пропаже в милицию?

— Нет, не заявляла. Вы же знаете, что такое милиция? — Ирина поняла, что сказала бестактность, и запоздало поправилась: — Украинская милиция. Я же не могла знать, что «Визу» не будут обслуживать, что вообще будет вся эта свистопляска с валютой.

— Получается, что факт кражи никак не зафиксирован документально. Полагаться же на ваши показания в данном случае мы не можем. Мы навели справки, кто следовал с вами в купе. Согласно сведениям, полученным от ЛОВ, с вами не ехала никакая женщина с ребенком.

— Как не ехала?.. — опешила Ирина.

— Проводник ничего не помнит.

— Он не может не помнить! — растерялась Ира. — Или правда не помнит?..

— Сожалею, но мы основываемся только на документальных свидетельствах, — покачал головой Чекмачев.

— А другие пассажиры? — засуетилась Ира. — Они же могли видеть... помнить...

— Возможно, возможно... — сказал Игорь Владимирович. — Но для хода дела достаточно свидетельства проводника. Где вы предлагаете нам искать этих свидетелей? И чем это может вам помочь? Ну даже если ехала с вами женщина, даже если она вас обокрала, даже если ее провожал потерпевший — что из этого следует? Что его надо убить? М-да... Второй момент, который меня настораживает...

Чекмачев погрузился в изучение материалов дела. Ира скорчилась на стуле, переплетя ноги и руки. Где-то под ребрами судорожно сжалась душа.

— Вот, — Чекмачев извлек протокол осмотра места происшествия, — согласно вашим показаниям, жертва угрожала вам ножом. Каким ножом?

— Ах, да как я могла тогда разглядеть. Я только увидела, что у него нож в руке. Я что, в ножах разбираюсь? Большая финка.

— Странно, — сказал следователь, — ведь прежде вы говорили, что это был «нож вроде кухонного, с наборной рукояткой». Что же вы, наборную рукоятку запомнили, а теперь забыли? Теперь это финка?

— Я говорю вам, я была, как в бреду, я могла наговорить черт-те чего, — горячо принялась отстаивать свои слова Ирина. — Я говорю только о том, что он мне угрожал. Я не думала, что смогу убить его туфлей, а вот он меня ножом точно бы убил, неужели вы не понимаете. Да, была наборная рукоятка, кажется... А что, финка не бывает с наборной рукояткой?

— Понимаю, конечно, — улыбнулся Чекмачев, — если встать на вашу точку зрения, то несомненно, что вам надо было обороняться. Даже похвально такое мужество в слабой женщине.

Чекмачев загадочно помолчал, а потом произнес:

— Но вот тут самая и есть закавыка. Согласно протоколу, на месте происшествия не было обнаружено никакого ножа.

— Я не знаю, почему там не было никакого ножа. Нож был, ему деться было некуда. Может быть, он завалился куда-нибудь?

Чекмачев с брезгливой жалостью взглянул на Ирину:

— Вы плохо себе представляете, что значит осмотр места происшествия. Там не может что-то пропасть или «завалиться». Опять-таки, я напоминаю вам, что мы работаем только с фактами, а не с иллюзиями. Может быть, я не исключаю, что вы правы. Может статься, что нож действительно был, но потом чудесным образом куда-то исчез. Но у меня перед глазами протокол, подписанный следователем и двумя понятыми.

Чекмачев протянул ей бумагу.

— Ведь никто не вынуждал их подписывать?

Ирина провела рукой по закрытым глазам, словно пытаясь пробудиться.

— Вы же подпишетесь под протоколом допроса? — спросил Чекмачев без доли издевки.

Ирина открыла глаза.

— Нет. Я ничего не подпишу.

— Почему? — удивился Чекмачев.

— Я ничего не буду подписывать без моего адвоката. Я и без того наделала слишком много глупостей. Все, довольно.

— Вы не можете это не подписать. Все записано с ваших слов и никак не может повредить вам.

— Нет, — уперлась Ирина. — У меня адвокат, — жалко похвасталась она, — он вас всех выведет на чистую воду.

Гордеев казался теперь Ирине чем-то вроде ангела-хранителя. Это был единственный человек, который связывал ее с большой жизнью и, если положить руку на сердце, то он был единственный человек в ее жизни. Ни Ободовская, ни Руфат, ни прочие, менее значительные персонажи, уже больше не существовали для нее. Гордеев, как казалось Ирине, непременно должен выручить, спасти ее. Ей почти виделось воочию, как Гордеев заходит в подъезд, нагибается, заглядывает с кряхтением под батарею и извлекает оттуда нож, не замеченный следствием.

«Безумная, — думал в то же время Чекмачев. — На что она рассчитывает? Что ее спасет какой-то адвокат?»

— Постойте! — воскликнула Ирина. — Нет ножа? А как же тогда чемодан?! Кто его порезал? Я сама, что ли?

— Какой чемодан? — опешил Чекмачев.

— Мой чемодан! Я приехала из Крыма, я была с чемоданом!

— Новости, — сказал следователь. — В протоколе нет никакого чемодана.

Глава 32

РАСПЛАТА

Лязгнул железом замок, и дверь в сарай открылась, заливая пол солнечным светом.

— Ну, можно выходить! — крикнул Константин Константинович. — Давай, Сынок, не тяни.

Послышались шаги и на пороге появился... Исмаил. Все лицо и грудь его были в крови, одну ногу он волочил.

— А где Сынок? — неуверенно поинтересовался Константин Константинович, так и не веря до конца, что ошибся в выборе.

— Где, где, в звезде... — пробормотал Исмаил и вывалился из сарая.

— Ну чего, пускать собак? — спросил Пряник.

Константин Константинович еще раз посмотрел в черноту дверного проема и тихо позвал:

— Сынок! Сыно-ок! Жив еще?

Из глубины сарая донесся лишь глухой стон. Константин Константинович вздохнул и махнул рукой:

— Пускай.

Пряник снял намордники и отстегнул шлею поводка. Собаки, обгоняя друг друга, с лаем ринулись в сарай. Овчарка даже вырвалась вместе со шлеей.

Первым нужно было во что бы то ни стало убить терьера. Если его не убить первым, то он убьет уж точно. Если промахнуться и не остановить его с первого раза, то все.

И Сынок не промахнулся. Поймал этого терьера на лету, в броске, когда тот стрелой прыгнул, чтобы сомкнуть свои челюсти на горле Сынка. Но один хищник оказался проворнее другого. Сынок поймал пса за глотку и резко дернул вниз. Шейные позвонки у терьера хрустнули, и эта идеальная машина убийства превратилась в мешок с костями.

Уже этим мешком Сынок сбил с ног овчарку. Доберман вцепился в мертвого терьера зубами и, почувствовав на языке кровь, уже не отпускал. Сынок перебил ему хребет ударом ноги. А вскочившую овчарку он поймал за поводок, который не успел отстегнуть Пряник. Остальное было делом ловкости руки, и уже через секунду шлея захлестнулась на шее зверя, а еще через две секунды овчарка хрипела и сучила ногами, повиснув на потолочной балке.

Все кончилось меньше чем за минуту. Когда стихли последние звуки, Константин Константинович свистнул, призывая собак к ноге. Но ни одна собака из сарая не выбежала.

— Адольф, Шельма, Кайзер! К ноге! — крикнул старик и похлопал ладонью по бедру.

— Гав-гав! — раздался чей-то голос, и на землю шлепнулось растерзанное тело терьера. Вслед за ним из сарая вышел Сынок, таща за ногу дохлого добермана.

— Ваши собачки? — спросил он и швырнул тело добермана под ноги Константину Константиновичу.

— Как... Ты что, их?.. — Старик никак не мог поверить своим глазам. — А где Адольф?

— Адольф? Ах, Адольф! Там, в сарае, на поводке висит.

— Ты их что, сам убил? — удивленно пробормотал Пряник. — Где ты так научился?

— Места знать надо. — Сынок махнул рукой. — Дайте сигарету кто-нибудь.

Сразу несколько мужиков предложили ему сигарету. Сынок выбрал «Мальборо», оторвал фильтр и прикурил от тут же чиркнувшей перед носом зажигалки.

— Его надо брать, — тихо сказал Косой, толкнув шефа в бок.

— Надо. — Старик наконец начал приходить в себя. — Только... Только за собак ты мне заплатишь. Это были мои собаки. Ты все понял?

— Нет, — сказал Сынок. — Это ты мне собаками заплатил. Думаешь, я забыл, как ты меня полоснул скальпелем? Или не устраивает оплата?

Константин Константинович отступил на шаг. В горле сразу пересохло. Сынок все помнил. Сынок обиды не забывал.

Старик сейчас был рад, что отделался так, в общем, задешево. Поплатился жизнью собак, а не своей собственной. С этой минуты он Сынка люто возненавидел, но еще больше — боялся.

Людочка хотела поздравить Сынка по-своему. Но тот послал ее спать. Прошедшей ночи и особенно дня ему хватило по самое горло.

На этот раз Сынка разбудил Пряник. Он проникся к однорукому особым уважением после того, как тот убил псов.

— Вставай. — Он осторожно потряс за плечо. — Вставай. Константин Константинович зовет.

— Константин Константинович, Константин Константинович... — ворча и мотая головой, Сынок слез с кровати. — Самому, блин, не спится по ночам, и нам, блин, не дает. Чего надо?

Сунув ноги в башмаки, он наконец встал.

Из «академгородка» Сынка переселили снова в монастырь, в главное здание, где на втором этаже были довольно уютно оборудованы бывшие кельи.

Толстенные стены и маленькие окошки могли настроить на романтический лад, но Сынку было не до романтики. С утра до ночи они занимались в спортзале, стреляли, бегали, дрались, выматывались так, что он каждую ночь просто умирал.

— Пойдем скорей, старик ждать не любит.

Парень почти без признаков жизни висел, привязанный за руки к потолочной балке, в том самом ангаре, где Сынок казнил Адольфа.

— Ага, натурально! — увидев Пряника с Сынком, Константин Константинович отошел от повешенного. — Вот, покараулить надо до утра.

— На хрена? — Сынок недоуменно посмотрел на висящего парня. — Он и двух шагов сделать не сможет.

— Это точно! — Константин Константинович рассмеялся и пнул парня по ноге — тот просто взвыл от боли. — На таких ходулях далеко не убежишь, а, Гриша? Ладно, а теперь серьезно, — обернулся он к Сынку и Пряннику. —

190

Мне нужно, чтобы он, натурально, поговорил с нами начистоту.

— О чем?

— Ну, кто приказал подпалить склады в Митино? Сам я уже устал с ним возиться. Такой молчун натуральный. Чем быстрей ты, Гриша, признаешься, тем быстрей кончатся твои мучения.

Когда он ушел, Пряник поинтересовался:

— Ты будешь бить первым, или можно мне начать?

Сынок пожал плечами.

— А что это за склады?

— Наш склад был с водкой, вчера сгорел.

— Не знал. Ладно, давай я с ним поговорю. Ты можешь пока во дворе подождать.

— Я и тут могу посидеть.

— Нет, тут не надо. — Сынок загадочно улыбнулся. — Может, у нас с Гришей интимная беседа намечается.

Сказав это, Сынок подергал себя за ширинку, недвусмысленно давая понять, как именно он собирается развязать язык бедному парню.

— А-а, все понял! — расхохотался Пряник. — Позовешь меня, когда вам с «девочкой» станет скучно.

— Хорошо, позову, — кивнул Сынок, подошел к висящему парню и расстегнул ему ремень джинсов. — Ну что, Гриша, снимай штанишки, будем по попке ата-та.

Пряник, расхохотавшись, вышел из ангара. Ночь была теплая, тихая, безветренная. Где-то стрекотал кузнечик. Ну прямо как в деревне. Докурив сигарету, Пряник стрельнул окурком в небо и лег на лавку у ангара. С одной стороны, ему хотелось посмотреть, что там будет делать Сынок с этим беднягой, но с другой — лучше с Сынком не связываться. Пряник закрыл глаза и задремал.

Проснулся он оттого, что кто-то толкнул его в бок.

Пряник открыл глаза — Константин Константинович!

— Вы что, натурально, охренели? — зарычал старик. — Где Сынок?

— Я тут, — вышел тот из ангара.

— Ну и как?

— Чего?

— Я спрашиваю, как, раскололи?

— Расколол.

— И что?

— Ну это... — Сынок почесал затылок. — Короче, есть какой-то хачик, то ли Османов, то ли Асланов, Гриша сам не помнит. Помнит, что зовут этого хачика Тагир. У него сеть палаток на оптовке, спиртным торгуют. Вот он и заказал.

— Знаю, о ком речь. — Константин Константинович ухмыльнулся. — Тагирчик, значит. Ладно, разберемся. Ну, молодец, отдыхай пока. А ты, Пряник, зайди ко мне на минутку.

Пряник остался.

Сынок вернулся в келью и уже собирался лечь, когда заглянул Пряник.

— Сегодня ночью с тобой в город поедем. — Пряник сел на койку. — Готовься. Можешь целый день спать, делать что хочешь. В одиннадцать выходим.

— А куда поедем?

— Там узнаешь.

Г л а в а 33

«НОВЫЙ ЭКСПРЕСС»

Проснулся Юрий Петрович по привычке ни свет ни заря. Проснулся с тяжелым сердцем. Он почему-то вдруг пожалел, что ввязался в новое дело. Забеспокоился, хотя и не мог пока объяснить себе причину своего состояния.

Гордеев зажег газ под чайником и пошлепал в ванную. И там, глядя в зеркало на отражение своего еще сонного, покрытого лохматой пеной лица, он понял: несмотря на кажущуюся простоту вопроса, не так легко будет вытащить гражданку Пастухову из тюрьмы.

Умывшись, Гордеев натянул на себя тренировочный костюм и спустился в парадное за газетами. Он начал читать передовицу «Нового экспресса» еще в лифте, а через несколько минут с удивлением обнаружил себя тупо стоящим перед дверью собственной квартиры со связкой ключей в одной руке и с газетой в другой.

Передовица, подписанная неким Поярковым В.С., представляла собой скандальный материал, повествующий о закулисной жизни депутатов Государственной думы. Многих из них автор откровенно называл ворами, казнокрадами и крестными отцами мафии. Все бы ничего, но Юрий Петрович Гордеев являлся защитником одного из перечисленных депутатов, а именно Кобрина Аркадия Самойловича.

Едва Гордеев вошел в квартиру, как зазвонил телефон. Юрий Петрович снял трубку с аппарата в прихожей:

— Я слушаю вас, Аркадий Самойлович, — упавшим голосом ответил он.

— «Новый экспресс» читали? — голос Кобрина был полон негодования.

— Да, только что...

— Опять! Представляете?! Уже во второй раз!

— Да, — согласился Гордеев.

— И что вы думаете по этому поводу?

— Подсудное дело.

— Вот-вот, и я про то же!.. Давайте-ка, провентилируйте этот вопрос.

— Сделаем.

— Прижать их надо, чтоб раз и навсегда!.. Со «Всем миром» у вас отлично получилось...

— Не волнуйтесь, Аркадий Самойлович, и этих прижмем.

— И чтоб опровержение на всю полосу! А не как в прошлый раз — коротенькая заметка.

— Постараемся.

— Ну все тогда. Я до вечера у себя в кабинете.

— Перезвоню.

— Сами-то как? — для приличия спросил депутат.

— Нормально, работаем.

— Ну, давайте, действуйте, Юрий Петрович.

Кобрин до последнего времени мало доставлял хлопот своему адвокату. К нему давно уже приклеился ярлык вполне добропорядочного политика. С газетой «Весь мир», позволившей себе недостойные намеки, Гордеев разобрался быстро. Даже суда не понадобилось. Напечатали опровержение, кого-то там наказали, а потом в качестве компенсации опубликовали на две полосы интервью с Кобриным. И уж редакторские комментарии были сплошь фанфары и розы.

В «Новом экспрессе» имя депутата соседствовало лишь с двумя словами, но зато с какими! «Вор» и «мошенник». Вполне достаточно для того, чтобы подмочить репутацию Кобрина, да что там подмочить — потопить ее, отправить на самое дно. Но с другой стороны, и Гордееву этих двух слов было вполне достаточно, чтобы обложить газету таким штрафом, что никаких денег не хватит, а при удачном стечении обстоятельств и автора к ответственности привлечь. Причем к уголовной, такие прецеденты были.

Откровенно говоря, заниматься этим делом Гордееву хотелось еще меньше, чем делом Пастуховой, но отказываться было нельзя. Тут даже не в деньгах суть, хоть Кобрин и платил прилично. Быть адвокатом депутата — это величайшее везение, которое выпадает на долю редких единиц. Быть адвокатом депутата — значит, оказаться в когорте избранных, и Юрий Петрович это прекрасно понимал. Другого такого шанса может не представиться.

Гордеев очень рассчитывал на то, что ему удастся все быстро уладить, что редактор газеты пойдет на попятную и, как «весьмировский», опубликует размашистое опровержение. В общем, с любым человеком при большом желании можно договориться, если, конечно, у тебя за плечами высшее юридическое образование и трезвый ум.

Редакция «Нового экспресса» располагалась в помещении обычного жилого дома.

— Вы к кому? — Гордееву преградил путь могучий охранник в камуфляже.

— Меня Буратов ждет, — адвокат показал ему свое удостоверение.

— Проходите, по коридору последняя дверь направо.

Буратов — фамилия главного редактора, человека известного, авторитетного и почитаемого в журналистских кругах. И не только журналистских.

Из-за заваленного бумагами стола навстречу Юрию поднялся чуть полноватый и почти что молодой человек в простеньком свитере.

— Добрый день, Сергей Ефимович, — Гордеев протянул ему руку.

— Да уж, добрый, скажете тоже... — замученно улыбнулся Буратов. — Впрочем, для кого-то он, может, и добрый. Вы проходите, садитесь.

— Проблемы? — поинтересовался адвокат.

— А вы разве не слышали?

— Ну, смотря что...

— Здрасьте! Закрывают нас, батенька. — Главный редактор плюхнулся в вертящееся кожаное кресло и вдавил кнопку селектора. — Родненькая, соедини меня с Галиевым, — и снова переключил свое внимание на гостя. — Да-с, закрывают.

— Уже?

— Что значит «уже»? Нас семь лет закрывают, все никак не могут. Что только не делали, сволочи!

— Кто? — попытался уточнить Гордеев.

— Кто??? Все!

— Так уж и все...

— Вчера вот банковские счета заморозили, представьте себе. Это что-то новенькое, раньше такого не было. Как теперь расплачиваться? — Сжав кулаки, Буратов резко крутанулся в кресле. — Целый месяц аудиторы тут копошились. Три комиссии! И знаете, что откопали? Командировки неотмеченные! А знаете, что это были за командировки? В Чечню! Мы наших пленных ребят оттуда вызволяли! Государство бросило их, а мы вызволяли! Я им говорю: «Где там отмечаться? Покажите мне место в Чечне, где отмечают командировки?» Ну ничего... Мы еще посмотрим, кто — кого...

— М-да... Кажется, я не очень вовремя...

— Вы-то как раз не мешаете, — Сергей Ефимович махнул рукой в сторону окна. — Они вот мешают, это да.

— Галиев на проводе, — приятным женским голосом сказал селектор.

— Муртаз Федорович, приветствую тебя, дорогой ты мой. — Буратов схватил трубку, крепко прижал ее к щеке. — Да, да, все правда... Зато не так скучно жить. Что гришь? Спасибо, родной, спасибо, держусь! Не пропадем! С такими людьми не пропадем! Да, я к тебе как раз по этому поводу. Выручай. Как только, так сразу проплатим... — его глаза вдруг налились искренними слезами. — Ох, Муртаз... Мужик... Я знал, что ты настоящий мужик...

Гордеев почувствовал себя как-то неловко. Он-то ожидал серьезного разговора с главным редактором. Разговор-то был, но только не с ним, а, судя по всему, с директором типографии. Буратов еще долго клялся невидимому Муртазу в вечной любви, прежде чем повесил трубку и обратился к адвокату:

— Простите. Я слушаю вас.

При этом выражение его лица стало другим, каменным каким-то, неприступным.

— Да, собственно... Я так понимаю, что ваш следующий тираж под большим вопросом...

— Тираж будет, не беспокойтесь, — сухо произнес

Сергей Ефимович. — Кстати, как там ваш подопечный поживает? Все ворует? Все народное добро расхищает?

— Я бы попросил вас... — предостерегающе поднял указательный палец Гордеев.

— Знаю я, о чем вы меня попросите, — усмехнулся главный редактор. — Чтобы я дал опровержение. Не дам. Ни-ког-да!

— Позвольте, я в двух словах обрисую вам обстановку. — Адвокат выпрямил спину, расправил плечи, напустил на себя солидности: — Дело-то серьезное, и зря вы так легко к нему относитесь.

— Серьезное, знаю. Мы глупостями не занимаемся.

— Кобрин честный, порядочный человек. Вы оскорбили его.

— Мы назвали вещи своими именами.

— Но ведь только суд вправе назвать человека вором. Вы преступили все этические нормы. И не только этические. Вы преступили закон.

— Да, в какой-то степени вы правы... Подчеркну, в какой-то степени. Потому что кроме суда существует еще такая интересная штука, как общественное мнение. И если народ считает чиновника вором, а суд оправдывает его за отсутствием улик, то мы встаем на сторону народа.

— Вот именно, за отсутствием улик.

— Юрий Петрович, мы же с вами не дети, мы же с вами знаем, куда в процессе следствия исчезают улики.

— Значит, по-вашему, любого человека можно безнаказанно назвать убийцей, насильником?

— Если он убийца, насильник, то мы обязаны это сделать.

— Поверьте, Сергей Ефимович, я опытный юрист...

— Мое почтение.

— Спасибо. Так вот, я опытный юрист и смогу довести это дело до суда, — и Гордеев многозначительно уточнил: — До уголовного суда. Впрочем, вы можете связаться с газетой «Весь мир». Вам ваши же коллеги растолкуют...

— Даже так? — шевельнул бровями Буратов.

— Именно. Там люди оказались куда...

— Сговорчивее?

— Мудрее. А вас могут серьезно наказать, уважаемый Сергей Ефимович. Вас и автора статьи. Кстати, мне бы хотелось поговорить с ним на эту тему.

— Вы уже говорите. Поярков — мой псевдоним.

— Я понять никак не могу, Сергей Ефимович. У вас и так проблем навалом. Зачем вам еще одна?

— А что делать? — развел руками Буратов. — Работа такая.

— И вы не боитесь?

— Нет. Скажу больше, я очень хочу, чтобы вы подали в суд на газету и на меня лично. В какой хотите — в уголовный, в трибунал, хоть в суд Линча! Мне все равно. Главное, что будет суд. Вот только я сильно сомневаюсь, что судить будут меня. Неужели вы думаете, что я бы стал печатать факты, не имея на руках задокументированных подтверждений? А, Юрий Петрович?

— У вас есть подтверждения тому, что Кобрин вор?

— Есть.

— И вы можете их предъявить?

— Могу.

— Будьте любезны... Это весьма любопытно...

— На суде.

— Что? — будто бы не расслышал Гордеев.

— Я предъявлю их на суде. И вы многое узнаете о своем клиенте. Впрочем, вы, наверное, и так в курсе всех его деяний.

Гордеев задумался на минуту, после чего изрек:

— Я не верю вам. Вы блефуете.

— Что ж, не стану вас разубеждать... — Буратов поднялся и протянул адвокату руку: — Всего доброго, Юрий Петрович. Встретимся на суде.

— Всего доброго, — формально улыбнулся Гордеев. — Вас вызовут повесткой.

— Буду ждать.

— Я постараюсь, чтобы недолго ждали.

— Уж постарайтесь.

— До скорого свидания.

Глава 34

ЩЕНКИ

Вышли в одиннадцать ночи. У ворот монастыря их ждал старый побитый «Москвич». За рулем сидел Косой.

— Ну, прокатимся? — Пряник подмигнул Сынку и сел на переднее сиденье.

— Значит так, — сказал он, когда машина выехала за

ворота и помчалась по ночной дороге, — мы едем устроить небольшой фейерверк. Угадай, кому?

— Хачику этому, наверно, — пожал плечами Сынок.

— Правильно, а кому ж еще.

— А че палить будем? Тоже склад?

— Нет, до склада мы не доберемся. Он, зараза, склад
на территории института какого-то химического устроил.
И склад, и цех, где водку паленую делают. А там охрана
будь здоров. И менты тут же прискачут.

— А че ж тогда палить? — спросил Сынок. — Контей-
неры, что ли, на оптовке?

— Не-е! — Пряник покачал головой. — Мы его дачу
палить будем. У него дачка — куколка. Два этажа, гараж,
бассейн, телефон, все удобства. Ну, короче, штук на триста баксов точно потянет. Вот ее мы и спалим. Как думаешь, из-за чего он больше заведется — из-за водки или
из-за дачи?

— Какая охрана? — спросил Сынок, глядя на дорогу.
Ему было абсолютно наплевать, из-за чего Тагир заведется больше.

— Охрана? — Пряник почесал затылок. — Обычно
два человека, и то ночью один на массу давит.

Когда подъехали к деревне, было уже совсем тихо.
Машину оставили в лесу, метрах в трехстах от крайнего
двора. Косой вынул из багажника две пластмассовые ка-
нистры и протянул Сынку с Пряником.

— Вот, бензин.

— Козлы. Палить надо не бензином, а керосином.
Бензин пыхнул и все, а керосин горит дольше. Учитесь,
придурки. — Сынок взял свою канистру и нырнул в лес-
ную темень. Пряник последовал за ним.

Дом Тагира стоял немного поодаль от других домов.
Хозяин словно стеснялся своего соседства с простыми
крестьянскими домишками и спичечными коробками
простых дачников. Наверное, именно поэтому он огоро-
дил дом двухметровым кирпичным забором, за которым
ничего не было видно.

— Ну как тебе хижина? — шепотом спросил у Сынка
Пряник, когда они подошли к дому.

— Нормально. — Пожал плечами тот. — Главное,
чтоб горела хорошо. Который час?

— Половина первого. — Пряник посмотрел на
часы. — Ну чего, хоп?

— Рано, — покачал головой Сынок. — Часа в два нужно, не раньше. Надо, чтоб они уснули.

И в это время за забором тихо зарычала собака.

— Ты знал? — Сынок зло посмотрел на Пряника. — Ты знал, что тут собака будет.

— А чего, ты думаешь, тебя сюда взяли? — ухмыльнулся Пряник. — Ты ж их, как цыплят, давишь.

— Что я вам, живодер? — Сынок встал и пошел обратно к машине.

— Эй, ты куда? — испугался Пряник. — Ты что, слинять хочешь?

— За монтировкой я, отстань, — огрызнулся Сынок. — Не голыми же ее руками...

Когда он вернулся, собаки уже не было слышно. Пряник сидел, притаившись в кустах, и курил, пряча сигарету в кулаке.

— Ну чего? — спросил Сынок. — Как там?

— Увели ее, — прошептал Пряник. — Позвали в дом, она и убежала.

— Ну ладно, пошли. — Сынок встал и, заткнув монтировку за пояс, направился к забору.

— Ты чего?! Рано ж еще! — Пряник схватил его за ногу.

— А какая теперь разница? — Пожал плечами Сынок. — Собака их и под утро разбудит. Так что все равно.

Лай раздался, как только Сынок полез на забор. С одной рукой лезть ему было трудно, поэтому, когда он оказался на заборе, охранники и собака были уже во дворе.

— Эй, козел, ты куда лезешь? — засмеялись двое качков в камуфляжах, увидев на заборе однорукого небритого калеку. — Если дачку обчистить, то тебе дальше. Тут люди живут.

Один из парней держал на поводке здоровенного белого аргентинского дога, который просто выходил из себя от бешеной злости.

— А тут чего? Тоже вроде дача. — Сынок огляделся по сторонам и спрыгнул прямо на клумбу с тюльпанами.

— Эй, скотина, ты куда прешь? Да я тебя... — Один из качков бросился на Сынка, но получил сильный удар ногой в грудь и пропахал носом все уцелевшие после Сынка тюльпаны.

199

— Простите, Тагир Асланов тут живет? — вежливо поинтересовался Сынок у второго охранника. — Или Османов, не знаю точно.

— Тут, сука, твоя смерть живет! — сказал тот и, щелкнув карабином, спустил дога с поводка.

Это делается просто, надо только подловить момент. Резко присев, Сынок схватил дога за лапу и дернул, дог кувыркнулся и оказался на спине. Сынок схватил его за холку и поднял, чтобы перекинуть через забор, убивать собаку он не хотел, но перекинуть не успел — грянул выстрел, и собака обвисла в его руке мертвым телом.

— Ну что? — Сынок, переступив через мертвого дога, двинулся к охраннику. — Тут живет Тагир Османов? Или не тут? Или не Османов, а Асланов?

После резкого удара кулаком в лоб охранник сел на землю и подняться не смог.

— Эй, Пряник! — крикнул Сынок, подобрав пистолет и сунув его в карман. — Ты где? Уснул, что ли?

— Я тут... — раздался тихенький голос Пряника откуда-то из-за забора. — Ну как ты там?

— Ну как тебе сказать — скучаю немножко.

— Хорошо. — Через забор перелетела сначала одна канистра, за ней другая, а потом над забором появилась голова Пряника.

— А охранники где?

— Перекурить пошли. Перелезай давай, времени в обрез.

Пряник перелез через забор и сразу кинулся в дом.

— Ты куда? — Сынок перегородил ему дорогу.

— Так это... — Глаза у Пряника забегали. — Там, может, чего ухватить. Все равно же сгорит.

— Сначала этих скрутить надо. — Сынок бросил Прянику веревки.

— Ага, уже связал. — Пряник бросился вязать охранников. Потом их оттащили подальше от дома, чтоб не сгорели, заткнули рты старыми тряпками, а уж потом кинулись по комнатам.

Через десять минут Пряник вытащил во двор столько, что потребовался бы целый самосвал, чтоб вывезти все это.

— Ты че, дурак, не берешь? — Пряник самодовольно кивнул на свою кучу. — А это видел?

Там был и компьютер, и несколько дубленок, и огромный музыкальный центр, и кухонный комбайн, и еще много разных дорогих игрушек.

— Ну и что из этого ты возьмешь? — поинтересовался Сынок. Он взял себе только кожаную куртку. Вроде бы ему теперь уже было положено.

— Как что? Все, конечно.

— Понятно. — Сынок подошел, поднял за ручку огромную магнитолу и швырнул ее в окно. Раздался звон разбитого стекла. — Это тебе не понадобится.

Пряник бросился с кулаками на Сынка, но был сбит с ног одним ударом.

— Ты что, придурок, нас спалить хочешь? Как ты это все в город везти собираешься мимо всех постов?

— Ладно. Я только это, — Пряник вытащил из кучи длинную лисью шубу. — Чтоб не мерзнуть зимой.

— Так это ж бабская, — ухмыльнулся Сынок.

— Правда? — Пряник оглядел шубу и швырнул ее обратно. — Тогда вот эту дубленочку.

Сынок схватил канистру, зубами отвернул крышку и пошел в дом.

— Давай ты снаружи, а я внутри все полью.

— Лады! — Пряник натянул дубленку на себя и схватился за вторую канистру.

Когда через несколько минут Сынок вышел из дома, Пряник уже сидел на лавочке и курил.

— Ну что, все? — спросил Сынок.

— Все.

— Поджигай.

Пряник затянулся в последний раз и стрельнул окурком в стену. Бензин вспыхнул, и пламя быстро побежало по стенам дома. Охранники сидели в дальнем углу двора и с ужасом наблюдали за всем происходящим.

Сынок подошел к ним, присел на корточки и тихо спросил:

— Вас Тагир убьет, наверно?

Охранники, у которых рты были заткнуты тряпками, закивали.

— А давайте, ребята, я вас отпущу, — предложил вдруг Сынок. — Жалко вас, ей-богу.

— Ты чего? — удивился Пряник. — Сдурел? Они ж тебя...

— Ничего они мне не сделают! — ухмыльнулся Сынок. — Тагир их за этот дом все равно грохнет, даже если они ему меня приволокут, правда, ребята?

Охранники снова закивали.

— Вот видишь. — Сынок достал нож. — Если мы их отпустим, они уже к утру из Москвы смотаются, чтоб он их не достал. Правильно я говорю?

Охранники все время кивали.

— Ну как знаешь. — Пряник пожал плечами.

Сынок перерезал веревки на руках.

— Ну, дуйте отсюда! — скомандовал Сынок, и охранники бросились вон со двора.

— Зря ты их отпустил, — вздохнул Пряник.

— Дурак ты. На них же и подумают теперь. — Сынок засмеялся. — Ладно, валим отсюда.

— Валим, — согласился Пряник.

Сынок подошел к собаке, чтобы подобрать не понадобившуюся монтировку, и вдруг увидел, что по всему животу у нее тянется два ряда набухших сосков, из которых медленно вытекает молоко.

— Постой! — крикнул он Прянику. — Там щенки!

— Что? — не расслышал тот.

— Там щенки! — Сынок схватил ту самую лисью шубу и натянул ее на себя. — Окати меня водой!

— Ты чего, сдурел?! — заорал Пряник. — Сейчас уже народ побежит. Ноги пора делать.

— Водой, я сказал! — Сынок бросился к крану, торчащему из стены, и отвернул вентиль. Из шланга под ногами у Пряника ударила струя воды.

— Давай, чего стоишь?! — заревел Сынок. — Поливай!

Пряник схватил шланг и принялся поливать Сынка с ног до головы. Когда шуба промокла целиком, Сынок натянул ее на голову и ринулся прямо в горящий дом.

На кухне. Они могли быть только на кухне. Во всех остальных комнатах полы были застелены дорогими восточными коврами. Никто не станет держать щенков там, где ковер. Сынок бросился на кухню, перепрыгивая через полыхающую мебель и падающие с потолка балки.

Они были в коробке из-под холодильника. Четыре большелапых лопоухих создания. Им было недели три, не больше. Тихо поскуливая, они тыкались своими тупыми мокрыми носами о стенки коробки.

— Вот вы где, карапузы. — Сынок схватил их, каждого по очереди, и сунул за пазуху. — Пойдем отсюда, тут жарко.

Когда он выскочил из дома, Пряника во дворе уже не было. Скинув шубу, которая начала уже тлеть на спине, Сынок бросился вон со двора. И как раз вовремя, потому что, как только он нырнул в лес, на дороге появились люди. С ведрами и баграми они бежали тушить дом совершенно чужого им человека. Правда, это уже было бесполезно. Когда первые деревенские ворвались во двор, крыша дома с глухим треском провалилась внутрь.

Когда Сынок подбежал к «Москвичу», тот уже отъезжал.

— Стойте! — заорал он.

Машина притормозила. Сынок открыл заднюю дверцу и нырнул в салон.

— Гони! — крикнул Пряник Косому. — Ну, слава Богу, ты жив. А то я уже думал, что...

— Ты почему меня не подождал? — зло спросил Сынок.

— Так это, там же народ уже бежал. — Пряник виновато улыбнулся.

— Если еще раз так сделаешь, я тебе оторву голову. Ты все понял?

— Да ладно тебе. Все же обошлось, — залепетал Пряник.

— Ты все понял, я спрашиваю?! — Сынок с силой пнул спинку переднего сиденья, отчего Пряник чуть не вышиб лбом лобовое стекло.

— Понял.

— Ну вот и хорошо.

Домой вернулись уже под утро.

Щенки скулили от страха и голода.

— Сейчас мы вас покормим. — Сынок достал из холодильника пакет сливок, быстро свернул из носового платка соску и, окуная ее в сливки, стал давать каждому по очереди.

— Ну вот, — сказал он, когда последний щенок наелся, — теперь спите. А утром подумаем, что с вами делать.

Глава 35

СОПЛЯ МЛАДЕНЦА

Выйдя из кабинета главного редактора и сделав пару шагов по узкому коридору, Юрий Петрович прижался к стеночке, пропуская бегущего ему навстречу мужчину.

— Благодарю!.. — бросил на ходу мужчина, после чего замедлил ход и обернулся. — Юрка? Ты это?

— Вовка! — радостно воскликнул Гордеев. — А ты что здесь делаешь?

— Работаю, а ты?

— А я к Буратову приходил...

— Сколько ж мы не виделись? — пытался подсчитать в уме Вовка. — Лет десять? Да, десять лет... Мать моя женщина! Ты торопишься?

— В общем, да... В смысле, не очень...

— Подожди меня здесь минутку, я только бумаги занесу. Тут рядом есть одно милое местечко. Вспомним молодость?

— Не против...

Владимир Довжик был однокашником Гордеева, они учились в одной группе и в студенческие годы были закадычными друзьями. А после института, как это часто случается, их пути-дорожки разошлись. Нет, они не ссорились, просто все реже и реже стали звонить друг другу, а потом и вовсе звонки прекратились — у каждого своя жизнь, свои дела и заботы.

Они устроились за столиком в открытом кафе, заказали безалкогольного пива, каждый ведь за рулем, и пошло-поехало...

— А помнишь, как мы однажды всем курсом?..

— А помнишь, как на картошке?..

— А помнишь?..

— А помнишь?..

Оказалось, что за то время, пока они не виделись, Довжик успел четырежды жениться и развестись, что у него трое детей от разных жен, что он три года работал в Южной Корее, а в «Новом экспрессе» совсем недавно, что сейчас воюет с налоговой полицией и что если бы не давние приятельские отношения с Буратовым, он бы послал эту газету к чертовой матери.

— Меня на части рвут, а я торчу здесь. Знаешь, сколько мне платят? Не поверишь!

— Так уходи.

— Не могу. Держит что-то... Верней, кто-то... Буратов держит. Не могу я его в такой момент бросить. А тут еще ты со своим депутатом...

— Вот хитрюга... — улыбнулся Гордеев. — Уже все разнюхал?

— Вычислил, так будет точней. А ты кое-что хочешь у меня спросить, но все никак не найдешь подходящего момента.

— Хитрюга...

— Спрашивай, не стесняйся. Распустили мы с тобой нюни, пора и делом заняться.

— Что за компромат у вас на Кобрина?

— Юрка, имей совесть... — укоризненно посмотрел на него однокашник. — Я помню, ты всегда был наглецом, но не до такой же степени... Тут уж, знаешь ли, дружба дружбой, а табачок...

— Тогда я скажу, что думаю по этому поводу. Вам нечем крыть. Вы понимаете, что вляпались, и хватаетесь за последнюю соломинку, рассчитывая, что за Кобриным есть какой-то грешок, что он испугается. Так вот, я в курсе всех его дел, — глядя прямо в глаза другу, сказал Гордеев. — Нет у вас никакого компромата на него.

— Юрка, совет хочешь? Настоящий дружеский совет?

— Ну?

— Не вздумай судиться с нами... Всю карьеру себе загубишь...

— Я могу сказать тебе то же самое. Не по правилам играешь, Вовка, это нечестно.

— Юрка, ты допустишь большую ошибку...

— А хочешь, я прямо сейчас докажу, что вы блефуете?

— Попробуй.

— Если у Буратова есть компромат, то почему бы его не опубликовать? К чему все эти недоговорки? Зачем нужно доводить дело до суда? Смысл в этом какой?

— К сожалению, в нашей до мозга костей демократической стране разоблачительные публикации не срабатывают. Собака лает, ветер носит. Вот тебе и ответ. Буратов жаждет этого суда. Он ждал, что вы клюнете. И вы клюнули.

— Хорошо... А если я не стану возбуждать дело, тогда что?

— Буратов очень огорчится. И опубликует документы.

— И где же выход?

— Между нами, у Кобрина уже нет выхода... Тут уже вопрос в степени общественного резонанса. Если факты всплывут на суде — это одна степень, а если в газетной статье — совсем другая, опять же, собака лает... Да и ты чистеньким останешься.

— Не могу понять, кто ты сейчас? Мой друг или адвокат Буратова?

— Твой друг, Юрка... Твой друг...

Кобрин долго молчал в трубку, слышалось лишь его посапывающее дыхание.

— Вам не кажется, что это не телефонный разговор? — наконец подал он голос.

— Я подъеду?

— Не сегодня, у меня будут люди. Завтра с утра. Но я вам уже сейчас могу сказать — подавайте в суд. Немедленно! Надо покарать этих пачкунов!

— Аркадий Самойлович, вы еще подумайте...

— Подавайте! Вы слышите меня? Я чист, как сопля младенца!

— Как слеза... — поправил его Гордеев и в следующую секунду услышал короткие гудки.

Глава 36

БАБУШКИ

— Это дело даже благородное. Защитить старушек, чтоб их не обидели злые люди.

Теперь Сынок работал с Каэсом. Никаких разбойных нападений, никаких поджогов, все чисто и мирно.

В главном здании у Сынка даже появился свой небольшой кабинетик с телефоном и компьютером.

— Чего не понять? — Сынок погладил по голове одного из щенков, которые вцепились в его штаны и тянули в разные стороны.

— Смотрите, их может быть несколько. Из-за денег люди идут на всякие мерзости.

Сынок открыл холодильник и вынул оттуда целую сырую курицу. Бросил ее щенкам. Щенки, оставив ногу Сынка в покое, тут же набросились на тушку и принялись терзать ее, разрывая на куски. Каэс с удовольствием наблюдал, как они рычат и огрызаются друг на друга.

— Хорошие собаки, — пробормотал он. — У Тагира лучшая сука в Москве была.

Щенки разорвали курицу на несколько частей и растащили по углам. Каждый старался поскорее сожрать свою долю, чтобы отобрать еще и у соседа.

Каэс весело посмотрел на Сынка.

— Вам это ничего не напоминает?

— Людей, — сказал Сынок.

— Точно. — Каэс достал блокнот, черкнул что-то в нем и вырвал листок с адресом. — Вот, найдете легко. Деньги понадобятся?

— Давайте.

Каэс вынул из кошелька несколько сотенных купюр и положил на стол.

— Ну, с премьерой вас. Хотя поздравлять заранее нельзя, я знаю...

Это был простой и старый фокус. Придуман он был еще давно, но до сих пор работал безотказно. Как, впрочем, и три «листика», придуманные еще в прошлом веке.

Действовал этот механизм так. Жили себе две бабушки божьих одуванчика. Жили одни в огромной квартире, которая по нашим временам, как известно, стоит просто бешеных денег. Ну и давали эти старушки объявление в газету, что готовы они эту площадь обменять на меньшую, с доплатой, естественно. Ну и, конечно, на объявление откликалась масса желающих. Старушки говорили, что квартира очень большая, что им уже трудно убирать такое количество комнат, что они якобы слышали где-то, что можно поменять на квартирку поменьше, а им за это заплатят. Но они в этом, дескать, ничего не смыслят, и пусть уж другая сторона занимается всеми формальностями. У другой стороны при виде таких вот отставших от жизни созданий возникало вполне нормальное желание эти создания облапошить по полной программе. Вызывался подкупленный эксперт, который квартирку оценивал не по рыночной, а по номинальной стоимости, да еще находил кучу недостатков, которые эту стоимость снижали. В результате старушкам причиталась какая-то мелочь, которой они, кстати говоря, были несказанно рады. Но когда уже почти все документы были оформлены у нотариуса, одна из старушек вдруг заявляла, что приходили другие желающие поменяться и готовы заплатить больше. В данном случае эта сумма и составляла двадцать тысяч американских долларов.

— Ой, — говорили старушки, — мы этих долларчиков никогда и в руках не держали.

Претенденты скрипя зубами вынимали деньги и платили, тем более что сумма эта все равно была куда ниже реальной.

И вот обмен свершен. Настоящую, конечно, в документах не указывали, чтобы избежать налогов, счастливые владельцы новой квартиры въезжали в апартаменты, тут же начинали ремонт, а через два месяца им вдруг приходила повестка в суд.

Дело в том, что в течение шести месяцев можно аннулировать обмен квартир, если одной из сторон этот обмен вдруг не понравился. А у старушек вдруг еще и находилась веская причина в виде справки, что именно в то время, когда совершался этот обмен, одна из бабуль проходила обследование в больнице на предмет, хорошо ли варит ее котелок. И, конечно, оказывалось, что котелок дал небольшую течь, из чего следовало, что она согласилась на эту глупость, будучи не вполне вменяемой.

Конечно, наш суд не всегда встанет на сторону старушек, но именно в этом случае система вдруг срабатывала на редкость справедливо. Бабушкам возвращали их квартиру, второй стороне возвращались деньги. Но именно ту сумму, которая была отражена в документах. И никто не мог понять, почему это вторая сторона вдруг начинала требовать еще какие-то деньги, которые они якобы заплатили старушкам. Бабули, естественно, все отрицали, больше никаких свидетельств не было, поэтому ко второй стороне никто не прислушивался. Ну и тогда оставалось одно — силой выбить из гадких старушенций кровные денежки. Но тут, как назло, у них объявлялся какой-нибудь родственник с чугунными кулаками и бессмысленным бычьим взглядом.

На этот раз дальним родственником, а точнее племянником, должен был стать Сынок.

Выйдя из Казанского вокзала, он остановил первую попавшуюся машину.

— Шеф, до центра подбросишь?

— Сколько? — спросил водитель.

— Не обижу. — Сынок вынул из кармана сотню.

— Садись.

Сынок нырнул в салон, и машина помчалась по трассе.

— А в центр, это куда? — спросил шеф.

— Сейчас скажу. — Сынок полез в карман и достал листок из блокнота. — Ага, вот... Карманицкий переулок, дом три, корпус два.

— Это на Арбате, что ли?

— Наверно. — Сынок пожал плечами. — Тебе видней...

Дверь ему открыла старушка лет ста двадцати. По крайней мере, она так выглядела. Руки у нее тряслись, беззубая челюсть ходила взад-вперед, глаза почти ничего не видели.

— Чего тебе, милочек? — спросила она блеющим голосочком.

— Ничего, мамаша, — ухмыльнулся Сынок. — Я от Каэса.

— Ну так заходи, какого хрена тут светишься на пороге, как баклан... — Руки у нее трястись перестали, сутулость пропала, и теперь ей можно было дать уже лет шестьдесят, не больше.

Сынок вошел и огляделся.

— Чалился? — коротко спросила бабуля, заперев дверь.

— Нет пока.

— Уважаю. — Она зашаркала на кухню. — Петровна, Каэс кента притаранил! Будь здоров, только без клешни!

— Это даже лучше! — послышался из кухни мужской басок. — Чуть что — скажем, что инвалида обижали. Сразу на нары законопатят.

Когда Сынок вошел на кухню, то увидел, что басок принадлежит второй старушке, по виду еще тщедушней первой. Правда, изо рта у нее торчала папироса, а на плече красовалась татуировка — роза, обмотанная колючей проволокой. И подпись под ней: «Молодые года пропали в зоне навсегда».

— Ты че так поздно? — поинтересовалась эта пожилая

роза. — Меня Зинкой зовут, а это Варвара. Ты будешь Коля..

— А почему не Вася? — ухмыльнулся Сынок.

— Я сказала Коля, и ша мне тут!

— Заметано. — Сынок сел на табуретку.

— Встать, баклан! — толкнула его в спину Варвара. — Твое место у параши!

— Мамаша, а в лоб? — поинтересовался Сынок, которого этот блатной жаргон конца сороковых начал порядком злить.

— Ладно, пусть сидит! — прикрикнула на Варвару Зинка. — Тебе что, жалко?

— Жалко у пчелки в попке, а табуретка эта моя.

— Ладно, сынок, пересядь вон туда, — Зинка указала Сынку на место в углу.

Сынок пересел.

— Значит так, Коленька, — начала Зинка, — этот фуфел сегодня придет, часов в пять. С друганами. Вчера побожился, что кентов принесет полную торбу. Но ты не шугайся, он по натуре фраер, менеджером по рекламе шуршит в каком-то агентстве. Ну на крайняк охранников тамошних притянет.

— Справимся. — Сынок засмеялся. — Я их одной... Одной правой.

Ровно в пять раздался звонок в дверь. А сразу вслед за звонком аккуратный стук ногой. Именно такой стук получается, когда интеллигентный человек пытается корчить из себя крутого.

Дверь пошла открывать Варвара. Зинка и Сынок остались сидеть на кухне.

— Сейчас она заорет, что ее, типа, убивают, — тихо прошептала Зинка, услышав щелканье замка, — ну ты и выходи.

— Убива-ают! — послышался из прихожей блеющий голос Варвары. — Помогите, убивают!

Сынок хотел вскочить, но Зинка поймала его за руку.

— Постой. Ты, типа, не слышал. Пусть еще раз заорет.

Варвара закричала еще раз, и Сынок вышел в прихожую.

— Ну чего тут, теть Варвара. Чего орешь?

Тут он увидел троих мужчин. Один маленький, плешивый, в толстенных очках. Наверное, именно его кинули. Двое были чуть покрупнее, но тоже так себе.

— Здрасьте, — поздоровался Сынок. — Вам кого?

Пришедшие на время онемели. Вид двухметрового жлоба с культей вместо руки произвел на них ожидаемое впечатление. Сынок предусмотрительно разделся по пояс, чтоб еще больше шокировать гостей.

— Да вот, Коленька, это они самые и есть, негодники! — запричитала Варвара. — Опять пришли тыщи какие-то с меня тянуть. А какие у меня тыщи?!

— Чего надо? — Сынок подошел вплотную к очкастому. — Это ты, что ли, мою тетку с хатой нагреть хотел?

— Я ее... Послушайте, молодой человек, вы не очень-то! — Очкарик оглянулся на спутников. — Смотрите, чтоб потом не пожалеть!

— Ты, сопелька жидкая, меня что, пугать хочешь? — Сынок аккуратно положил руку очкарику на плечо. — Так я пуганый уже.

— Уберите руку немедленно! — вступился за очкарика один из друзей. — Уберите, а не то я сейчас...

С этими словами он полез в карман и выхватил оттуда газовый баллончик. Сынок повернулся, посмотрел на него удивленно, схватил за руку и прямо вместе с баллончиком ее крутанул. Не сильно, не совсем. Но визг раздался. Мужик схватился за свое плечо и отполз в сторону.

— У тебя что, тоже дезодорант есть? — повернулся Сынок ко второму из тех, что покрупнее.

— Нет, у меня нету, — честно признался тот. — У меня пистолет газовый.

— Правда? Покажи.

— Н-не покажу. — Мужчина попятился к двери.

— Ну покажи, не будь жлобом! — Сынок двинулся на него.

— Не покажу! — вскрикнул мужчина и выскочил из прихожей.

В коридоре остался только очкарик. Сынок смерил его взглядом и спросил:

— Так чего ты там про какие-то тыщи говорил?

— Ну я, видите ли, в некотором роде... — замямлил тот, потея.

— Чего-чего? Ты не гнуси, ты толком говори! — крикнул вдруг Сынок, грохнув кулаком по стене.

— Ничего! — выпалил тот от страха.

— Ну вот и хорошо. — Сынок подошел к очкарику и погладил его по головке, как школьника. — И если ты еще раз сюда притащишься со своими дружками, я тебе ноги повыдергаю. Понятно?

— Нет, постойте, так нельзя, вы понимаете, это, можно сказать, нечестно...

— Чего?! — не понял Сынок. — Ты про мою бабушку так?! Ты охренел, что ли?!

— Нет, извините...

— Ну вот и хорошо! А теперь шагом марш отсюдова!

Очкарик пулей вылетел из прихожей. Сынок аккуратно закрыл за ним дверь и запер ее на замок.

А потом они с бабушками на кухне пили чай с вареньем. Варвара напекла вкусных блинов. Их приятно было сворачивать в трубочку, макать в розетку с вареньем и отправлять в рот. Сынок с наслаждением поедал один блин за другим, слушая рассказы бабушек про их богатую лагерную жизнь.

— Так бы и мытарились на старости лет, — плакались бабки. — Да вот хорошо, пригрели старушек. А Каэсик — какой же фраерок мудрый. Подобрал, обогрел, обучил. Мы с ним по-человечески зажили...

«Академик, — подумал Сынок. — Что ж там другие академики делают?»

Теперь ему открылся самый краешек истинных дел братства. Но только самый краешек...

Глава 37
«ПОМОГИТЕ СЛЕДСТВИЮ»

Чекмачева Гордеев знал давно. Но дружбы между ними не было.

Пути их несколько раз пересекались подобным же образом: Игорь Владимирович был следователем, а Юрий Петрович защитником. И всякий раз адвокат Гордеев портил несколько метров нервных окончаний следователю Чекмачеву.

А в последний раз, когда судили старшину милиции за якобы превышение служебных полномочий и нанесение телесных повреждений некоему гражданину Семашко, Гордеев ухитрился добиться на суде почти невозможного — отправить дело на доследование с определением — возбудить уголовное дело не против старшины, а против гражданина Семашко.

Естественно, такого не прощают. Поэтому Гордеев имел в виду три обстоятельства — Чекмачев будет трудиться на славу, чтоб уж на этот раз не проколоться, это во-первых; никаких поблажек ни ему, ни Пастуховой не будет, работать Гордееву придется ровно в рамках закона, а то и в сильно суженном пространстве, это во-вторых; а в-третьих, Чекмачев был, возможно, следователем, послушным телефонному приказу.

То, что такой приказ имел место в прошлые разы, Гордеев почти не сомневался. Неужели и сейчас? Но кому, скажите на милость, нужно наваливаться на несчастную, запутавшуюся женщину? И из-за кого? Из-за мошенника, если верить Ирине?

Допросы, на которых присутствовал адвокат, проходили нервно. Ирина это чувствовала. Сбивалась, часто впадала в истерику, что никак не помогало делу.

Гордеев пытался поговорить с Чекмачевым просто, по-человечески, расположить того к себе, что для адвоката всегда весьма и весьма полезно, но наткнулся на такую глухую стену, которую было не прошибить.

— Итак, давайте вернемся к моменту, предшествующему убийству, — нудно говорил Чекмачев. — Расскажите следствию, как вы познакомились с гражданином Ливановым?

Ирина протяжно вздохнула и начала:

— Я вернулась из Ялты. Поезд пришел вечером... Во сколько? Часов в девять, наверное, да.

— Куда пришел поезд?

— На Курский вокзал.

— Продолжайте.

— Денег на такси у меня не было. Вы знаете почему?

— Повторите.

— Когда я ехала на юг, меня в поезде обокрали.

— Кто?

— Это была женщина по имени Зина. Мы ехали в одном купе.

— Как она вас обокрала? Вытащила деньги из сумки или из кармана, как?

— Я сама ей отдала, — еле слышно сказала Ирина.

— Как это? Обокрала или отдали?

— Мы подъехали к российской границе, и она сказала,

что на Украину можно провезти только задекларированные деньги.

— Почему же вы их не задекларировали?

— Так я не знала.

— Как не знали, если она вам сказала!

— Да, но она сказала поздно, когда мы уже были в поезде!

— И что? Проводник должен был дать вам декларацию. Так, кажется.

— Ничего он не давал, — опешила Ирина.

Гордеев сделал пометку в блокноте.

— Так. И дальше что? — спросил Чекмачев.

— Она и предложила провезти мои деньги на своем ребенке.

— У нее был ребенок?

— Да. Грудной младенец. Я и решилась.

Ирина сейчас почти что сама верила, что так оно и было, она забыла, как сама же и упрашивала Зину взять ее доллары.

— Она завернула деньги в пакет и сунула под пеленки. А когда украинскую таможню прошли, она мне пакет вернула.

— И как же вы не заметили, что в пакете нет денег?

Действительно, как она не заметила? Ирина задавала себе этот вопрос тысячу раз. И тысячу раз не могла на него ответить.

— Не заметила... Она очень торопилась выходить, я помогала ей выносить вещи... Я даже подумать не могла... Я не знаю...

Чекмачев откинулся на спинку стула и изобразил на лице нечто проницательное.

— Что-то тут не сходится, гражданка Пастухова. Вот вы очень хотите меня убедить, что вас обокрали, что вы такая несчастная, а вот не сходится.

— Простите, Игорь Владимирович, — сказал Гордеев, — вы не могли бы пояснить вашу мысль? Моя подзащитная явно теряется, пытаясь угадать, что же у нее, как вы изволили выразиться, не сходится.

— Да все не сходится, Юрий Петрович, — тем же язвительным тоном ответил следователь. — То вдруг она не знает про декларацию. То вдруг не может взять у проводника, то вдруг решает обмануть украинских таможенников и отдает деньги первой попавшейся женщине. Но самое замечательное — не проверяет их, когда женщина эти деньги ей возвращает.

— Если вы позволите, я попытаюсь объяснить...

— Свои соображения вы изложите в защитной речи, — перебил следователь. — Сейчас мне бы получить объяснения самой Пастуховой.

— Да честное слово, я не знала! Я в Крыму была лет десять назад! Откуда я могла знать, что там уже как заграница?!

— Узнать надо было, — наставительно произнес Чекмачев.

— Простите, о каком составе преступления вы говорите? — спросил Гордеев.

— Незнание законов не освобождает от ответственности, — изрек следователь.

— Простите, я не припомню, — начал рыться в Уголовном кодексе Гордеев. — Внимательно читал, а что-то не вспомню.

— Вы что, не знали, что незнание законов?..

— Нет, это я как раз очень хорошо знаю. Я просто не припомню, чтобы в постановлении о привлечении к уголовной ответственности говорилось что-либо о нарушении моей подзащитной таможенных правил.

— Там этого нет.

— Верно, поэтому, с вашего позволения, вернемся к сути дела.

Чекмачев проглотил.

— Хорошо, вернемся, я просто, Юрий Петрович, пытаюсь понять мотивы преступления, — несколько обиженно проговорил Чекмачев.

— Но, может быть, мы лучше спросим мою подзащитную?

— Продолжайте.

— Что продолжать? — совсем растерялась Ирина.

— Расскажите, как вы встретили гражданина Ливанова. То есть потерпевшего.

— Первый раз или второй?

— Первый.

— Так вот как раз он и сажал в вагон эту Зину. Я решила, что он ее муж. А когда вернулась в Москву, увидела, как он идет уже с другой женщиной. И я стала за ним следить. Он эту женщину тоже посадил в поезд, а сам пошел...

— Куда он пошел?

— Я только потом поняла, что он меня сразу вычислил. Он, понимаете, он вышел с ней из метро, а потом пошел вдруг пешком. Но я сразу не догадалась.

— А зачем вы за ним следили?

— Я уже говорила. Я и сама не очень понимала. Думала, сначала выслежу, а потом заявлю, куда следует.

— Зачем же вы с ним стали знакомиться?

Ирина опустила голову. И этот вопрос она задавала себе тысячу раз. И тоже не находила ответа.

И для адвоката этот момент имел немаловажное, если не первостепенное значение. Юрий Петрович подался вперед, ожидая от Ирины хоть каких-то разумных объяснений.

— Не знаю. Дура потому что, — еле слышно сказала Ирина.

Чекмачев тонко улыбнулся.

— А может быть, все было не так? А, Ирина Алексеевна?

Ирина удивленно вскинула глаза на следователя.

— Может быть, вам и знакомиться с ним не надо было?

— В каком смысле? — не поняла Ирина.

— В том, что вы уже были знакомы. И очень давно.

Гордеев переводил глаза с Ирины на следователя.

— С кем, с этим?.. — не поверила своим ушам Ирина.

— Да-да, с гражданином Ливановым. Вот показания ваших соседей и сослуживцев. Зачитываю. «Неоднократно встречала Пастухову, возвращавшуюся домой с молодым человеком. Рост приблизительно метр восемьдесят, черноволосый, симпатичный, одет элегантно...» Никого не напоминает? Дальше читаем. «Человек на этой фотографии очень похож на того, с которым Пастухова часто встречалась после работы». Мы показывали фотографию Ливанова, — вставил Чекмачев. — «Я видел его неоднократно». А вот совсем однозначно: «С этим человеком Ирина встречалась около года. Да, это он на фотографии. Она звала его Руфатом». Еще?

Ирина секунду молчала, а потом истерично захохотала:

— Да это Руфат! Вы что?! Какой Ливанов?

— И вы можете назвать его адрес?

— Конечно! Вы можете проверить!

216

— Обязательно проверим, — сказал Чекмачев. — Но вдруг мы его не найдем? Вдруг Руфат, как вы говорите, и Ливанов — одно и то же лицо?

— Да нет же!

— Предположим.

— Да у меня его телефон есть. Можете прямо сейчас позвонить.

— Успеется, Ирина Алексеевна. Все это успеется. Но, если предположить, я повторяю, только предположить, что Ливанов и Руфат — одно и то же лицо...

— Да как вам такое могло прийти в голову?!

— ...то тогда картина получается вполне логичная. Вы были с ним в любовной связи. Судя по показаниям ваших сослуживцев и знакомых, отношения у вас складывались в последнее время не самым радужным образом. Более того, вы часто ругались и выясняли отношения. Напрашивается вывод...

Гордеев внимательно смотрел на Ирину. Неужели она его обманула? Но зачем? Что за глупость — обманывать своего защитника.

В логических построениях Чекмачева, как бы плохо ни относился к нему Гордеев, все было слишком похоже на правду.

— Да никакого вывода! Руфат жив. Вы можете ему позвонить хоть сейчас, телефон 131-03-52!

— Я знаю его телефон, — сказал Чекмачев. — Более того, последнюю неделю я звоню по этому телефону раз пять на дню.

— И что?.. — испуганно проговорила Ирина.

— Больше вам скажу, Ирина Алексеевна. Я ездил к нему домой. Странная вещь. Соседи говорят, что ваш Руфат пропал как раз в тот день, когда было совершено убийство.

— Как пропал? Он не мог пропасть! — Ирина уже ничего не понимала.

— Вот так пропал!

— Но его фамилия вовсе не Ливанов. Его фамилия Сторожев.

— К сожалению, это проверить не удалось. Квартиру Руфат, как вы его называете, снимал. Нигде не работал. Документов не нашли.

— Глупость! Глупость! Глупость! — вскинула бессильные кулачки Ирина. — Он никакой не Ливанов. Он просто... Он, может быть, куда-нибудь уехал.

— Успокойтесь, Ирина, — погладил по плечу свою разрыдавшуюся подзащитную Гордеев. — Мы все это выясним. Простите, Игорь Владимирович, — обернулся он к Чекмачеву. — Эта версия нуждается в доказательствах. Вы сами понимаете. Но, может быть, мы вернемся к показаниям моей подзащитной. И попытаемся выяснить некоторые подробности.

— Я не убивала Руфата, — всхлипнула Ирина.

— Какие подробности, Юрий Петрович? — любезно улыбнулся следователь.

— Мне бы хотелось вернуться к самому моменту убийства. Моя подзащитная во всех своих показаниях говорит о том, что Ливанов первый на нее напал. Она только защищалась.

— Говорит, — улыбнулся Чекмачев.

— Почему бы вам не проверить эти ее показания, вместо того чтобы гоняться за мифическим...

— Что вы имеете в виду?

— На месте преступления должен был остаться нож.

— Никакого ножа не было. Вот протокол осмотра места происшествия. Да вы его читали...

— Это очень странно, согласитесь. Каким же тогда образом был порезан чемодан моей подзащитной. Не скажете же вы, что она сама его...

— Какой чемодан? — вполне серьезно спросил следователь.

— Который был изъят у моей подзащитной при задержании.

— Да-а... — философски протянул Чекмачев, откинулся на спину стула и пощелкал пальцами. — Конечно, сама Пастухова чемодан порезать не могла. Но кто вам сказал, что чемодан был порезан?

— Моя подзащитная во время допроса...

— Ага, опять ваша подзащитная... Но все дело в том, что никакого чемодана у Пастуховой никто и не изымал. Вот опись изъятия личных вещей, ознакомьтесь. Сумочка дамская со всеми принадлежностями — совершенно целая. Шляпа типа «панама». Деньги — два рубля пятьдесят копеек...

Ирина только открыла рот. Сказать хоть что-нибудь она была не в силах.

Гордеев был несколько спокойнее, он нашелся быстрее:

— То есть, по-вашему, получается, что моя подзащитная приехала из Крыма с совершенно пустыми руками.

— Вот! — поднял палец вверх Чекмачев. — Теперь наконец и вы начинаете понимать!

— Что понимать?

— Что ни в какой Крым ваша подзащитная не ездила...

Глава 38

БУХГАЛТЕР

— Вагик Баграмович, — сказала в микрофон селектора кассирша, — вы просили предупредить.

— Да-да... Подожди, о чем предупредить? — ответил радиоголос.

— Ну, клиенты пришли. Те самые.

— Опять с...

— Опять.

— Ты проверила?

— Проверила. Все в порядке.

— Разменяла?

— Разменяла, конечно.

— Молодец, работай.

В русских казино нет благоговейной тишины. Здесь гуляют по-купечески, шумно и весело. Деньги проигрывают без сожаления, а выигрывают без радости.

Конечно, всякое уважающее себя казино имеет зал для VIP. Но это для старых, проверенных, постоянных посетителей. Тут тихо и спокойно. Тут сидят за столами сосредоточенные люди и играют в покер. Ставки доходят до двадцати, а то и до пятидесяти тысяч долларов.

Но хозяин казино Вагик Баграмович Баграмов шел сейчас не в зал особо важных персон, а в общий, шумный и бестолковый, где пиликали игровые автоматы, кто-то кричал: «Шампанского!», где охрана оттаскивала от стола визжащую дамочку, а публика похохатывала, словом, веселье было на грани приличного.

Те, кто ему был нужен, сидели за столом «Блэк Джека» и ставили понемногу. Собственно, хозяина интересовали не оба посетителя, а только один из них.

Баграмов уже видел его много раз. Хозяин казино считал себя неплохим физиономистом, поэтому составил себе представление о посетителе: обыкновенный счетовод, в жизни ему повезло только сейчас, когда уже ничего не нужно. Мог бы потратить свалившееся на него богатство как-то разнообразнее, а он нет — каждый вечер приходит в казино и тратит ровно пятьсот рублей. И так уже полтора месяца.

Насторожила Баграмова в этом посетителе именно эта пунктуальность и механическая периодичность. Тот никогда не пропускал ни одного вечера, никогда не разменивал больше пятисот рублей и редко выигрывал.

Вообще-то в наших казино дело поставлено не так профессионально, как на Западе. Тут не особенно присматриваются к игрокам. А уж интересоваться их психологией тем более никто не собирается. Главное, чтоб платил и не воровал. Но тут был особый случай, слишком уж бросающийся в глаза.

Баграмов несколько раз уже подсылал к странному посетителю своих людей, но тот, как только чувствовал, что к его персоне проявляют внимание, тут же поднимался и уходил. Впрочем, на следующий вечер он появлялся снова, воровато озирался в поисках своего вчерашнего преследователя и, не обнаружив того, снова садился играть. А с недавнего времени стал приходить со своим молчаливым другом, который выглядел как телохранитель. Друг этот сидел всегда рядом, никогда не играл и вообще не разговаривал.

Хозяин расспрашивал подробно своих крупье о Бухгалтере, как окрестили странного посетителя. Те пожимали плечами — игрок как игрок, особенно не заводится, не мухлюет, играет плохо, но не нарочно, а потому что рассеян. Телохранитель вообще как камень.

Сегодня хозяин решил прощупать странного посетителя сам. Зная опасения Бухгалтера, он не стал заходить издалека, а попросту подошел и сказал:

— Простите, можно вас на минутку?

— Меня? — вскинулся Бухгалтер и оглянулся на друга.

— Да, вас, не волнуйтесь, на минутку, не больше, ничего страшного, — опередил действия телохранителя Баграмов.

— А что, собственно?..

220

— Да успокойтесь вы, — улыбался Баграмов. — Я хозяин заведения, никто вас не обидит. Пожалуйте сюда.

— Куда?

— В мой кабинет.

— Я что-то нарушил? В чем я виноват?

— Все прекрасно. Вы ничего не нарушили. Более того, вы сегодня почетный гость казино, потому что вы стотысячный его посетитель.

— Я без друга не пойду.

— Конечно-конечно. Друга мы тоже приглашаем. Так вот, вам как стотысячному посетителю полагается приз.

— Какой еще приз?

— Скромный приз от казино — бутылка тридцатилетнего французского коньяка.

— Коньяка?

— А вы не пьете? — испугался хозяин.

— Нет, почему, мы пьем. А он, наверное, дорогой?

— Да уж не дешевый.

С этими словами хозяин привел Бухгалтера с телохранителем в свой кабинет, где предварительно были выключены все мониторы, наблюдающие за залом.

— Присаживайтесь. Чувствуйте себя... уютно.

Бухгалтер опасливо присел на краешек кресла. Сложил руки на коленях, как школьник. Телохранитель встал за его спиной.

— Такое событие мы должны запечатлеть, — все продолжал улыбаться хозяин. Он достал из стола фотокамеру и расчехлил ее.

В следующую секунду камера оказалась в руках телохранителя.

— Нет-нет, только не это, — сказал Бухгалтер. — Я не люблю фотографироваться.

«Интересненько, — подумал хозяин, — чем дальше, тем все интереснее».

— Ну, на нет и суда нет. Тогда, если вы не против, я предлагаю выпить за вас. Не беспокойтесь, мы будем пить не коньяк, а шампанское. Тоже, между прочим, французское.

Хозяин откупорил бутылку, разлил по фужерам и поднес гостям.

Бухгалтер принял с благодарностью, а телохранитель даже не посмотрел на вино.

— Он на работе, — кивнул на своего друга Бухгалтер.

— Правильно, — похвалил телохранителя хозяин. — Тогда давайте за вас... Простите, не знаю вашего имени-отчества.

— Иван Ливанович.

— Иван Ливанович?

— Да, а что, не похож?

— Это, скорее, я не похож. А вы... Ну что ж, за вас, Иван Ливанович! — заговорщицки подмигнул Бухгалтеру хозяин.

Выпили.

— Как вам у нас в казино? — перешел к светской беседе Баграмов. — Нравится?

— Очень.

— А что вам больше всего нравится?

— Что тут не задают вопросов, — сказал Бухгалтер. — Ой, простите, я не о вас.

— Понимаю, понимаю.

— Должно же быть на земле место, где бы человека постоянно не расспрашивали, не залезали в душу, не тревожили по пустякам, правильно?

— Абсолютно верно.

— Вот мне тут и нравится. Вы молодец... Простите, не знаю вашего имени-отчества.

— Вагик Баграмович.

— А что, Вагик Баграмович, осталось у вас там еще шампанское в бутылке?

— Конечно! И еще бутылки остались. — Хозяин поспешил наполнить бокал Бухгалтера вином.

— Теперь за вас, Вагик Баграмович, — предложил тост хозяин.

— Благодарю.

Снова выпили.

— А я знал, уважаемый Вагик Баграмович...

— Вагик... Зовите меня просто Вагик.

— Спасибо. Я знал, Вагик, что я окажусь миллионным посетителем...

— Стотысячным...

— ...или выиграю сто тысяч, как вы верно заметили, или победю... побежду... Ну, в общем, стану победителем конкурса «Мистер казино».

Вагик открыл рот.

— Более того, я этого очень долго ждал.

Хозяин не знал, что и думать: Бухгалтер то ли сразу опьянел, то ли опьянел он сам.

— Что вы имеете?.. — попытался улыбнуться хозяин.

— Не хотите же вы сказать, что я действительно ваш юбилейный гость, — отмахнулся рукой Иван Ливанович.

— Но это правда...

— Андрей, нам пора, — поднялся на ноги совершенно трезвый гость. — Спасибо за коньяк. Двухсоттысячным посетителем я уже не буду. Знаете, почему, Вагик? Потому что я больше никогда не приду в ваше милое казино.

И они с другом решительно зашагали к двери.

— Ну погодите! — Не выдержал хозяин. — Ну что вы, честное слово, такой нетерпеливый. Ну да, ну правда, вы... Честно вам сказать, Иван Ливанович, или как вас там?

— Петр Петрович. Только честно, если мы хотим говорить дальше.

— Да, вы меня заинтриговали.

— Я? Чем? — искренне удивился гость, но снова сел в кресло, теперь со всеми удобствами.

— Деньги, — не сразу выдавил Вагик.

— Ну наконец-то! — рассмеялся гость. — Не прошло и полгода! Я думал — вы сообразительнее.

Вагик Баграмович ничего не понимал, но очень мудро улыбался:

— Ну, мы присматривались, изучали вас...

— И что вы изучили? — в лоб спросил гость.

Вагику нечего было ответить, кроме:

— Ну, тут много странного... например, деньги.

— И?

— И... и все, — честно признался хозяин.

— Что и требовалось доказать. — Бухгалтер самодовольно потер ладони. — Итак, Вагик, где мы будем беседовать?

— Как где? Здесь.

— Андрюша! — разочарованно сказал гость. — Нам пора! — И снова встал.

— Погодите, постойте! — опять заторопился хозяин. — В чем дело?

— Вы что, нас за идиотов держите? — разозлился гость. — У вас переговорное устройство включено и диктофон. Это только то, что я заметил.

— Ой, извините, это случайно, — начал оправдываться хозяин. — Я все выключу.

— Нет, все. Я теперь вам доверять буду очень осторожно. Поэтому сам скажу, где мы проведем переговоры.

Хозяин поспешно закивал.

— Сейчас мы отсюда выходим, а через полчаса встречаемся на платформе «Москва-Сортировочная», что по Киевской дороге. С собой можете взять сколько угодно людей, но все они будут стоять в стороне, говорить будем только я и вы. Или ваш начальник.

Последняя реплика гостя совсем сбила Вагика с толку. Откуда гость мог знать о хозяине самого хозяина?

«Впрочем, — соображал Баграмов, собирая своих людей и садясь в машину, — разве трудно догадаться, что у любого казино есть крыша? А это значит, что Бухгалтер хочет выходить на самые верха. Но с чем? С чем?!»

Первые переговоры поэтому он решил провести сам.

Платформа была пуста. В два часа ночи электрички уже не ходили. Вагик с командой приехал, когда на платформе еще никого не было. Конечно, он послал своих людей все внимательно осмотреть. А вдруг это ловушка? Впрочем, в это Вагик не верил. Если хотят убить, не зовут на встречу таким диким образом.

Люди вернулись и доложили — пусто. Только спит на лавке какой-то бомж, но его уже оттащили с платформы подальше.

Вагик расставил часть людей по периметру, а остальных на всякий случай взял все же с собой.

Как только по пешеходному мосту спустились на платформу, увидели, как через рельсы идут Бухгалтер и его телохранитель. Больше никого с ними не было.

— Извините, — сказал Бухгалтер. — Еле добрался. Метро закрылось перед самым носом.

«Он ездит на метро?! — внутренне ахнул Вагик. — Что за дела?»

— Ну что, вы все тут проверили?

— Да нет, — соврал Вагик.

— А зря. Ну ладно, сейчас Андрюша с вашими ребятами все осмотрит, а мы пока поговорим. Кстати, отдайте ребятам ваш телефон.

Люди Вагика с телохранителем удалились, Иван Ливанович присел на скамейку. Вагик подумал и опустился рядом.

— Так вот, здесь нас никто не слышит, в случае чего, я ничего не говорил, а вы не докажете. Надеюсь, диктофона у вас с собой нет?

— Нет! Что вы!

— Я знаю, — кивнул Бухгалтер. — У меня тут одна штучка есть. — Он достал из кармана коробочку. — Она бы запиликала, если бы вы обзавелись хоть каким-то «жучком». Ну что, как мы будем жить дальше?

Вагик понял, что Бухгалтер перешел к сути дела. Но самого-то дела он не понимал.

— В смысле?

— В смысле — вам нравится?

— Что нравится? — эхом повторил Вагик.

— Как что — деньги?

— В смысле? — снова тупо спросил Баграмов.

— Ну, деньги хорошие?

— Какие деньги? — совсем растерялся хозяин казино.

— Да пятисотрублевки!

И тут до Вагика дошло. Он покрылся холодным потом. У него задрожали руки и отвисла челюсть — фальшивые! Сорок пять раз по пятьсот — это на сколько же он прогорел? Стоп, а почему прогорел? Они же проверяли эти купюры на детекторе! Значит, купюры обманули их детектор! И что теперь будет? Чечены его грохнут — это как минимум, а как максимум... А что еще может быть хуже?!

— Они фальшивые? — еле вымолвил Баграмов.

— Именно, дорогой вы мой!

Так вот в чем дело! Этот человек позвал его только затем, чтобы посмеяться в лицо! Да его сами чечены и прислали! Вагик понял, что сейчас потеряет сознание. Что делать? Позвать ребят, чтоб грохнули Бухгалтера? Ну тогда уже чечены сделают и максимум — они убьют всю его семью!

— И что вы от меня хотите? — чуть не плача спросил Вагик.

— Помощи, — просто ответил Бухгалтер.

— П-помощи?

— Именно.

— В ч-чем?

— Нет, сначала давайте обсудим вот что — вам понравились купюры?

— Не знаю... Я не понимаю, чего вы хотите...

— Идиот, — приблизил свое лицо Бухгалтер. — Ты проверял мои пятисотрублевки?

— Проверял.

— Ну и как?

— Наши детекторы неисправны, наверное...

— Ха-ха... Ваши детекторы в полном порядке. Более того, завтра ты можешь отнести вот эти купюры в банк — пусть проверят там.

И бухгалтер достал из кармана пачечку таких же свеженьких, хрустящих, новеньких пятисотрублевок.

Вагик взял их так, словно это была ядовитая змея.

— Но прежде мы должны договориться — ты хочешь мне помочь? — незаметно перешел на «ты» Бухгалтер.

— В чем? В чем? Проверить их?

— Делать их. Печатать. В огромном количестве. — Сказал, как забил костыль в шпалу, Бухгалтер.

— А что я могу?..

— Ну, не ты, твои хозяева. Понимаешь, я могу изготовить только одну купюру за день. Согласись — это капля, когда стоишь у океана.

— Нет-нет, я этим заниматься не буду!

— Конечно, ты и не сможешь. Этим буду заниматься я. Но с вашей помощью. Впрочем, если вас это не интересует, я могу пойти к другим...

У Вагика в голове перемкнуло. Полный крах, близкая смерть и смерть родных вдруг обернулись совсем-совсем другой перспективой.

«Подожди-подожди, — говорил он себе. — А если эти деньги засветятся в банке? Да, но не я пойду их проверять. Я пошлю кого-нибудь из своих людей. А если не засветятся?! Если проскочат?! Нет, это с ума сойти!»

— Я почему выбрал казино? — продолжал Бухгалтер. — Потому что у вас крутится масса наличных. Их тут отмыть — раз плюнуть. Никто и не заметит. Какой у тебя дневной оборот? Впрочем, можешь не говорить. Я приблизительно знаю. Так вот, мы за месяц-другой станем миллионерами, причем в Америке.

Да, это Вагик уже понимал. Вагик понимал уже куда больше! Он понимал, что на *такие* купюры найдется немало покупателей и в других казино, да везде, да на каждом шагу. Какими там миллионерами — миллиардерами они станут через месяц.

Но...

— Мне надо подумать, — сказал он, обретая прежнюю рассудительность и вальяжность. — Посоветоваться.

— Посоветуйся. До завтра. В десять я тебе позвоню.

Он выдернул у Вагика из рук пачку купюр, отсчитал пять банкнот и отдал хозяину.

— Этого хватит. Если не согласишься, оставь себе. За коньяк. Андрюша! — крикнул он. А потом снова приблизил лицо: — Да, если вздумаете меня убить — убьете свое будущее. Ты уже понял, что я умею все рассчитывать.

Глава 39

БОЛЬШЕ НИЧЕГО НЕ ОСТАЕТСЯ...

— То есть, по-вашему, получается, что моя подзащитная приехала из Крыма с совершенно пустыми руками? — с легкой язвительностью спросил Гордеев.

— Вот! — поднял палец вверх Чекмачев. — Теперь наконец и вы начинаете понимать!

— Что понимать? — Все еще улыбался Гордеев.

— Что ни в какой Крым ваша подзащитная не ездила, — сказал Чекмачев, словно разоблачил карточный фокус.

— Как не ездила? — Гордеев опешил.

— А вот так — не ездила. Ничем, кроме ее слов, это не подтверждается.

— Вы что, вы совсем с ума сошли?! — закричала Ирина. — Вы же сами в прошлый раз говорили, что проводник...

— Проверяли. Проводник вас не опознал.

— А где же я была целую неделю?!

— Вот это я вас и хотел спросить. Согласитесь, странно, приехать с юга и даже не загореть.

— Да мне некогда было загорать! Я искала деньги! Я продавала свое барахло! Я...

— Ирина Алексеевна, помогите мне, — «человечно» сказал следователь. — Чем-нибудь материальным вы можете подтвердить, что вы ездили на юг? Может быть, у вас остался билет?

— Нет, — потупилась Ирина. — Я его выбросила...

— А нельзя ли проверить в кассах? — вяло поинтересовался Гордеев. — Ведь на билетах, кажется, теперь пишут фамилии.

— Мы сделали такой запрос. Вот официальный ответ. Гражданка Пастухова не покупала билет в Симферополь в кассах Курского вокзала.

— Я заказывала его через фирму!

— Мы запросили и вашу фирму. Никто не подтверждает этого. Вот видите, Юрий Петрович. Теперь вам понятно, почему я стал строить совершенно иную версию?

— Понятно, — мрачно буркнул Гордеев.

Он был зол. Он был страшно зол на Чекмачева, на Ирину, но, главным образом, на себя. Что ж он так купился, как мальчик? Что ж он не предупредил эту хитрую менеджершу, что никакие игры ей не помогут. Что, обдуривая адвоката, она только губит самое себя.

— Ну, что скажете, Ирина Алексеевна? — спросил Чекмачев.

— Ничего, — зло сказала Ирина.

— Подумайте до следующего раза. И советую вам одуматься. Знаете, правда всегда лучше. Думаю, Юрий Петрович вам скажет то же самое. Могу оставить вас наедине минут на десять.

Чекмачев встал, пожал руку адвокату и вышел.

Гордеев стал собирать свои бумаги.

— Ты теперь тоже от меня откажешься? — тихо спросила Ирина.

— Мне бы очень хотелось сказать: «Откажусь», — жестко сказал Гордеев. — Очень!

Ирина упала руками на стол и зарыдала.

— Это Бог, дьявол, черт с рогами... Я не знаю, кто это на меня навалился! И главное — за что?! Все одно к одному, все! Ну в чем я виновата?! Я, знаешь, когда приехала на вокзал, когда вышла из поезда с двумя рублями в кармане, подумала, ну вот и все, кончились мои мытарства. Теперь доберусь до дома и отсижусь, как мышь в норе. Так не бывает, чтобы на одного человека столько сразу навалилось! Оказывается, ничего еще не кончилось! Даже ты... Да ездила я в Крым, Юра, понимаешь, ездила! И обокрала меня эта Зина. И этот Ливанов ее провожал. И вторую женщину он провожал. И нож был! И чемодан. Да там какая-то старуха все видела! Она еще кричала мне, чтоб я не шумела, а со мной истерика приключилась... Ну

228

в чем дело?! Ну были же милиционеры, они все забрали!.. Куда это девалось?! Ну за что?! Ну почему я?!

— Ирина, — жестко встряхнул Пастухову за плечи Гордеев. — Слушай меня внимательно. Я очень неплохой адвокат. Я и более трудные дела вытаскивал. Но я сразу всем говорил: не обманывайте меня! Не водите меня за нос! Я не прокурор, я защитник.

— Я не обманываю тебя, Юра! Я тебя не обманываю! — закричала Ирина. — Если ты от меня откажешься, я... Я просто умру.

Гордеев минуту пристально смотрел ей в глаза. Она не отвела взгляд.

— Хорошо, — сказал он, скрипнув зубами. — Я проверю. Я напишу ходатайство о проведении дополнительных следственных действий. Я попытаюсь поверить тебе в последний раз, но если...

— Ты сам увидишь! Ты сам поймешь...

— Надеюсь, — сухо сказал Гордеев. — Мне больше ничего не остается.

Глава 40
МНОГО ДЕНЕГ

— Грохнуть его, — в который уже раз повторил Мурза.

— Э, слушай, что ты все — грохнуть, грохнуть! Это самое простое, — опять вскинул руки Вахид.

— Старику звонили? — снова спросил Амир.

— Старик думает, — ответил Шамиль.

Вагик Баграмов тихо сидел в уголке. Он не спал всю эту ночь, он уже вообще мало что соображал. Рассказав чеченам о предложении Бухгалтера, он ожидал, что его похвалят, что назначат руководителем этой операции, но чечены особого энтузиазма не проявили. Они позвонили сидящему в Бутырках Старику, потом уселись за большой круглый стол, пили вино, закусывали мясом и зеленью. Говорили мало и с большими паузами.

Через два часа Вагик собрался уходить, но ему приказали сидеть и не дергаться.

«Ну, не нравится, так нечего и трепаться, — раздраженно думал Вагик. — Хотят грохнуть, пусть сами этим занимаются. Пора спать».

Но чечены сидели и сидели, перекидывались пустыми репликами и ничего не решали окончательно.

Часов в семь утра до Вагика вдруг дошло: «Им интересно! Им нравится! Им это так нравится, как ничто из предыдущего! Я никогда не видел, чтоб они сидели всю ночь и думали. Они ни за что не захотят грохнуть золотую рыбку! А меня никогда не назначат руководителем этой операции, потому что все возьмут в свои руки. Вах, они еще и передерутся за право первенства!»

Не успел он додумать эту нехитрую мысль, как зазвонил телефон.

Амир говорил по-чеченски, но Вагик понял — это Старик.

Переводить разговор Амир не стал. Он вернулся за стол и сказал:

— Чисто.

«Ага, они проверяли его по ментовским каналам, — понял Вагик. — И там все в ажуре».

— Все равно грохнуть его, — сказал Мурза.

— Э-э, тебя грохнуть! — сказал Вахид.

Хозяин казино вздрогнул. Чеченцы никогда так зло друг с другом не разговаривают.

«Точно, они сейчас передерутся!»

— Такой хитрый, да? — сказал Шамиль.

— Сам ты хитрый, как баба! — сказал Амир.

Это тоже было страшное оскорбление. Война, конечно, огрубила чеченцев, но остатки мужской гордости в них оставались, на оскорбление они отвечали резко и крайне жестоко.

По всем правилам уже давно должна была быть в этой комнате пальба. Но чечены только вяло переругивались и никакого оружия не доставали.

«Вах! — подумал Вагик. — Они хотят эти деньги! Они про честь забыли! Может, они и про меня забыли. Так я им напомню. Без меня им никаких денег не видать».

— Так, — сказал он, поднимаясь из угла, — пока вы тут не выяснили, кто из вас женщина, а кто хитрый, я скажу. Никакие ваши хитрости тут не проскочат. Мужик тертый. Он все рассчитал. Я с ним разговаривал не один раз. Мне он доверяет. И дело хочет вести только со мной. Вы можете меня грохнуть тоже, но тогда вы никогда с ним не свяжетесь, потому что только я знаю, как это можно сделать.

Чечены сверкали глазами, сжимали до хруста кулаки, но молчали в тряпочку и слушали свою «шестерку», как хорошие дети строгого отца.

— Лучше поговорим о цифрах. Нас в деле семь человек...

— Каких семь?! — чуть не хором закричали чечены.

— Я, Бухгалтер и вас пять.

— Какой пять?! — закричал Мурза. — Считать не умеешь?!

— А Старик?

— А где Старик?! Не вижу никакого Старика! — закричал Шамиль.

— Почему Старик?! — поддержал его Амир.

— Как знаете, — развел руками Вагик. — Тогда шесть. Двадцать процентов·я беру себе, двадцать — Бухгалтеру. Шестьдесят процентов — вам.

Наверное, если бы Вагик сейчас словом и действием оскорбил весь чеченский народ, а так же всех родных и близких присутствующих, реакция была бы куда менее бурной.

Его чуть не порешили тут же, забыв, что, действительно, только он может связаться с Бухгалтером. Кричали до хрипоты, брызгали слюной, хватали его за грудки, чуть не били.

Сошлись на следующих долях: по двадцать процентов каждому.

— А Бухгалтер? — напомнил Вагик.

— Фиг ему!

— Грохнем его! — заключил Мурза.

К десяти часам в кабинете хозяина казино сидели шестеро: сам Баграмов, нервно поглядывающий на телефон, Амир, Шамиль, Мурза, Вахид и... Старик, которого в самом деле звали Аслан. Каким чудом он ухитрился ночью получить постановление суда или прокурора об освобождении из-под стражи — неизвестно. Но теперь проценты снова надо было делить, и Вагик вполне резонно рассудил, что, скорее всего, без процентов, а возможно, и без всего остального, останется именно он.

Купюры, оставленные Бухгалтером, проверили аж в четырех банках. Самым строгим образом. Все было чисто.

Тишина была такая, что даже мухи не летали. Поэтому, когда телефон зазвонил, казалось, что застрочили из крупнокалиберного пулемета.

Это был Бухгалтер.

— Ну, я понимаю, что вы все согласны, — сказал он после любезных приветствий. — Итак, встречаемся возле памятника Пушкину через десять минут. Там все и обсудим. Я надеюсь, вы приготовили деньги?

— Какие деньги? — не понял Вагик.

— Настоящие. Американские деньги.

— Он говорит про деньги, — закрыв трубку, обратился к своим хозяевам Баграмов. — Доллары.

— Понятно, — кивнул Старик. — Сколько?

— Сколько? — повторил вопрос в трубку Вагик.

— Миллион двести тридцать восемь тысяч, — выпалил точную цифру Бухгалтер.

Вагик понял, что повторить эту сумму чеченам он не в силах.

— Это очень дорого, — промямлил он.

— Мне так надоело с тобой прощаться, — угрожающе сказал Бухгалтер.

— Он просит миллион двести тридцать восемь тысяч, — упавшим голосом сказал Вагик чеченам.

К его удивлению, чечены не взбесились, не возмутились даже.

Только Старик сказал:

— Спроси, сколько он напечатает?

— А сколько вы напечатаете?

— Вот так я тебе и сказал по телефону. Вообще не сечешь? Приезжайте к Пушкину, обсудим.

И трубка отрывисто загудела.

Хотя памятник Пушкину был как раз напротив казино, вся компания уселась в машины и несчастные сто метров тащилась в пробке.

Бухгалтер с телохранителем сели в машину Вагика.

— Ну, а где остальные?

— Они здесь. Они в других машинах.

— Значит, нам придется сесть в одну.

Кое-как втиснулись в «мерседес» Вахида, телохранителей пришлось отправлять на других.

— Давайте к МГУ, — махнул рукой Бухгалтер. — А мы по дороге поговорим.

— Говори, — сказал мрачный Мурза.

— Значит, так. У меня есть полторы тонны бумаги. Мы сейчас по дороге заедем и посмотрим. Сделана в Германии, водяные знаки, лавсановые ворсинки, все, как доктор прописал. Она мне обошлась в двести тысяч. С вас я возьму триста. Честно?

— Говори.

— Теперь оборудование. Нашел я конторку — там почти все можно купить. Но, черти, дорого просят. Семьсот тысяч за все сканеры, станки, прессы, проявители и изотопные облучатели. Мы в эту конторку заедем, вы сами сможете с ними поговорить. Теперь краска. Нужна, как вы понимаете, специальная. У меня нет только светло-бордовой. Можно и без нее — детектор ее не считывает. Но небольшая опасность есть. Мне обещали достать за пятьдесят штук. Я сказал, что подумаю. Краска, без светло-бордовой, обойдется в двести тысяч. Итого получается...

— Лимон сто штук, — сказал Старик.

— Верно. Умеете считать, — похвалил Бухгалтер. — Остался резательный станок. Он-то как раз и стоит сто тридцать восемь тысяч. Итого...

— Сколько напечатаешь? — спросил Амир.

— Да чего там мелочиться — все полторы тонны и напечатаю. Это без отходов — брак, обрезки, то, се, получится где-то тонна четыреста килограммов. А вот сколько это будет в купюрах?

Чеченцы задумались. Никто на вес деньги не мерил. Но получалось все равно много.

— Не знаете. Хорошо. Я вам скажу. Это получается тридцать семь миллиардов. Чуть больше.

Чечены наморщили лбы, пытаясь сообразить, много это или мало?

— В переводе на доллары по нынешнему курсу — два миллиарда с хвостиком, — подсказал им Бухгалтер. — Со всеми естественными потерями — продажа, обмен, риск — получается два миллиарда чистыми.

Хозяева не удержались, расплылись в улыбках, но Бухгалтер их сразу охладил.

— Я беру ровно половину. Если вам не нравятся мои условия, я попрошу вас высадить меня у ближайшего метро.

Старик, сидевший за рулем, стал прижиматься к тротуару.

Остановились у метро «Парк культуры».

— Всего доброго, — сказал Бухгалтер. — Неприятно было познакомиться.

— Двадцать процентов, — сказал Старик.

— Целуйте фикус, поливайте бабушку. — Бухгалтер взялся за ручку двери.

— Двадцать пять, — сказал Амир.

— Это несерьезно. — Отпустил ручку Бухгалтер.

— Сколько? Только по-честному? — спросил мрачный Мурза.

— Тридцать пять процентов. Но я к сбыту денег не имею никакого отношения.

— Куда ехать? — спросил Старик.

— Давайте заглянем в одно местечко, я вам бумагу покажу. Это здесь рядом, на Комсомольском.

Огромные рулоны бумаги были упакованы на совесть. Чеченцы потоптались возле них, Амир попробовал разорвать упаковку, но Бухгалтер закричал так, словно тот пытался выдернуть чеку у гранаты:

— Не трогай! Засветишь! Распаковывать можно только в полной темноте. На ней специальный телурициновый слой. Вскроешь — пиши пропало. Кстати, срок ее годности истекает через неделю. Слишком высокая чувствительность. Поэтому надо быстрее. Как раз времени осталось — напечатать.

Чеченцы понимающе закивали.

— Ввее, поехали дальше, — скомандовал Бухгалтер.

Конторка, о которой говорил Бухгалтер, была на территории МГУ. Через глазок в двери, которая вела в подвальное помещение, их долго изучал охранник, потом приоткрыл.

— Чего надо?

— Мы к Володе. Я — Иван Ливанович.

Охранник закрыл дверь. Послышались его удаляющиеся шаги.

— Так, господа, деньги при себе? — обернулся к спутникам Бухгалтер. — Если мы только на экскурсию, то нечего людей и беспокоить. Они и так всего боятся.

Чеченцы молча закивали.

Охранник вернулся и открыл дверь.

Подвал был заставлен множеством импортных коробок и ящиков.

Володя оказался очкастым долговязым парнем, суетливым и рассеянным.

— Володя, я, как обещал, — почему-то стал заискивать перед ним Бухгалтер. — По списочку. Вы приготовили?

— У вас система Бэ Цэ двенадцать-двенадцать?

— Нет, у нас Игрек Бета двадцать четыре-ноль семь.

— А да... Бэ Цэ — это документы. У вас, кажется, посложнее что-то.

— Посложнее, — улыбнулся Бухгалтер.

— Пройдемте.

Володя по длинным переходам проводил всю компанию в дальний придел подвала и распахнул дверь небольшого зальчика, уставленного диковинной техникой.

— Вот.

— Заверните, — с купеческим жестом произнес Бухгалтер.

— Э! — поднял палец Мурза. — Нет. Посмотреть надо.

Чеченцы согласно кивнули.

— Пожалуйста, пожалуйста, — суетливо защелкал кнопками Володя. — Имеете право.

Чеченцы уставились в гудящие и мигающие механизмы, мало что понимая.

— Володя, вы выйдите на минутку, — попросил Бухгалтер. — Мы проверим оборудование в деле.

Володя пожал плечами и удалился.

— Значит так, я надеюсь, вы прихватили с собой детектор купюр?

Чеченцы кивнули.

— Молодцы, — похвалил Бухгалтер. — Основательные люди. Попробую удовлетворить ваше любопытство.

Бухгалтер покрутил ручки настроек, пощелкал тумблерами.

— Отвернитесь, — попросил он. — Мне так спокойнее будет. Я тоже человек основательный.

Вагик скосил глаза и заметил, как Бухгалтер вставил в какую-то машину несколько металлических пластинок.

«Клише», — догадался он. Такие пластинки он видел в фильмах о фальшивомонетчиках.

— Можно смотреть. Андрюша, там за тобой выключатель, погаси свет. Я вставлю бумагу.

Телохранитель щелкнул выключателем. Горела лампочка только на лотке большого ризографа.

— Ну, ловите, — сказал Бухгалтер. — Андрюша, можно включать свет.

Аппараты зажужжали, запищали, дернулись многочисленные стрелки на них.

И из лотка ризографа выползла пятисотрублевая купюра.

Чеченцы невольно шагнули вперед.

Но Бухгалтер опередил их, взял купюру, посмотрел на свет и только после этого подал Старику.

Детектор проглотил ее, как родную.

— Еще, — сказал Амир.

— Но — последнюю, — вздохнул Бухгалтер.

Вторая купюра выползла чуть быстрее.

На этот раз ее схватил Мурза. Бумажка была горячей.

— Ага, — утробно выдохнул он.

Детектор снова даже не пикнул.

И в этот момент в дверь застучали.

— Иван Ливанович, все, хватит! — умоляющим голосом просил Володя.

— Действительно, — развел руками Иван Ливанович. — Пора и честь знать, господа. Не дай бог...

— Еще, — сказал Старик.

— Иван Ливанович, я вас прошу...

— Господа, имейте совесть!

— Еще, — сказали чеченцы хором.

— Нет-нет! — замахал руками Бухгалтер. — На первый раз достаточно.

— Еще.

— Не буду. Все.

— Не, ты понял? — зло улыбнулся соплеменникам Шамиль.

— Еще, — шагнул вперед Мурза и сунул руку в карман.

— Вот же зануды! Володя! Еще минутку! — разозлился Бухгалтер. — Мы быстро.

Он снова нажал что нужно, снова все загудело и зажужжало — и выползла купюра.

— Все! Больше ни одной. За показ деньги платят.

Бухгалтер стал поспешно выключать аппаратуру.

На этот раз чеченцы остались довольны.

Володя оказался упрямым как осел.

— Нет, деньги вперед, — твердил он чеченцам, хотя они уже и упрашивали его, и угрожали и даже доставали пистолеты.

— Деньги платите, забирайте все. Денег нет — ничего не получите.

Бухгалтер в спор не влезал.

Чеченцы горячились около часа, а потом, кряхтя, стали раскрывать свои чемоданчики и выкладывать доллары.

— Куда доставить? — спросил Володя.

— Мы сами заберем, — сказали чеченцы. — Три машины хватит?

— Вполне.

Чеченцы оставили в подвале Вагика, а сами поехали организовывать машины для перевозки оборудования, бумаги, краски и прочего, подыскивать помещение для работы. Бухгалтер уехал с ними, а телохранитель его остался.

Вагику предложили чай или кофе. Он предпочел кофе и через пять минут спал непробудным сном. Его уложили в комнатке, крепко заперли.

Володя побежал вставлять в ризограф новые купюры (из нехитрого аппарата вылезали вставленные туда заранее самые настоящие деньги, которые с успехом и выдавались за фальшивые). Прибежал охранник.

— Чип, там Нина Николаевна.

— За час успеем? — спросил Чип телохранителя Бухгалтера.

— Должны, — ответил Сынок.

— Впусти, — кивнул Чип охраннику.

Вошли пятеро угрюмых азербайджанцев и одна подвижная дама, которая тут же обратилась к Чипу:

— Володя, я, как обещала. За списочком. Вы приготовили?

— У вас система Бэ Цэ двенадцать-двенадцать?

— Нет, у нас Игрек Бета двадцать четыре-ноль семь.

— А да... Бэ Цэ — это документы. У вас, кажется, посложнее что-то.

— Посложнее, — хитро улыбнулась дама и подмигнула азербайджанцам.

— Пройдемте.

— Так, господа, деньги, надеюсь, при себе? — обернулась к азербайджанцам дама. — Если мы только на экскурсию, то нечего людей и беспокоить. Они и так всего боятся.

И новая компания пошла смотреть, как из ризографа вылезают «фальшивые» купюры.

Всего таких падких до легкой наживы компаний в этот день побывало в подвальчике аж пять.

Глава 41
ЧИСТОПЛЮЙ

Гордеев привычно прислонил карточку к электромагнитному датчику и вошел в офис. «Эрикссон» впустил адвоката, как всегда обдав его запахом ксерокса и озона. Сослуживцы, не отрывая седалищ от сидений, приветствовали его, блестя лысинами и очками. Прошуршала ресепшионистка со следами неопределенного торжества в лице. За столом Ирины Пастуховой сидела новая девушка — низенькая, коротконогая, уродливой и добродетельной наружности, кажется, ирландка. По офису уже ползли слухи о крахе Пастуховой — кто-то, оказывается, видел ее в «Патруле», кого-то вызывали к следователю, и, разумеется, добрые вести не лежат на месте — девяносто процентов офиса были уже в курсе событий. В то же время — странно — были люди, которые пребывали в полнейшем неведении. Во-первых, это были честные служаки, не завязавшие приятельских контактов с сотрудниками, а оттого лишенные информаторов. Во-вторых — иностранцы. Гордеев был убежден, что Владимир Дмитриевич, самодовольно склонивший сытую физиономию над бумагами, был не осведомлен о повороте в судьбе своей бывшей подчиненной. В тайниках души Гордеев надеялся, что когда-нибудь Ирина освободится от заточения и победно вернется в «Эрикссон». Как бы то ни было, Юрий Петрович был мечтателем, но мечтателем трезвым. Даже если ему и удастся выпутать Ирину, он понимал, что она вряд ли вернется в «Эрикссон», ставший для нее символом зла и клеветы.

К сожалению, полностью отдаться раздумьям об Ирине, о том, как помочь ей, у Юрия Петровича не было возможности. Толчея разных дел — вздорных, пустых — занимала немалую часть его времени. Второе место после

Ирининого дела занимало дело депутата Кобрина, с которым еще предстояло повозиться. Надо заметить, что депутат проявлял все большую и большую активность, все большее любопытство о том, как движутся его дела, — это и понятно, Аркадий Самойлович был человек нервный, не выносящий и малого дискомфорта в своей полной благ жизни государственного деятеля. Статья в «Новом экспрессе», очевидно, была не так уж безобидна, и развернутая газетой кампания уже получила огласку. Во всяком случае, волнение Аркадия Самойловича возрастало день ото·дня.

Едва расположившись за рабочим столом, Гордеев был как раз отвлечен от дел звонком депутата. В голосе Кобрина слышалась начальственная значительность и некоторое превосходство, из чего Юрий Петрович заключил, что Кобрин разговаривает на чужом слуху.

— Юрий Петрович? — высоким поставленным голосом воззвал Кобрин в трубке.

— Да, Аркадий Самойлович.

— Меня интересует, насколько вы продвинулись в деле? Как долго мне еще ходить оклеветанным?

Кобрин делал попытку говорить иронически, но чувствовалось, что он волнуется.

— Пока нечем вас порадовать, — отозвался Гордеев. — Я встретился с редактором. Мне было показалось, что он готов пойти на уступки, но, кажется, пока еще не время. Я пробовал говорить с ним о вариантах договора, но он ни в какую. Кажется, он предпочитает роль обличителя.

— О каком обличении вы говорите? — возмутился собеседник. — Мы можем говорить только о факте безоглядной клеветы, о возмутительной провокации...

Гордеев укрепился в подозрении, что рядом с Кобриным кто-то есть, возможно, не близкий к делу, но все же не посторонний. Оставалось недоумевать, почему Кобрин выбрал для звонка такое неудачное время.

— Конечно, — тускло согласился Гордеев, — мы с вами понимаем, что редакция не права, но так или иначе мне дали понять, что располагают убедительными документами о вашей причастности... Я еще не пробовал говорить о возможности компенсации...

— Вот! — гневно прервал его Кобрин. — Вот она, человеческая природа, они не знают, что им предпочесть —

быть им тщеславными или жадными! Все эти народные обличители на одно лицо — либо продаются за деньги, либо за почести!

Гордеев про себя подумал, что и Аркадий Самойлович немногим отличается от своих недругов, но, как вежливый человек, конечно же промолчал.

— Я не знаю, что может сделать честный человек, сталкиваясь с узкоэгоистическими интересами определенной группы писак...

Кобрин вышел на привычную риторическую тропу и приготовился долго и с упоением говорить.

— Аркадий Самойлович, — остановил его Гордеев, — мне кажется, что вы несколько стеснены в разговоре. Может быть, нам было бы удобнее встретиться?

— Да, да, — согласился порывисто Кобрин, — именно встретиться. Конечно, такие темы не обсуждаются по телефону. Но вы знаете, Юрий Петрович, что я весьма занят. Клянусь, у меня нет и мига свободного. Как ни возвышенно это звучит, за мной интересы российских граждан — моих избирателей...

— Кажется, я мог бы с вами встретиться после обеда, около часу, — сказал Гордеев, листая ежедневник.

— Да, да, после часу. Я согласен. Где?

— Или нет, — сделав пометку в записях, продолжил Гордеев, — вернее всего, в два. Да, в два я могу быть точно, без опоздания.

— Да, да, — все очевиднее волнуясь, промолвил занятой депутат, — в два. Я отменю кое-какие дела.

— А лучше всего в четыре, — заключил Гордеев, припомнив необходимость быть на сегодняшнем брифинге в «Эрикссоне». Да, в четыре.

— Хорошо, хорошо, — соглашался на все готовый Кобрин, — в четыре так в четыре. Ах, эта нелепица, ерунда меня необыкновенно раздражает. Вместо того чтобы думать о важных делах, приходится копаться в грязи. Это так противно, это так низко...

Кажется, Кобрин совсем заврался. Гордеев уговорился встретиться с депутатом в четыре часа на его территории, в здании Государственной думы.

Гордеев привык не раздражаться на своих клиентов. Некогда у него был приятель — психиатр. Гордеев навестил друга, и тот, желая показать молодому юристу быт и нравы психиатрической клиники, повел его по коридору между палат. Среди неброских картин безумия (отделение было для тихих) Юрию Петровичу запомнилась одна — из палаты выбежал всклокоченный маленький человечек средних лет и, указывая на друга-врача пальцем, закричал: «Дурак, дурак, глядите, дурак!» Психиатр, интеллигентный человек, любитель немецкой философии, сам житейский философ, вдруг побагровел лицом и заорал на пациента: «Сам дурак!» Кажется, именно тогда у Гордеева возникло убеждение в том, что задача истинного профессионала — парить над пустыми амбициями этого мира, не позволяя увлечь себя тщеславию и гневу. Как ни раздражал его Кобрин со своим бесконечным лживым гражданским пафосом, Гордеев помнил, что Кобрин его клиент, возможно, действительно неплохой человек на своем месте. Потом, Кобрин платил ему (Гордеев вздохнул), а профессия адвоката предполагает необходимость становиться на субъективную точку зрения. По сути дела, адвокату платят не за то, чтобы он дознался истины, а за то, что он видит дело с той стороны, с какой хотелось бы клиенту. Ну, например: негодяй-племянник захочет отсудить у совершенно правой и добродетельной тетки большие деньги. Он платит знаменитому адвокату немалую, хотя и меньшую, сумму, и дело выиграно! И все и в зале и в печати готовы будут признать — гениальный адвокат. Разумеется, Гордеев избегал дел подобного толка. Но за годы адвокатской практики он убедился совершенно, что абсолютно невинных людей не существует, что в конечном итоге любое возмездие, в какой бы форме оно ни настигло человека, можно рассматривать как заслуженную кару судьбы. Всякий невинный сам в себе, как любой человек, носил вину — пусть не выявленную. Но и сам Гордеев был человеком. И он понимал, что достаточно лишь поменять точку зрения, чтобы увидеть мир совсем иным, с совсем другими представлениями о добре и зле, о темном и светлом. Примечательно, что всякий наш поступок мы для себя можем объяснить и оправдать, внутренне смириться с ним, во всяком случае, или, даже жестоко казнясь своим проступком, тем не менее жить, не питаясь тюремной баландой и не накладывая на себя руки. Иными словами, мы ведем себя как психологи, рассматривая собственную душу такой, какая она есть. Если же нам доводится прослышать про тяжкие преступления других людей, даже не про тяжкие — просто про

241

необычное поведение или про обычные грешки, мы меняем точку зрения. Психология забывается, и ее место заступает этика, то есть наука о человеке, каким он должен быть. И разумеется, реальный человек оказывается несказанно меньше нравственного идеала, созданного общественными представлениями, и подлежит осуждению. Вряд ли кому-то из нас захочется оправдать маньяка и насильника фактом его тяжелого детства, психической травмы, разрушившей его личность. Мы видим только следствие этой травмы и судим не причину, а следствие. Так мы и не адвокаты. В обязанности квалифицированного адвоката входит проникнуть в мир своего клиента, обнаружить в нем ту опору, с которой мир увидится его глазами, и убедить общественность в том, что подследственный — такой же член общества, как и все.

Эти философские размышления занимали довольно небольшую долю в сознании Гордеева. Каналы его мысли были заполнены текущими делами разного рода. Кажется, он параллельно думал и о Кобрине, и об Ирине, и о брифинге в «Эрикссоне» и наружно при этом оставался спокойным и грустным человеком.

Отлучившись с работы (у Гордеева был прием в консультации, но он попросил коллегу его заменить), адвокат направился к зданию Госдумы. Ему удалось припарковаться в переулке прямо напротив здания Думы.

Юрий Петрович поднялся на указанный этаж в кабинет Кобрина.

Депутат ждал Гордеева в кресле, нервно скрестив пухлые ноги.

— Ну что? — спросил парламентский деятель.

Вопрос этот был бессмысленным, но нуждался в ответе. Гордеев присел рядом и размеренным, утешающим голосом изложил последние события.

— Вот так вот, Аркадий Самойлович, — подытожил он, — из встречи с юрисконсультом газеты я вынес только одно. У редакции есть пакет документов, на их взгляд, не подлежащих сомнению в подлинности. Договориться они не хотят.

— Как то есть не хотят? — возопил Кобрин. — Значит, обозначьте им такие условия, чтобы они не могли отказаться.

Гордеев вздохнул.

— Аркадий Самойлович, вы мне не дали таких широких полномочий.

Кобрин насупленно замолчал.

— Ну ладно, — сказал он мрачно, — чего они хотят?

— Я не знаю. Не похоже, чтобы они готовы были на торг.

— Все готовы на торг! — закричал друг народа. — Это вопрос суммы. Есть такие деньги, против которых никто не может устоять. Есть деньги, которые сломают любую порядочность, а вы говорите — неспособны на торг! Глупости.

— Вам виднее, — сухо вставил Гордеев.

— Да, Юрий Петрович! — взвился депутат. — Да, мне виднее! Я на своем месте повидал немало, смею вас уверить. Очень немало, — он погрозил в пространство жирным пальцем. — И будьте уверены, Юрий Петрович, не встретил еще человека, который не назвал бы точную сумму, за которую его можно было бы купить. Точную, Юрий Петрович! Разумеется, в случае торгов цены будут завышены, чтобы потом сбавить на треть и ударить по рукам. У каждого есть свой прейскурант. Каждый вам назовет цену за мелкую пакость, за клевету, за лжесвидетельство, за кражу. Даже за убийство.

Гордеев посмотрел на депутата. Кобрин ответно метнул злобный взгляд из-под нахмуренных бровей. Его мясистый, зарозовевший лоб покрыла испарина, на крыльях носа обозначились капли пота.

— Да, убийство, — перевел дыхание Кобрин.

— Как странно, — сказал Гордеев, — как раз сегодня я сказал, что такими вещами не занимаюсь.

— Не верю, Юрий Петрович. Хотя и не хочу вас обижать — скажу: не верю.

Гордеев с унынием наблюдал этого перепуганного и исходящего желчью человека. Как все-таки значимо простое, мещанское спокойствие, простое благополучие. Еще недавно этот большой, самоуверенный человек, видимо, искренне считал, что он является опорой государственности, морали, а теперь злобно выкрикивал аморальные лозунги и призывал мироздание в свидетели своей правоты. Гордееву захотелось свернуть этот разговор, и он просто сказал:

— О чем я могу с ними договариваться?

Кобрин отдышался.

— Для того чтобы вернуть доброе имя, я готов поступиться многим. У меня достаточно средств, чтобы восстановить справедливость — во всяком случае, в частном вопросе. Я попросил бы вас прояснить конъюнктуру. Я любезно прошу вас немедленно — немедленно, Юрий Петрович, — отправиться в редакцию. Дело не терпит отлагательства. Если они заводят разговор о суде, значит, они ждут суда. Они хотят дешевой сенсации, раздавив меня. Не выйдет! — опять грозно и со страхом в то же время потряс он пальцем. — Я уже сказал, Юрий Петрович, что для своего имени я не жалею денег. Можете торговаться в пределах ста тысяч. Долларов.

Их глаза встретились.

«Откуда у вас такие деньги?» — спрашивал взгляд Гордеева.

«Вам должно быть известно только то, что они у меня есть», — отвечали ему кобринские глаза.

— Я торговаться не буду, — с достоинством сказал Гордеев. — Я только узнаю, возможен ли такой вариант разрешения конфликта. Если возможен только такой вариант — мне придется с вами раскланяться, Аркадий Самойлович. Этим могут заняться люди и с меньшей квалификацией. Но во всяком случае, я позвоню вам немедленно, как только получу ответ.

— Чистоплюй, — прошипел Кобрин, когда за Гордеевым закрылась дверь.

Глава 42

МИГРАНТЫ

— ...Хрюша, Степашка, Каркуша, Чебурашка, Гена, Карлсон, Лейла, Фатима, Зухра, Хафиза, Зульфия, Фарида, Зарина, Гюльчатай... Гюльчатай! Где Гюльчатай?!

Гюльчатай в строю опять не было. Сынок выругался про себя и пошел искать этого косоглазого придурка. Исмаил построил остальных и приказал грузиться в вагон.

Гюльчатай сидел в кустах неподалеку и с неподдельным интересом рассматривал молодого воробушка, только что вылетевшего из гнезда. Воробушек с не меньшим интересом рассматривал круглую желтую физиономию Гюльчатая.

— Ты чего тут делаешь?! — Сынок толкнул парня в спину, отчего тот чуть не упал. Воробушек испугался и перепорхнул на ближайшее дерево.

— Я руськи не понимай, извинэт, больси не будай, Гульсатай тут, — залепетал мальчишка, вскочив на ноги.

— А я по-вашему не понимай! — ругнулся Сынок. — Марш в вагон. У себя, блин, всех воробьев поели, теперь на наших насмотреться не могут.

Запрыгнув в вагон последним, уже когда состав лязгнул стыками, Сынок закрыл тяжелую деревянную дверь. Состав начал набирать ход.

— Ну что, накатим? — Исмаил достал из сумки флягу со спиртом и кружку.

— Попозже. — Сынок залез на штабель ящиков под самый потолок, к окошку. — Как только границу переедем.

— Ну как знаешь, — пожал плечами Исмаил и сунул флягу обратно. — Эй, желтопузые, сплясали бы хоть, что ли.

Желтопузыми были вьетнамцы. Или кампучийцы, кто их разберет. Кажется, там были и те и другие. Но и те и другие были незаконными эмигрантами. Правдами и неправдами они пересекали несколько границ, на товарных поездах, на баржах с углем, на электричках, на попутках, просто пешком добирались до Москвы, чтоб оттуда через Украину, через Белоруссию, через Польшу попасть в Западную Европу, чтобы там, вдали от голодной родины, найти хоть какую-нибудь работу, которая сможет прокормить их и их многочисленные семейства, оставшиеся дома.

Этот желтый ручеек потек с Востока на Запад, как только границы России стали прозрачными и дырявыми. И течение этого ручейка от Амура до самой Вислы было поделено на участки. На каждом участке действовали проводники, которые предоставляли младшим братьям «крышу», провозили их через милицейские кордоны, через границу, если она была на участке проводника, устраивали им ночлег и кормежку на стоянках. Все это делалось, естественно, не из чувства интернациональной солидарности. За все брались деньги, причем чем сложнее был участок, тем большая сумма.

Участок Москва — Гомель был самым сложным, поэтому и стоил он по пятьсот долларов с носа. «С носика», — как сказала Мата, когда предложила Сынку и Исмаилу прокатиться туда и обратно. Ну и они, естественно, согласились. Им причиталась половина суммы плюс комиссионные за доставку людей оттуда. Оттуда они тоже должны были привезти народ. Не ехать же порожняком. Но до Белоруссии надо было еще доехать. А пока они сопровождали восемьдесят перепуганных, вечно настороженных азиатов. Поначалу их было восемьдесят пять, но пятерых повязали еще где-то под Астраханью. Так, по крайней мере, сказал предыдущий проводник.

В сумке Сынок вез восемьдесят паспортов. Во всех паспортах была одна и та же фотография и одно имя — Ман Ли. Мужчине на фотографии было лет пятьдесят, хотя никому из группы не было больше тридцати. Эти эмигранты наивно полагали, что все азиаты для европейцев на одно лицо, а поскольку имя Ли самое распространенное в Китае, то с них и взятки гладки. Когда Сынок с Исмаилом решили выяснить, как же звать этих узкоглазых на самом деле, имена их оказались трудноотличимыми друг от друга — Сям, Нам, Вам, Люм, Нгуэн и так далее. Поэтому Сынок, не задумываясь, на время следования дал каждому из них другое имя. Те запомнили и даже могли повторить каждый свое.

Поездка предполагалась длительная, но не очень опасная. Было у нее две цели. Задание от Маты, которая, как теперь понимал Сынок, курировала именно эмигрантский бизнес, они получили, во-первых, как расторопные, проверенные и трудолюбивые члены братства, а во-вторых, задание предполагало долгое отсутствие в Москве, что делалось в целях безопасности. После аферы с фальшивомонетчиками по столице рыскали обманутые чеченские, азербайджанские, грузинские, даже латышские мафиозные ищейки. Не дай бог кто-нибудь попался бы им на глаза.

Дело готовилось долго и тщательно, проваливать его теперь, когда сгребли с олухов-бандитов около четырех миллионов долларов, было глупостью.

Сынок не присутствовал в начале операции, но ее конец он видел сам, сам принимал в нем участие.

Бухгалтер, которого он сопровождал в последние дни, и был тем самым Каэсом. Они раскручивали чеченцев. Мата раскручивала азербайджанцев. Зиг дурил латышей, а Дон — грузин. В контору Чипа доверчивых и жадных бандитов привели в один день, в тот самый. Тогда же все и рассчитались. А уже через полчаса, когда из подвальчика на территории МГУ уехали азербайджанцы, все оборудование было вывезено в монастырь, все «фальшивомонетчики» как сквозь землю провалились. Сынок сам помогал грузить все более или менее ценное в машину. Приехавшие за компьютерами и станками посланцы бандитов нашли только беспробудно спящих своих полномочных представителей, которые все никак не могли проснуться, а тем более объяснить, куда девался подпольный магазинчик.

Самое сложное было — скрыться «фальшивомонетчикам». Но уйти смогли все. Как рассказал Каэс, он просто вышел в туалет. И не вернулся...

— Ну как там, снаружи? — спросил Исмаил у Сынка, не перестававшего смотреть в окно.

— Никак, — пожал плечами Сынок. — Дорога и дорога.

— А че ж ты тогда пялишься? Слезай, дерябнем.

— Не хочу. — Сынок продолжал смотреть в окно на плывущие мимо березки. — Уже этот спирт в глотку не лезет.

— А чего ж ты хочешь? Шампанского?

— Бабу хочу, — вздохнул Сынок.

— А вон их сколько, желтопопеньких! — Рассмеялся Исмаил. — Выбирай любую. Зухра, Зульфия, Лейла, Фарида...

Вьетнамцы, услышав свои новые имена, оживились, зашевелились, защебетали что-то на своем птичьем наречии.

— Да нет, спасибо. — Сынок слез с ящиков и прыгнул на свою лежанку в конце вагона. — Я посплю часика четыре, а ты посторожи пока. Добро? Разбудишь, когда к границе подъедем.

Это была уже вторая граница. Первая была русско-украинская, вторая украинско-белорусская. И на той и на другой границах больше всего свирепствовали хохлы, не наигравшиеся еще в самостийность. Русским пограничникам было абсолютно все равно, они даже не стали заглядывать в вагон. А вот хохлы на прошлой границе, в Конотопе, шмонали прилично. Пришлось несколько раз под поездом, между колесами, переползать всем кагалом из вагона в вагон, а потом еще четыре часа, до конца следующего перегона, толкаться в одном вагоне со свиньями.

Зато теперь они оккупировали почти порожний товарный вагон, в котором везли только несколько десятков ящиков с какими-то железяками. И вагон этот шел как раз в Гомель, так что если повезет на границе, то можно будет доехать до самого конца без пересадок.

Вьетнамцы, как только влезли в вагон, тут же бросились потрошить ящики, облепив их как саранча. Только когда Исмаил набил одному морду, остальные утихомирились. Они вообще только и смотрели, что где стянуть. С ними даже спать приходилось по очереди, чтобы не обобрали до ниточки. Исмаил их за это готов был задушить, совсем забыв, что всего несколько месяцев назад он и сам был готов не только обокрасть, но и прирезать за пару медяков. Сынок относился к вьетнамцам гораздо спокойнее.

— А чего? Мне заплатили, я и везу. А что дикие, так что с них возьмешь? Мартышки — они и есть мартышки.

И вот сейчас Сынок мирно храпел на лежаке, а Исмаил вынужден был сидеть и таращиться на этих косоглазых. От этого разбирала такая злость, что аж скулы сводило. Хотелось встать и хорошенько отметелить хоть одного. Ну хотя бы того, лопоухого, Гюльчатая. Он ведь, зараза, все время отстает, теряется, с ним одна морока.

— Эй ты, Гюльчатай, иди сюда! — крикнул ему Исмаил и поманил пальцем.

Гюльчатай не шевельнулся, хотя понимал, что зовут именно его.

— Иди сюда, я сказал, поганка желтявая! — еще громче приказал Исмаил.

Гюльчатай идти не хотел. Но остальные выпихнули его из угла и подтолкнули к Исмаилу. Знали, хитрюги, что проводника лучше не злить — проводник на время дороги заменял им и папу, и маму, и божество, которому они поклонялись.

И вот парень стоял перед Исмаилом, трясясь как осиновый лист. Бить его просто так, ни за что, было как-то неловко, неблагородно. Поэтому Исмаил кивнул ему на пустой ящик рядом с собой.

— Садись, обезьянка, в ногах правды нет.

Паренек послушно сел.

— Ну что, Гюльчатай, расскажи мне, как вы там в

своем Вьетнаме живете? Почему до сих пор, козлы такие, демократию не сделали?

— Гульсатай тут, больси не будай, я руськи не понимай, извинэт, — пробормотал парнишка слова, смысл которых сам вряд ли понимал.

— Ладно, ладно, не пугайся. — Исмаил похлопал Гюльчатая по колену. — Я тебя не обижу. Выпить хочешь?

Достав из сумки флягу со спиртом, он отвинтил крышку и плеснул немного в железную кружку.

— На, выпей за мое здоровье. — Он протянул кружку вьетнамцу.

Паренек заулыбался, начал что-то щебетать, все время кланяясь, но кружку взять отказался.

— Ты что, за мое здоровье пить не хочешь? — Исмаил нахмурился. — Нехорошо. А ну давай, пей, а не то через жопу закачаю.

Паренек начал было снова отказываться, но кто-то из угла крикнул ему что-то на своем языке, и лопоухий осторожно взял кружку.

— Ты давай, не бойся. — Исмаил плеснул в пластиковый стаканчик и выпил залпом. — Вот видишь, это не отрава какая-нибудь. Чистый спиритус вини.

Увидев, что проводник выпил из фляги, лопоухий немного успокоился. Сначала понюхал аккуратно, а потом сделал глоток. Но спирт, наверное, просто обжег все его внутренности, потому что бедняга закашлялся, глаза его наполнились слезами, а лицо из желтого превратилось в багровое.

— Что, крепка советская власть?! — захохотал Исмаил. — Это вам не Рембов по джунглям ловить. На, выпей еще!

Исмаил плеснул в кружку еще спирта. Но паренек наотрез отказался пить. А когда Исмаил попытался заставить его силой, тот просто зарылся лицом в колени и так и сидел.

— Эй, Гюльчатай, — начал упрашивать Исмаил, — открой личико. Ну открой, ну чего тебе стоит... Открой, сука, я сказал!

Злость наконец достигла нужного градуса. Исмаил вскочил на ноги и со всей силой ударил паренька ногой. Тот отлетел к стенке, быстро перевернулся на живот и закрыл голову руками. Видно, уже кое-какой опыт подобного обращения у него имелся.

Это еще больше взбесило Исмаила. Подскочив к пареньку, он попытался перевернуть его на спину, а когда это не получилось, принялся жестоко лупить.

Исмаил разошелся до того, что даже не заметил, как несколько вьетнамцев в углу закопошились, о чем-то громко говоря между собой. Опомнился он только тогда, когда на спину к нему запрыгнули два человека сразу.

— Вы что, мартышки, совсем одурели?! — заорал Исмаил, но еще двое бросились ему под ноги, и он грохнулся на пол.

Вьетнамцы облепили Исмаила со всех сторон. Он пробовал позвать на помощь, но ему заткнули рот, на глаза накинули какую-то тряпку и начали колотить руками и ногами. Он ревел, как раненый медведь, рвался изо всех сил, пытаясь высвободиться, но у него ничего не получалось.

И вдруг все прекратилось. Все сразу слезли с него и куда-то исчезли.

— Ну, козлы, держитесь! — Исмаил скинул с лица тряпку, вынул кляп и огляделся по сторонам. И сразу понял, почему его перестали бить.

Посреди вагона стоял Сынок и держал за шкирку Чебурашку, оторвав его от земли. Чебурашка висел в воздухе, перепуганно таращил глаза на Сынка и смешно болтал ногами.

— Чего тут за куча мала? — спросил Сынок, глянув на Исмаила. — Такую возню, блин, устроили, что я проснулся.

— Суки, козлы, да я их!.. — Исмаил вскочил на ноги, но тут же полетел обратно на пол, потому что состав дернулся несколько раз и начал тормозить.

— Ты с ними потом разберешься. — Сынок отпустил вьетнамца, и тот быстренько ретировался в угол. — А сейчас таможня. Так что все сидим и не пикаем. Вы все поняли? — Сынок обернулся и грозно посмотрел на вьетнамцев. — Сидите тише воды, ниже травы, как мышки-норушки. Ясно?

Те дружно закивали. Язык предостережений — он язык международный.

— Вот и хорошо. — Сынок тихонько сел в угол. — Глядишь, и пронесет.

Но их не пронесло. Через час стояния дверь в вагон с грохотом распахнулась, и внутрь вагона влез таможенник с сопровождающим. Поначалу он ничего не заметил, кроме ящиков с железяками, которые и были в накладных. Сделав пометку у себя в журнале, таможенник уже хотел выпрыгнуть из вагона, но вдруг увидел на полу кружку, ту самую, из которой Исмаил хотел напоить Гюльчатая. Подняв кружку, таможенник понюхал ее содержимое, и глаза его тут же радостно заблестели.

— Ладно, выходь, нэ ховайтэся! — крикнул он, хлопнув в ладоши. — Я знаю, шо вы тут!

С первого раза его никто не послушался.

— Шо, нэ хочэмо выходыты? То я зараз милицию поклычу! — пригрозил таможенник. — Клыкаты, чи сами выйдэтэ?

— Сами... — Из-за ящиков осторожно выглянул Сынок. — Выходи, ребята.

И из всех углов на свет божий стали выползать вьетнамцы.

— Ну шо, хлопци, що будэмо з вамы робыты? — радостно потирая руки, поинтересовался таможенник.

— Не надо ничего с нами делать, — попросил Сынок, копаясь в кармане. — Отпустите нас, дядя.

— Як це так, видпустыты? — таможенник напряженно следил за рукой Сынка. — Я так нэ можу. В ных хоч паспорты е?

— Есть! — радостно воскликнул Сынок и протянул ему паспорта. В верхнем лежало две стодолларовые купюры.

Таможенник очень деловито сунул деньги в карман.

— Так, Ман Ли. — Он посмотрел на фотографию и протянул паспорт одному из вьетнамцев. — А це у нас хто? Ман Ли, ага. То напевно ты. А тебе як зваты? Ман Ли. Ты дывысь, яке цикаве имя. Того як зваты, дай вгадаю? Ман Ли. Ой, то напевно нэ твий паспорт, а його. Ну точно, на него бильше походыть...

Проверив все паспорта, что заняло почти час времени, таможенник заглянул в последний, вдруг возмущенно посмотрел на Сынка и воскликнул:

— О-о, ни, так нэ годыться! Я зову милицию!

Сказав это, он выпрыгнул из вагона.

— Эй, ты чего? — Сынок соскочил на землю и бросился за ним. — Да погоди ты!

Догнал он его уже у конца состава.

— Ты чего, что случилось?

— Як, шо случилось? Як, шо случилось?! — Таможенник выхватил из кармана сотенные купюры и замахал ими перед глазами Сынка. — А цэ шо такое?

— Как что? — удивленно пробормотал Сынок. — Доллары. Слушай, может тебе мало?

— Мэни мало?! — возмущенно воскликнул таможенник, — Мэни мало?! Та мэни за державу обидно!

— В каком смысле? — Не понял Сынок.

— Мэни, украинскому пограничнику, всего двисти долларив дають.

— А сколько хочешь? — Сынок улыбнулся.

— Я скильки хочу? — таможенник надулся от чувства собственной важности.

— Да, сколько ты хочешь? — Сынок еле сдерживал улыбку.

Таможенник презрительно посмотрел на Сынка и гордо ответил:

— Триста!..

Через две минуты Сынок уже влезал в вагон. Вьетнамцы так и стояли на своих местах, как статуэтки.

— Ну что? — робко поинтересовался Исмаил, от страха уже совсем забывший о том, что минут пять назад хотел этих кампучийцев разорвать на куски и скормить собакам.

Сынок закрыл за собой дверь, сел, вынул сигарету и закурил.

— Все нормально, едем дальше, — сказал он, с наслаждением затягиваясь. — Таможня дает добро...

Через три дня они были уже в Гомеле. Прибыли рано утром, часа в четыре. На сортировочной азиатов уже ждал новый проводник, дедушка Тарас, старый партизан, который еще в Отечественную водил отряды лесными тропами.

— Ну как доехали? — спросил он у Сынка, в котором с первого взгляда безошибочно угадал старшего.

— Нормально, — улыбнулся тот. — Теперь твоя граница осталась.

— Та какая там граница... — махнул костлявой рукой дедушка Тарас. — Три дня лесом — и мы в Польше.

— Ну тогда принимай, дед. — Сынок кивнул на строй вьетнамцев. — Восемьдесят человек. Хрюша, Степашка, Каркуша, Чебурашка, Гена, Карлсон, Лейла, Фатима,

Зухра, Хафиза, Зульфия, Фарида, Зарина, Гюльчатай...
Гюльчатай! Где Гюльчатай?!

Гюльчатай был за ближайшим кустиком. Сидел и с интересом наблюдал, как паучок, быстро и ловко перебирая лапками, плетет свою паутинку...

Глава 43

ЗАКОН И СИЛА

На залитой вечернем солнцем улице при входе в редакцию «Нового экспресса» сидели двое нищих: один того неопределенного возраста, какой имеют все бомжи, возможно, если бы не грязь и лохмотья, он оказался бы ровесником Гордеева. Этот нищий сидел, вытянув вздувшуюся, в закатанной по колено штанине ногу, покрытую язвами рожистого воспаления. С ним рядом на корточках сидел молодой парень в засаленной псевдоафганской форме, раскуривая папиросу.

— Подайте на хлебушек, — прохрипел старший по привычке, без особого расчета чего-либо добиться, и, отвернувшись к товарищу, продолжил начатый ранее разговор. Гордеев вошел в парадное и, объяснившись на входе со старухой вахтершей, поднялся на второй этаж. К его удаче Довжик сидел в кабинете и, кажется, не был особенно занят.

— Я опять по поводу Кобрина, — сообщил Гордеев после обычных приветствий.

— А, ну-ну. Он еще на что-то рассчитывает? — осведомился с иронией коллега. — Боюсь, ему не светит.

— Это ты уже говорил, — кивнул понимающе Гордеев. — Но ты понимаешь, я существо подневольное.

— Если твои неудачи тоже оплачиваются, можешь ему смело сказать, без обиняков, что кампания против него продолжится.

— Так они все-таки решили довести дело до суда?

— Зачем «они»? Это сделает твой Кобрин. Не может же он оставить без опровержения нашу, как ему нравится говорить, «клевету». Вот пускай и отдувается. Так что, низкий поклон Думе.

Гордеев покивал в такт его словам.

— Послушай, — начал он приготовленную речь. —

Этот Кобрин только что меня напутствовал самыми горячими словами. Как ты считаешь, невозможны никакие варианты компромисса?

— Ну а какой тут может быть компромисс?

— Ну а какой тут может быть компромисс? — повторил вопрос Володьки Гордеев.

— Даже так? — присвистнул Довжик. — А что разумное ты уполномочен нам предложить?

— Деньги, — тихо сказал Гордеев и покраснел. Впрочем, коллега этого не заметил.

— Ну что за варварство. Если бы нужны были деньги, то этот материал до прессы не дошел бы. Твой Кобрин раскошелился бы как миленький, сейчас бы ходил счастливый.

— Да, но с шантажом можно было и нарваться. Кроме того, выкупить документы тогда и сейчас — это уже разные деньги. Судя по всему, он готов раскошелиться не скупясь.

— Но Юрка, — поморщился Довжик, — о чем ты говоришь. Сейчас дело приобрело оборот. Если вдруг редакция признается, что все это утка, то на газету упадет спрос — она и без того не преуспевает.

— Подожди, но, может быть, Кобрину придется платить не всем посвященным, а только одному, в чьем ведении конверт?

— Ты хочешь сказать — мне?

— Я не знал, что это ты.

— Правильно. А это и не я. Пакет у редактора, но я к нему имею доступ. Редактор в героических амбициях, ему слава дороже денег. Так что платить надо, конечно, мне.

— Но ведь ты не возьмешь?

— Правильно, не возьму. И ты бы не взял.

— Не взял бы, — вздохнул Гордеев.

— Потому что это опасно.

— Нет, потому что я — моральный урод.

— Да брось ты, Юра, — отмахнулся приятель. — Все эти словечки — мораль, нравы, все это осталось в прошлом веке. Кто сейчас говорит о морали? Ханжи и газеты. Наш редактор просто столько всего наплел про мораль, что, кажется, сам поверил в ее существование. А руку-то на сердце положа, он вовсе не моральный человек. Моралист — да. Но не моральный. В этом-то все и дело.

— Для того чтобы быть моралистом, не обязательно быть моральным.

— Правильно. Чтобы осуждать порок, достаточно знать, что такое порок. Что такое добродетель, можно дофантазировать от противного. Так что, если вернуться к твоему барану Кобрину и моему барану — редактору, то вряд ли возможны какие-то компромиссы. Очень жаль.

У сердца Гордеева раздались электронные сигналы.

— Прости, пожалуйста, — извинился Юрий Петрович и извлек мобильный телефон.

— Ну что, Юрий Петрович? Почему вы не звоните? — Кобрин вошел в состояние крайней нервозности, так что уже не мог больше сдерживаться. Его звонок вполне мог застать Гордеева в неподходящий момент конфиденциальной беседы.

— Твой? — спросил, закуривая, Довжик.

Гордеев кивнул.

— Очень жаль, Аркадий Самойлович, но наш вариант не встретил сочувствия.

— Это последнее их слово? — с трепетом спросил Кобрин.

— Да. Я сделал все, что мог, и не думаю, что кто-то сделает больше.

Зависла пауза. Видимо, Кобрин пытался проработать наскоро еще хоть какой-нибудь спасительный для своей репутации вариант, но воображение его дремало.

— Что же, — сказал он наконец медленно. — Если так, спасибо. Вы мне помогли. Во всяком случае, старались помочь. Если будут какие-либо перемены, немедленно звоните.

— Мне, право же, очень жаль.

— Прощайте.

Кобрин повесил трубку, Гордеев отключил мобильную связь.

— Ну что? Негодует? — спросил с улыбкой Володька.

— Нет, — махнул рукой Гордеев, — скорее, в грустях.

— Воровать не надо было.

— Легко сказать. Ты бы поработал государственным деятелем хоть месяцок, а потом бы говорил. Нет уж, видать, такая коварная профессия, что хочешь не хочешь, а приходится тащить, тащить и тащить...

— Несчастные, — посочувствовал Довжик.

С улицы донесся звон разбитого стекла.

— Что еще такое? — недовольно спросил сам у себя юрист, раздвигая жалюзи.

На улице стоял нищий, что-то объясняя, бессвязно крича, ему вторила вахтерша. Молодой в афганке стоял, сунув руки в карманы засаленных штанов. На мостовой валялись осколки оконного стекла.

— Вот сволочь — окно, что ли, разбил? — посетовал Довжик. — И без того газета сохнет, а тут еще стекло вставлять. Разорятся ведь, бедные.

— Что, правда бедные? — спросил Гордеев, оглядывая интерьер. Обстановка в кабинете была действительно не на высоком уровне.

— Как мыши церковные.

С улицы послышался рев сирен, и под окнами остановилось несколько машин. Одна машина была милицейская, привычная взгляду горожан, два джипа, насколько можно было судить сверху, были заполнены людьми — угол зрения не позволял видеть, кем именно. Кроме того, кортежу сопутствовал черный «ниссан», как можно предполагать, находящийся в частном владении.

— Это еще кто? — подивился Володька.

Из джипов один за другим стали выходить люди в хаки — по всей вероятности, ОМОН. Милиционер, покинувший свою «канарейку» прежде, задержался несколько секунд при входе, разговаривая со старухой. Затем омоновцы стали входить в здание. Последним вошел милиционер. Черный «ниссан» остался безучастным, его пассажиры, очевидно, не хотели участвовать в готовящейся акции. Послышался вновь звон разбитого стекла. Оба нищих, заинтересованно наблюдавшие происходящее с улицы, присели в радостном возбуждении, стараясь заглянуть в окна. Затем, видимо распознав в происходящем нечто для себя небезопасное, оба снялись с места и, переговариваясь на ходу, исчезли в переулках. Вновь послышался звон и возбужденные голоса. Старуха вахтерша, кутаясь в платок, выползла из двери и ускоренными шагами двинулась прочь от редакции.

— Кажется, какая-то заварушка, — беспокойно сказал Довжик, — что-то наши опять проштрафились.

По коридору пронесся топот бегущих ног в тяжелой обуви. Хлопнула дверь. Зависла тишина, которую вдруг прорезал женский гневный визг:

— Дармоеды, спиногрызы, захребетники! Куда вас

черт принес?! Здесь независимая газета, а не содом! Ты мне поухмыляешься, морда разбойная, — было адресовано кому-то конкретно.

— Ну, Петровна сейчас даст им жару, — с улыбкой сказал по-прежнему неспокойный коллега, — это уж такая натура — настоящая русская интеллигентка. Пламенная шестидесятница.

— Я вас каждого запомню, под вами земля гореть будет! — не унималась красноречивая Петровна. — Я вам дам просраться, жополизы советские...

Вдруг ее голос пресекся, словно Петровна внезапно чудесным образом исчезла вместе со своим неукротимым гневом. Предположить, что она успокоилась сама по себе, было вряд ли возможно. Гордееву стало неуютно.

— Слушай, — сказал Довжик, — кажется, там что-то серьезное.

— Пожалуй, я у тебя засиделся, — сказал Гордеев, — у вас тут, чувствую, сейчас будет не до меня.

— Нет, знаешь, ты, пожалуй, не уходи. Бог их разберет, что они там делают. Может быть, тебе, наоборот, лучше остаться. Понимаешь, могут понадобиться свидетели, так что гляди в оба. Как свидетель ты не хуже, чем как адвокат. Во всяком случае, знаешь, на что глядеть. Пойдем, выйдем, что ли.

Юристы открыли дверь и вышли в коридор. Мимо пронесся омоновец и забежал в дверь отдела кадров.

— От меня-то что надо? — донесся оттуда женский крик. — Редакция по коридору направо, здесь кадры!

Вслед за тем из комнаты вылетела, с сопроводительным, видимо, пинком, кадровичка, опять раздался звон и шелест бумаги. Из комнаты напротив, едва не задев женщину, вылетела тяжелая пишущая машинка «Мерседес» — древняя, сплошь из металла, похожая на паровоз. Она жалко звякнула звонком и осталась лежать на боку, кажется, не поврежденная — немцы умеют делать прочные вещи.

Оба приятеля было ринулись к отделу кадров, увидев отчаянное выражение лица женщины, но та, изломив брови, поначалу не в силах отвести взгляда от разгрома в заботливо сохраняемых и подновляемых ею бумагах, вдруг сама побежала к ним навстречу и, минуя их, вниз по лестнице.

— В редакцию. Срочно в редакцию, — сказал полушепотом Володька. Мужчины, переходя на рысь, добежали до конца коридора. В небольшой комнате, где ютилась редакция «Нового экспресса», было необычайно людно, пахло табаком и мужчинами. Преобладающим цветом был хаки. Петровна сидела в кресле, прижимая платок к набухавшему под глазом синяку.

— Ну что, глядите, господа юристы, на свободу печати? — мрачно буркнула она и отвернулась. В глазах у нее стояли слезы.

Омоновцы, в полном сознании правоты и нужности своего дела, вытряхивали на пол бумаги из шкафов, лишь изредка просматривая материал.

— Сказали бы, что нужно, — опять возвысила голос Петровна, — я бы, может, и сказала. Все поуродовали. Сами уроды и вокруг одно уродство.

— Заткнись, — коротко и без внимания к ее словам ответил омоновец.

— Редактор сбежал! — сообщил ворвавшийся молодой человек в хаки.

— Вот сука, — отозвался все тот же омоновец, открывая следующий шкаф.

— Он не сбежал, а выехал по делам. Кабы вы предупредили, что нагрянете, уроды, так он бы вам перцу под хвост насыпал. Он еще вам задаст.

— Ты уже раз в грызло схватила? — осведомился омоновец. — Еще хочешь?

Ошалевшие от неожиданной картины юристы стояли молча. Поняв наконец, что пора бы уже и вмешаться, защитник прав «Нового экспресса» обозначил свое присутствие.

— Здесь присутствуют представители милиции?

— Мы представители милиции, — отвечал омоновец.

— Я говорю о милиции. Вы, судя по всему, относитесь к другому подразделению МВД. Где основания для вашего вторжения?

— А ты кто такой, мудила? — спросил с вялым интересом омоновец.

— Я Владимир Довжик, юрисконсульт газеты. Отвечайте за свои слова. Все, что вы делаете и говорите, вы делаете при свидетелях. Ваши действия противозаконны. Здесь присутствует член Московской городской коллегии адвокатов Юрий Гордеев. Прекратите сейчас же и дайте объяснения, — сообщал Володька, но как-то тонкоголосо. Вид нескольких агрессивных и, видимо, очень сильных мужчин выводил щуплого законника из состояния душевного равновесия. Его душа негодовала, но поджилки тряслись вопреки его гневу и бесстрашным речам.

— Хлебальник закрой, — сухо отвечал омоновец, не отвлекаясь от своего дела.

— Я требую, если вы действуете от лица закона, чтобы вы предъявили санкционированное прокурором постановление об обыске! Если этого не произойдет сейчас же, я вызываю милицию! — закричал Довжик.

Омоновец быстро выхватил из-за пояса резиновую дубинку и ударил глашатая справедливости по голове. Тот закрыл лицо руками и тотчас пал наземь, поваленный ловким приемом. Юрий Петрович отшатнулся, пораженный стремительностью происходящего на его глазах.

— Отдыхай, — рекомендовал убивала.

Он развернулся к Гордееву.

— А ты что? — он посмотрел в глаза Юрию Петровичу своими холодными серыми глазами, в которых словно бы застыла садистская улыбка. — Ты кто?

— Я... — Юрию Петровичу захотелось тоже выкрикнуть что-то вроде: «Это противозаконно!» — но он понимал нецелесообразность полемики.

Тут же за лацканы его пиджака схватились руки, под голеностопы ударил солдатский башмак, и член Московской городской коллегии адвокатов улегся на пол лицом вниз. Видимо по инерции, омоновец еще дополнительно пнул его в подреберье. На уровне глаза у Юрия Петровича оказался проклепанный ботинок, тот самый, который только что едва не сокрушил ему ребра. Вся жизнь Гордеева пронеслась у него перед глазами.

— Дышите смирно, детки, — посоветовал омоновец.

В дверь ворвался еще кто-то.

— Кажется, нашли! — возбужденно сообщил вошедший. Омоновец, бывший, видимо, главным, взял из рук вошедшего какие-то документы.

— Не то, баран, — коротко отрезал он и кинул папку в груду на полу.

— Мы хотели демократии — и мы получили ее, — провещала со своего места Петровна, — мы хотели свободы печати, и вот она.

Перед глазами у Юрия Петровича, лежавшего в неудобной позе, был рассыпанный мусор и сигаретные окурки.

— Что такое? Что это? — спросил он у Володьки, мычавшего страдальчески рядом с ним. — Ты мне можешь объяснить?

— Спроси у своего депутата, — с попыткой издевки отвечал тот.

Глава 44

РАБСКИЙ РЫНОК

Приятно после вонючего товарного вагона влезть под горячий душ и стоять там, вместе со струями воды впитывая в себя ощущение того, что ты — цивилизованный человек. На ум сразу пришли строки из давно забытого детства про мыло душистое и полотенце пушистое, зубной порошок и густой гребешок. А если вспомнить, что на столе ждет не посиневшая куриная нога, а тарелка настоящего деревенского борща и графинчик лимонной водочки вместо спиртяги, то на душе становилось тепло и радостно.

Как следует надраив себя мочалкой и смыв с тела пышную пену, Сынок вылез из ванной, вытерся мохнатым махровым полотенцем и накинул на себя халат.

Исмаил спал. На чистой подушке, от которой еще пахло прачечной, на чистой хрустящей простыне. Прямо в грязной одежде. И это было противно.

Они сняли номер в гостинице всего на сутки, чтобы выспаться, привести себя в порядок и отдохнуть перед обратной дорогой. Исмаил, как только добрался до койки, сразу плюхнулся на нее и тут же отрубился. А Сынок сходил на почту, дал пару телеграмм, позвонил Мате и сказал, что завтра они двигают обратно.

— Вот и хорошо! — пропела низким голосом Мата. — Зайди в пятый автопарк. Там найдешь такого Василия Гака. Гак — это фамилия. Этот Гак в Москву фуру почти пустую погонит. Можете ехать вместе с ним, на дороге сэкономите. Если начнет ерепениться, скажи, что Мата просила напомнить про консервы.

— Про какие консервы? — не понял Сынок.

— Это неважно. Ты ему скажи, он все поймет. И чем

больше людей наберете, тем лучше. За каждого по полтиннику баксов плачу.

— А сколько в фуру влезет? — пошутил Сынок.

— Вот-вот. Столько мне и надо, — засмеялась Мата. — Ну ладно, пока.

— Пока.

К этому Василию Гаку Сынок хотел зайти сразу, но уж очень чесалось давно не мытое тело. Сынок даже начал побаиваться, не подцепил ли он от этих кампучийцев каких-нибудь насекомых. Но все вроде обошлось.

Помывшись и переодевшись во все чистое, Сынок сел за стол. Как же иногда человек может соскучиться по горячей пище!

— Эй, кабан! — крикнул он храпящему Исмаилу. — Пожрать нормальной еды не хочешь?

«Кабан» только промычал что-то в ответ, на секунду оторвав от подушки свою небритую заплывшую рожу.

— Ну как хочешь. — Сынок вывалил в борщ половину баночки сметаны и принялся за еду.

Исмаил проснулся только часа через три, когда Сынок собрался идти в автопарк.

— Ты куда? — спросил он, протерев глаза.

— По делам. — Сынок накинул на плечи куртку. — Часика через два вернусь.

— По каким еще делам? — Исмаил вскочил с кровати. — Я с тобой.

В последнее время он почему-то особенно боялся, что Сынок нагреет его с деньгами, поскольку все деньги были именно у Сынка.

— Да не бойся ты, я никуда не денусь. Мата велела в одно место зайти.

— А-а, ну тогда ладно. — Исмаил зевнул. — А я пока помоюсь.

— Давно пора. А то несет от тебя, как от осла. — Сынок вышел и закрыл дверь.

Василий Гак оказался длиннющим худым парнем лет двадцати пяти, он был такой конопатый, что из-за веснушек почти не было видно нормальной кожи. Сынок нашел его в бытовке, где он заколачивал козла с остальными водилами. Услышав, что к нему пришли от Маты, он явно не был обрадован.

— Чего надо? — спросил он, глянув на Сынка и скорчив кислую мину.

— Ты завтра в Москву фуру гонишь? — спросил Сынок.

— Ну, гоню.

— Порожняком ведь едешь?

— Ну, еду. — Вася сплюнул.

— Ну и не нукай, не запряг еще. Нас с собой возьмешь.

— Зачем? — спросил Вася.

— Затем, что нам тоже в Москву надо, — ответил Сынок.

— Всем надо. Я что, поезд, что ли?

— Но Мата сказала...

— Мало ли, что она тебе сказала! — Вася Гак смерил Сынка взглядом. — С чего это я должен вас везти?

— Мата просила напомнить тебе про консервы. — Сынок пустил в ход последнюю уловку.

— Про какие еще консервы? — насторожился Вася:

— Она сказала — ты сам знаешь.

— Не знаю я ни про какие консервы. И никого я везти не собираюсь.

— Так и передать? — вежливо поинтересовался Сынок.

Гак злобно зыркнул на Сынка:

— Завтра в половине седьмого утра я выезжаю. Опоздаете — ждать не буду.

— Заметано. — Сынок улыбнулся.

На следующий день в четверть седьмого Сынок с Исмаилом были уже в парке. Вася на этот раз был более приветлив. Всю дорогу до границы они с Исмаилом болтали о футболе. Сынок, будучи абсолютно равнодушным к этому непонятному для него виду спорта, мог спокойно дремать на специальном лежаке за сиденьями.

К границе подъехали часам к трем дня. За пятьсот метров до поста таможни Вася остановил машину.

— Значит так, это часа два займет, не меньше. Вы лучше идите вон по той тропинке, через лес. Следующая деревня будет километра через два. Называется Караси. Это уже Хохляндия. Там чайная есть. Вы идите туда, а я часа через два подъеду.

Подъехал он даже раньше. Сынок с Исмаилом быстро допили пиво и попрыгали в кабину.

— Ну что, теперь погнали до Жмеринки? — подмигнул Вася. — «Мексиканцев» вербовать.

— Погнали.

«Мексиканцами» называли нелегальных мигрантов из бывших союзных республик. Как вьетнамцы с кампучийцами стремились в Западную Европу за лучшей жизнью, так молдаване, белорусы, украинцы стремились в Москву, по старинке полагая, что именно в этом городе протекают все молочные реки с кисельными берегами. И если с Востока в Европу тек небольшой желтый ручеек, то с Запада в Москву несся бурный поток славянских кровей. Часть этого потока распадалась на маленькие ручейки, где каждый предпочитал добираться в столицу своим ходом, чтобы уж там попытаться найти работу. А вторая часть стекалась именно в Жмеринку, которая помимо того, что была большим железнодорожным узлом, за последние годы превратилась в огромный рынок дешевой рабочей силы. И именно туда приезжали люди, которые эту рабочую силу нанимали, везли в Москву, давали работу, ночлег и кусок хлеба.

Сынок с Исмаилом ехали в Жмеринку именно за рабочей силой. За каждого работника обещали заплатить по пятьдесят долларов. За такие деньги можно было постараться.

Когда приехали, оказалось, что все устроено очень умно и грамотно. Не надо было никого искать, не надо было отбиваться сумкой от толпы голодранцев, тянущих тебя во все стороны в надежде, что именно их возьмут.

Сам процесс найма проходил в местном парке культуры и отдыха. Никакого отдыха там уже не было, как, впрочем, и культуры. Хотя на первый взгляд вполне могло показаться, что все это имеет место.

Как только Сынок с Исмаилом появились у главного входа, к ним сразу подошли несколько вполне прилично одетых личностей.

— Строители, шабашники, мышца, спецы, девки, мясо пушечное, водилы, разное? — вежливо поинтересовался один из мужчин у Сынка.

Сынок усмехнулся. Больше всего в предложении «администратора» его заинтриговало это «разное». Но он не стал вдаваться в расспросы и лаконично ответил:

— Строители, шабашники.

— И девку одну давай возьмем, — зашептал ему на ухо Исмаил. — А лучше двух.

— Строители и шабашники, — еще раз сказал Сынок,

давая понять, что никакие другие категории его не интересуют.

Двое из подошедших сразу куда-то скрылись.

— Вы пройдите, пожалуйста, к нашему летнему театру, — посоветовал один из них тоном гида.

— С удовольствием, — ответил ему Сынок в том же тоне. — А где это?

— Сюда, пожалуйста. — Мужчина указал дорогу.

Летний театр находился в дальнем конце парка. Обычный летний театр, какие есть в каждом провинциальном парке культуры. Облупившаяся ракушка эстрады, несколько ярусов неровных шелушащихся скамеек, никому не нужный теперь турникет у входа. Раньше тут стояла билетерша и выпрашивала хотя бы пять копеек за вход на представление, а потом просила зайти просто так, чтоб артистам местной филармонии не пришлось выступать перед пустыми скамейками.

Когда Сынок с Исмаилом и провожатым подошли к театру, оказалось, что свободных мест нет. Все скамейки были заняты плотно сидевшим на них народом. А когда они вошли, по рядам пробежало такое оживленное шушуканье, словно в летний театр прибыли по меньшей мере Киркоров с Газмановым.

— Кто это? — шепотом спросил у провожатого Исмаил, который при таком скоплении народа чувствовал себя немного не в своей тарелке.

— Как кто? — Провожатый пожал плечами. — Строители и шабашники. Я ведь ничего не напутал?

— Нет, все правильно. — Сынок быстро поднялся на эстраду. — Так, — сказал он, хлопнув в ладони и заставив всех замолчать. — Старше сорока не берем!

После этого заявления встали и ушли человек сто — примерно треть аудитории.

— Ты что? — зашептал ему на ухо подскочивший Исмаил. — Почему не берем? Мы их всех возьмем.

— А сколько их в фуру влезет, ты прикинул? — поинтересовался у него Сынок. — Человек тридцать можем взять от силы. Ну максимум тридцать пять.

Исмаил озадаченно почесал затылок. Уж очень хотелось взять человек двести — триста. Если сложить штабелями, то вполне вошли бы, даже место бы осталось.

— Моложе двадцати пяти тоже не берем! — крикнул Сынок.

Встало и вышло еще человек двести. Но и без этого оставалось еще добрых триста. Триста пар глаз, напряженно, с мольбой смотревших на Сынка, как на самого большого благодетеля.

— Евреев не берем! — крикнул вдруг Исмаил.

— А евреи тут при чем? — Сынок удивленно посмотрел на Исмаила.

— Не знаю. — Тот растерянно пожал плечами. — Как-то я их не очень.

Не ушел ни один человек.

— Мне что, проверить? — пригрозил Исмаил.

Несколько человек поднялись.

— Да нет, — остановил их Сынок. — Это он пошутил про евреев.

Поднявшиеся опустились на места.

— Так, кто меньше, чем на год, — не берем. Без среднего образования не берем! Документы есть?

Через двадцать минут на скамейках осталось не больше шестидесяти человек. Сынок попросил их встать и подняться на сцену. Те послушно поднялись. Пятерым, которые поднимались последними, он сказал, что они не нужны. Остальных попросил построиться по росту, обошел строй три раза.

Как теперь выбирать, он не мог себе и представить. В рот, что ли, заглядывать? Как рабам?

Было почему-то противно. Но — работа есть работа. Сынок решил, что отберет крепких и непьющих. Хотя, как определить — пьет человек или нет? Решил положиться на собственную интуицию.

Пошел в четвертый раз и тыча пальцем в грудь мужчин, говорил:

— Подходишь. Подходишь. Беру. Подходишь. Беру... А ты как тут оказалась?

Прямо перед ним стояла девчушка лет семнадцати-восемнадцати.

— Дядя, возьмите меня с собой. Я вам пригожусь, — попросила она тоненьким голосочком, жалобно глядя на Сынка.

— Ты что тут делаешь, зараза?! — бросился на нее «администратор». — А ну пошла вон! — Девушку вывели с эстрады. Сынок пошел дальше.

— Беру. Ты подходишь. Подходишь. Беру. Подходишь...

Отобрав тридцать пять человек, он сказал, что через два часа ждет их у выхода из парка, у «КамАЗа» с длинным синим прицепом. Опоздавшие могут пенять на себя.

Мужчины бросились врассыпную.

— Я вам что-то должен? — спросил Сынок у «администратора».

— Нет-нет, ничего, — улыбнулся тот.

— Ну тогда всего доброго.

Он уже спускался с эстрады, когда кто-то схватил его за руку.

— Ну дядя, ну возьмите меня, пожалуйста.

Это была та самая девушка. Маленькая, худенькая, с длинными русыми косами и большими наивными голубыми глазами.

— Извини, родная, не могу. — Сынок улыбнулся. — Мне строители нужны. Каменщики, монтажники, разнорабочие всякие.

— Ой, дядя, а я и постирать могу, и приготовить, и в доме прибраться могу, и по хозяйству, и за дитем ухаживать.

— У меня детей нет. Извини, родная, как-нибудь потом. — Сынок подмигнул ей и пошел дальше.

Девушка огляделась по сторонам, увидела Исмаила...

Через два часа у машины собрались все. Даже некоторые из тех, кого отсеяли, пришли с вещами в надежде, что кто-то из избранных передумает или опоздает.

— Ну что, перекуриваем и грузимся. — Сынок откинул тент фургона. — Через пять часов пути граница. Перед таможней все выгружаемся и пешочком на ту сторону. Там встречаемся у стоянки, грузимся и едем дальше. Всем все понятно?

Все закивали.

— Ну тогда по коням.

Когда все загрузились в кузов, Сынок открыл дверь в кабину и хотел влезть, но его остановил Исмаил.

— Извини, друг, — сказал он, развязно ухмыльнувшись и подмигнув, — но тут места нет.

— Как это? — не понял Сынок.

— Ну ты же не заставишь даму толкаться в кузове среди всех этих мужланов. — Исмаил откинулся на спинку. Сынок сразу понял, в чем дело.

На его месте сидела та самая девчушка.

— Знакомься, это Леся. — Исмаил погладил девчушку по колену.

— Вы не волнуйтесь, я и в кузове могу поехать, — залепетала Леся, пытаясь вылезти из кабины. — Я так и хотела, это дядя Исмаил сказал, чтоб я...

— Ничего, сиди, — остановил ее Сынок. — Я в кузове поеду. А ты, Исмаил...

— Что?

Сынок посмотрел ему в глаза и сказал:

— Ничего, потом поговорим...

Г л а в а 45

ФАКТЫ И ДОМЫСЛЫ

У Юрия Петровича не шли из памяти слова Ирины.

— Понимаете, вокруг меня сжималось кольцо. Я не мистик, — словно извиняясь, говорила она, — я в приметы не верю. Но все равно, с какого-то момента — я не могу понять, с какого, — вся моя жизнь пошла кувырком. Что бы я ни делала — все получалось наперекосяк. У меня было такое ощущение, словно все люди, меня окружающие, все в заговоре против меня. Я не понимала, почему. Вот, взгляните, — она брала Гордеева за рукав, чтобы привлечь его особенное внимание к своим словам, — у меня все было хорошо и обещало быть еще лучше. Я работала, зарабатывала большие деньги, у меня есть образование, внешность какая-никакая. Ко мне должны прийти большие деньги, у меня есть подруга, возлюбленный. И тут понеслось. Ко мне на работе пристает этот вонючка начальник — я понимаю, что он ни при чем. Но все равно. Этот паршивый бабник ко мне пристает, выживает меня с работы, я остаюсь с перспективой честной бедности. Руфат, тоже влюбленный в меня, но он хоть человек честный, хотя, к сожалению, болван, покушается на мою свободу. Этот просто от дури, а на моем месте другая была бы счастлива. И он пропадает! Кажется, что все люди, которые попадают в мою ауру, становятся несчастны. Я даже опасаюсь, — она понизила голос, — как бы и у вас не начались неприятности...

Она вгляделась в глаза Гордееву, чтобы понять, не

трусит ли он, связавшись с такой мистически небезопасной натурой. Гордеев выдержал взгляд.

— Вот, — продолжала она, — и дальше я лишаюсь автомобиля при очень туманных обстоятельствах. В поезде у меня ворует деньги эта тварь, а другая тварь заставляет меня вдарить ему туфлей в глаз.

Гордеев улыбнулся.

— Вы что, считаете, что он спровоцировал вас, чтобы вы его убили?

— М-да, что-то я зарапортовалась, — признавалась Ирина. — Но все равно, — возбужденно принималась она сызнова, — я не анализирую ситуацию, я говорю о цепи совпадений. Даже здесь со мной обходятся не как с человеком, а как-то по-особенному гадко.

— Это вам, к сожалению, только кажется. Вы же никогда не оказывались в милиции? Так что не думайте, что вы в исключительном положении. Вам, можно сказать, повезло.

— Повезло? — удивленно вскидывала брови Ирина.

— Да. У вас хотя бы адвокат порядочный, — пошутил Юрий Петрович и тут же пожалел, потому что глаза Ирины наполнились слезами, она взяла его руки и уткнулась в них лицом.

Этот разговор засел в его памяти. Найти связь между шефом, Руфатом, Крымом, воровкой в поезде и убийством мог только шизофреник. Для всякого стороннего наблюдателя это была череда совпадений, как и сказала Ирина. Но слишком много было этих совпадений. Их количество порождало иное качество анализа. Конечно, что-то здесь было и впрямь совпадением, но что-то увязывалось в цепь. Объяснить принцип увязанности этой цепи можно, только имея факты, а их было недостаточно. Главным фактом оставалось то, что Ирина невиновна в умышленном убийстве. Из этого органически следовало, что преступник ей действительно угрожал ножом, который не был найден и приобщен к делу в качестве вещдока. Если нож исчез с места происшествия между самим убийством и прибытием оперативников, то кто-то был на месте преступления и умыкнул нож. Так же, как и изрезанный этим ножом чемодан. А значит, этот «кто-то» знал, что произойдет в подъезде. Но кто мог предположить, что Ирина снимет туфлю и этим, прямо скажем, весьма необычным для убийцы предметом прервет течение бандитской жизни?

Конечно, пока очевидно одно: Ирина убила человека, хотя и действовала в пределах необходимой самообороны. Оперативникам было не до того, чтобы выяснять, хорошая ли она девушка, личность подозреваемой — дело следствия. Дежурный следователь просто составил протокол осмотра, внес в него то, что видел. Но нож! Куда канул нож? Где чемодан?

Юрий Петрович, отложив прочие дела сегодняшнего дня, ехал в Межрайонную прокуратуру, которая вела дело Пастуховой. Он хотел прояснить для себя ту часть, которая касалась непосредственно задержания и ареста Ирины.

И для этого вначале заехал в отделение милиции, которое осуществляло задержание Пастуховой.

Его приняли сухо. Юрий Петрович излагал суть дела в приемной, его хмуро слушал узколобый капитан Сердюк. Гордееву казалось, что донести до капитана смысл его приезда никак не удается. Сердюк смотрел исподлобья своими маленькими глазками, а Гордеев все говорил и говорил. Дойдя до конца заготовленной речи, Гордеев остановился, ожидая ответа. Капитан молчал.

— Я приехал по поводу задержанной вашим отделением гражданки Пастуховой, — начал было Юрий Петрович сызнова, полагая, что не смог достучаться до капитанского мозга.

— Я понял, — сказал вдруг капитан. — Помочь ничем не можем. Дело передано следователю. Все сделано по закону, нас упрекнуть не в чем. Обращайтесь в прокуратуру.

— Но мне интересно знать именно обстоятельства задержания Пастуховой. Вы не могли бы подсказать мне, кто был в составе милицейской группы, выехавшей на место происшествия?

— Нет, не могу. Я тут не компетентен. Вы можете написать запрос на имя начальника отделения. А я не знаю, кто был. Не знаю. Меня не было.

— Но вы можете мне сообщить, кто работал в этот день? Это же не ваша профессиональная тайна!

— И не собираюсь, — строго ответил милиционер, придавая лицу привычно честное выражение. — Вы, гражданин адвокат, может быть, и ученый, но с нашим братом, пожалуйста, поосторожнее. Мы тут работаем, а не ваньку валяем.

Гордеев понял, что ошибся. Нельзя было давать милиционеру возможность обидеться. Теперь от него уже ничего добиться нельзя. Гордееву показалось, что капитан Сердюк рад был оскорбиться за честь своей корпорации — это давало ему возможность быть с адвокатом невежливым.

— Мы работаем с преступным элементом, — красноречиво продолжал милиционер, не глядя на Юрия Петровича, — и никто не может нас упрекнуть в халатности. На месте преступления с поличным была задержана эта Пастухова...

— Вот меня и интересует, как она была задержана?

— Какая разница? Мы сработали хорошо.

— Я не спрашиваю, как сработали. Я спрашиваю, кто сработал?

— Не знаю. Ладно, могу сказать.

Капитан раскрыл гроссбух и скороговоркой прочитал:

— Дымченко, Ермолов, Калинкин, Осипян, Сорокин. Все? Документацию спрашивайте в прокуратуре.

— А где я их могу найти?

Капитан удивленно поднял глаза на Гордеева.

Адвокат, разумеется, не имел права допрашивать милиционеров. И капитан это знал. Гордеев должен был написать ходатайство, чтобы этих самых Дымченко — Сорокина допросили. Но доверия к Чекмачеву у Гордеева с каждым днем становилось все меньше. Он понимал всю юридическую несостоятельность его разговоров с милиционерами, но он должен был что-то проверить для самого себя.

— Не знаю, — ответил Сердюк.

— Слушайте, товарищ капитан. Что вообще тут происходит? Они у вас что, секретные работники?

— Нет у нас секретных работников.

— Тогда вы должны знать, где ваши подчиненные.

— На работе. На участке.

— А когда они вернутся?

— Не знаю.

— Ну, я подожду.

— Ждите, — перекосился лицом Сердюк.

Гордеев сел терпеливо дожидаться, когда вернутся с

дежурства Дымченко, Ермолов, Калинкин, Осипян и Сорокин.

Сердюк несколько раз выглядывал из своего кабинета, словно ненароком, но Гордеев видел — ждет, когда у адвоката лопнет терпение. Гордеев решил во что бы то ни стало дождаться.

Через какое-то время уже сам Сердюк деловито вышел из отделения, бросив на ходу:

— Заняться вам нечем.

Гордеев так и не смог привыкнуть к раздражению и даже подчас злобе, с какой принимали адвокатов мелкие власти. Те широкие полномочия, которыми наделяется адвокат (даже российский), не могут не вселять чувство злобы и незащищенности в мелких коррумпированных чиновников. «О Господи, — вздохнул Гордеев, — взгляни в любую лужу, и увидишь там гада, уродством своим всех прочих гадов превосходящего!» Но здесь было как-то все намного злее и раздраженнее.

«Неужели тут что-то нечисто? — думал Гордеев. — Не вижу причины. Зачем милиционерам прятать какой-нибудь вещдок? Смысл? Неужели они хотели специально подставить Ирину? Но такая безукоризненная организация хитроумного плана просто фантастична, тем более по нашим российским меркам. Вот уж чего не смогут сделать наши милиционеры, так это хоть что-нибудь толком спланировать, а главное — выполнить план. А тут же просто филигранность небывалая. Предвидение почище нострадамусовского. Нет, плана тут никакого не было. Никто Ирину подставлять не собирался. Но тогда зачем было прятать нож и чемодан?!»

Милиционеров он так и не дождался. Дежурный сказал, что вся названная Сердюком бригада, не заходя в отделение, разъехалась по домам. Теперь их встретить можно будет только послезавтра.

«Оп-па! — сказал себе Гордеев. — Это уже не мои домыслы. Это уже кое-какой фактик. Ребяток просто прячут от меня. Не имеют права милиционеры отправляться прямо с дежурства по домам. Они должны сдать оружие, написать отчеты о дежурстве, да мало ли они должны исполнить бюрократических мелочей! А их вот так просто — по домам? Да нет, видать, не просто...»

271

Глава 46

ЛЕСЯ

Мужики в кузове сначала стеснялись Сынка, переговаривались между собой полушепотом. Но когда Сынок выудил из сумки бутыль спирта, того самого, которым Исмаил пытался напоить Гюльчатая, лед отчужденности был сломлен. Завязался непринужденный разговор о тяжком житье-бытье, о том, что сколько сто́ит в России и в Украине, о том, кто где раньше работал, о женах, о детях. Сынок слушал работяг и ловил себя на том, что с этими простыми людьми он почему-то чувствует себя в своей тарелке, как будто знает каждого из них чуть ли не с детства. Его тоже спрашивали, он что-то отвечал.

Противно было только, что эта наивная девчушка, Леся, ехала в кабине с Исмаилом. Глупенькая. Успокаивало лишь то, что там, в кабине, он с ней ничего сделать не сможет.

Фургон остановился через три часа. Мужики потянулись было к выходу, решив, что это уже граница. Но Сынок их остановил.

— Погодите. Рано еще. Я сейчас узнаю, — сказал он и выпрыгнул из кузова.

В кабине сидел один Вася Гак. Достал термос с чаем и уминал толстенный бутерброд с салом.

— А где Исмаил с девкой? — спросил Сынок.

— А тебе зачем? — ухмыльнулся Вася. — Ты ж ее не хотел.

— Где они?! — крикнул Сынок, схватив его за руку.

— Да успокойся ты, не ори так. И тебе хватит. — Василий удивленно заморгал глазами. — В лес он ее повел.

— В какую сторону?

— Вон туда, в орешник. Сидели с ней, болтали, она ему про сестру что-то рассказывала, а он мне вдруг сказал, чтоб я тормознул, ну и...

Дальше Сынок слушать не стал. Спрыгнул с подножки и бросился в лес.

Исмаила с Лесей он догнал у ручья. Они мирно беседовали. Вернее, говорила только она, как-то не обращая внимания на то, что Исмаил вынул из кармана большой складной нож.

— Ну вот, она сначала писала нам, звонила каждую

неделю, а потом вдруг пропала, — тараторила девушка, глядя на Исмаила своими огромными глазищами. — И уже полгода, как ни слуху от нее, ни духу...

Исмаил между тем раскрыл нож и огляделся по сторонам.

— Эй, чего мы стали?! — воскликнул Сынок и вышел из-за кустов.

— Ой!.. — почему-то испугалась именно Леся. Исмаил глянул на Сынка и подмигнул.

— Да мы тут отходы выкинуть должны, — сказал он, украдкой показав Сынку нож.

Сынок повернулся к Лесе и сказал:

— Деточка, сходи к машине, принеси мою сумку из кузова.

— Ага, я мигом! — Леся с готовностью бросилась к дороге.

— Что такое? — спросил Сынок у Исмаила, когда она ушла.

— Ничего, — пожал плечами тот. — Коцнуть ее надо, и дальше поедем.

— Зачем коцнуть? — удивленно спросил Сынок, сделав шаг к Исмаилу. — Ты ее для этого, что ли, взял?

— Сам знаешь, для чего. — Исмаил сделал выразительное движение тазом. — Вот для чего. Только она продукт паленый, ее в Москву тянуть нельзя.

— Так высади ее. — Сынок сделал к Исмаилу еще один шаг.

— Никакого толку. Другие привезут. А ей в Москву нельзя.

— Да объясни почему? — Еще один шаг сократил расстояние между ними до двух метров.

— Потому что она... — начал было объяснять Исмаил, но услышал хруст ветки и обернулся. — Потому...

Леся шла по тропинке, бормоча что-то себе под нос. Она глядела прямо себе под ноги, поэтому даже не заметила, как уткнулась головой в грудь Сынка, перегородившего ей дорогу.

— Ой! — Она опять смешно испугалась и остановилась, уставившись на него.

— Спасибо, девочка, пойдем обратно к машине. — Сынок взял у Леси сумку, и подтолкнул девушку в направлении шоссе.

— А дядя Исмаил где? — Она попыталась глянуть через плечо Сынка, но тот не дал.

— А дядя Исмаил теперь в кузове поедет, — ответил Сынок. — Моя очередь в кабине ехать.

— Ну ладно. — Леся пожала плечами и пошла обратно.

— Слышь, Лесь, а чего это вы с ним в лес ходили? — спросил Сынок.

— Та он попросил меня помочь ему зверобоя нарвать. — Леся дернула плечами. — Ехали-ехали, болтали всю дорогу, а потом он вдруг остановил — зверобоя надо...

— А-а... вот он что за траву там собирал. — Сынок смотрел на ее тоненькую шейку и вдруг вспомнил о белых щенках, терзающих куриную тушку. — А о чем вы болтали с ним?

— Та ни о чем, — ответила Леся. — Я ему про семью рассказывала, про школу, про друзей своих.

Когда уже почти вышли к трассе, Сынок остановился.

— Ты иди в кабину, девочка, а я мигом.

Когда она ушла, Сынок зашел в кусты, вынул из кармана окровавленный нож Исмаила и забросил его в траву.

— Поехали! — сказал он Васе, запрыгнув в кабину.

Всю дорогу до границы неугомонная Леся без умолку щебетала что-то о сестре, которая тоже где-то на стройке работает в Москве и которую она обязательно должна найти, потому что очень по ней соскучилась. А Сынок пытался придумать, как он объяснит в братстве пропажу Исмаила...

Глава 47
ПОЛИТИЧЕСКОЕ УБИЙСТВО

Уже под вечер Гордеев добрался до дома, в котором должен был жить Руфат. Действительно, никто на звонок не открывал. И соседи в один голос твердили — да, парень не показывался уже давно. Впрочем, Гордееву удалось продвинуться на один шаг дальше, чем следователю: он узнал адрес, по которому жили хозяева квартиры. Была надежда, что хоть они прольют свет на исчезновение парня.

Когда уже ехал по ночной Москве домой, вдруг запиликал мобильник.

Гордеев решил, что это Кобрин, и некоторое время раздумывал, отвечать ли. Боевая операция в редакции «Нового экспресса» сильно разозлила Гордеева. Он собирался высказать кое-что Кобрину, но теперь у него на это не было ни сил, ни желания. Тем не менее он нажал кнопку.

Это был Чекмачев.

— Должен обрадовать вас, Юрий Петрович, — сказал следователь так, словно действительно собирался обрадовать адвоката.

— И чем же?

— Вы оказались правы.

— В чем именно?

— Я о мотивах преступления.

— Ну видите! — действительно обрадовался Гордеев. — Какое тут умышленное убийство? Сотрудник преуспевающей фирмы, состоятельная по нынешним временам женщина загоняет здоровенного бугая в подъезд, чтобы злодейски умертвить его туфлей? Это сюжет для комикса. Не маньяк же она в самом деле?

— Конечно нет. Это — политическое убийство.

— Что-о-о?!

Гордееву показалось, что Чекмачев открыто глумится над ним. Он ожидал услышать любые, пусть даже самые идиотские варианты, но этот превосходил самые смелые ожидания.

— Убийство по политическим мотивам, — повторил Чекмачев. — Нам тут стало известно, что потерпевший был причастен к парламентским кругам.

— Каким парламентским? — опешил Гордеев. — К каким кругам?

Он даже остановил машину, потому что руки задрожали, вести дальше было небезопасно.

— Убитый Ливанов был помощником депутата Государственной думы.

— Вы просто ошеломили меня. Но, в любом случае, спасибо. Я буду учитывать эту информацию.

— Пожалуйста, если это действительно новость для вас, — недоверчиво отвечал Чекмачев.

— Да, простите, забыл уточнить. А в каком статусе находился убитый в Думе?

— Помощник депутата.

— Господи, а я уж испугался, — вздохнул Гордеев с облегчением. — Помощником депутата может быть кто угодно. Это еще не значит быть близким к парламентским кругам. Как, кстати, фамилия самого депутата?

— Его фамилия Кобрин.

Глава 48

ПРОПАЖА

Этот жилой комплекс класса «люкс» возводился в самом центре Москвы. Денег в строительство было вбухано немеряно. Но и стройка стоила того — дома вырастали красавцы, шедевры конструктивизма по самым высоким западным стандартам.

Муравейник жил, людей суетилась вокруг туча. Казалось, что вновь посетила человечество идея Вавилонской башни — каких только языков нельзя было тут услышать. На «братской» стройке работали жизнерадостные украинцы, оставившие в провинциальной глуши пухлых, румяных матрон без гривны в кармане, но полных надежд на Москву — город миллионеров; усатые угрюмые молдаване — низкорослые, держащиеся особняком от украинцев; белорусы, говорящие даже между собой исключительно на скверном русском языке в отличие от украинцев. Вся эта орава суетилась, на славу выстраивая дома со скромным расчетом получить рубли, превратить их, быть может, даже в доллары и вернуться домой. Пока же до конца стройки было далеко. Работы были в самом разгаре — созидательный труд всегда повергает человека в оптимистическое мироощущение, отчего улыбались и пели девушки-маляры, насвистывали и травили анекдоты мужики.

В вагончике прораба пахло едой и алкоголем, на столе стояла бутылка смирновской водки. Вокруг стола расположились трое. За главного был Константин Константинович. Его собеседником и собутыльником был пышущий здоровьем румяный здоровяк, которого почему-то звали Лимон.

Третьим был худой, изможденный высокий человек интеллигентного вида, в очках, который именовался

Дедок. Дедок был завхозом и ответственным за распределение материальных благ внутри строительной бригады.

Три джентльмена опрокинули по стопке и крякнули. Лимон занюхал копченым салом, Константин Константинович опустил в разверстый зев половину молдавского помидора, а Дедок запил алкоголь шипучей водой «Спрайт».

— Так ты говоришь, этот Сынок, натурально?.. — обозначил тему Константин Константинович.

— Сынок как Сынок. Вроде ничего чувачок, — согласно кивнул улыбчивый Лимон, — в беде не бросит, лишнего не спросит. Проштрафился, что ли?

— Да вроде. А ты что скажешь, Михеич? — дыхнул на Дедка Константин Константинович.

— Не бузит, главное.

— Да, спокойный малый, — согласился Лимон. — Мы с ним выпивали на днях. Пьет хорошо. Дерется, кстати, классно. Тут одному ингушу так в мурло вмазал — я прям залюбовался. Лихо! Прям ногой в табло. Не жадный — всех папиросами угощает.

— Да уж, не жадный, — вставил Дедок, — из меня консерву разве что силой не вытряс.

— А ты не воруй, — кстати прибавил Лимон.

— Воруешь?! — вопросительно рявкнул Константин Константинович.

— Да что ты! — затрепетал Дедок.

— Вижу, воруешь, натурально, — постановил Константин Константинович, закусывая свой гнев второй половиной помидора, — больше не воруй, — прибавил он миролюбиво. Без особого, впрочем, намеренья перевоспитать Дедка. — А что, баба у него есть? — обратился он опять к Лимону.

— Привез себе с Украины хохлушку. А что?

— Вот я об том и спрашиваю. Выпьем, что ли?

Троица наполнила рюмки и опрокидоном выжрала до дна. Отдышавшись, Константин Константинович продолжил расспросы:

— Так он что, как ее? Натурально?

Лимон угадал, что имеет в виду Константин Константинович, и ответил не задумываясь:

— Как родную.

— А что ты до него докопался? — спросил Дедок.

Константин Константинович прищурился.

— В общем, вот оно что, — начал он рассказ, — помнишь Исмаила?

— Не помню, — сказал Лимон, — а что?

— Ну, Исмаил такой.

— Да помнишь, — включился в беседу Дедок, — он еще на «лохотроне» бабки варил.

— А, да это Пистон. Какой Исмаил?

— Исмаил, Пистон — все одно, натурально, — резюмировал Константин Константинович. — Так вот, нет больше Исмаила.

— Что, за упокой? — спросил Дедок в тишине.

— Ну, давай, что ли, — участливо кивнул Лимон, и все опять опрокинули.

— Вот так вот — живет, живет человек и, стало быть, околел, — подытожил Дедок общее молчание.

— Так, значит, — продолжил Константин Константинович, — братство этого Исмаила отправило в Украину, народ собирать. Ну и с ним этот Сынок. И поехали. А вернулся один Сынок. Где Исмаил? Говорит, погиб, натурально, в каком-то там ресторане. А я уж чую, что врет.

— Этот может, — с гордостью за Сынка подтвердил Лимон.

— Вот я посмотрел на эту Лесю, ну, чуву нашего Сынка, — пояснил Константин Константинович, — а ведь самый сок. Во вкусе Исмаила. Я и подумал, натурально, — рассказчик приглушил тон голоса, — что он Исмаила за бабу-то и коцнул...

— Этот может, — закивал радостно Лимон довольной мордой.

— А таких шуток братство не прощает, — припечатал гневно Константин Константинович, стукнув по столу кулаком. Лимон сделал подобающую реплике физиономию, поняв, что, может быть, слишком поспешно соглашался со всем, что говорил Константин Константинович. Лимону пришелся по душе афганец, и ему было бы жаль.

— А где он сейчас? — с угрозой, опять-таки подогретой алкоголем, произнес Константин Константинович.

— Да здесь, здесь, — подсказал Дедок, — позвать, что ли?

— Позови.

Дедок вышел. Лимон и Константин Константинович остались вдвоем в молчании.

— А может, он ни при чем? — спросил Лимон.

— Разберемся. Никогда мне этот Сынок не нравился.

Оба опять замолчали и сидели в тишине вплоть до появления третьего собеседника, сопровождаемого одноруким парнем.

— Здрасьте, — вступил в вагончик Сынок.

— Здорово, натурально, — буркнул Константин Константинович, но руки не подал.

Сынок было присел, но Константин Константинович грозно хрюкнул:

— Встать!

Сынок покорно встал.

— Повтори-ка нам, Сынок, — начал допрос Константин Константинович, — ты куда Пистона дел? Где Пистон?

— Какого Пистона? — в недоумении обвел публику глазами Сынок.

— Не знает, — саркастически апеллировал Константин Константинович к собеседникам. — А того Пистона, с которым ты в Украину шатался?

— А-а, — облегченно выдохнул Сынок, — так это не Пистон, это Исмаил был. Какой еще Пистон?

— Так где Исмаил?! — рявкнул Константин Константинович.

— Там... — Сынок неопределенно махнул культей.

— Где это «там»?!

— На Украине.

— Так-так. Ты оттуда «мышь» привез, натурально, а Исмаила червям оставил.

— А что мне делать было? Я ж не Бог, — пытался оправдаться Сынок, — воскрешать не умею. Зарезали его, пришили.

— А кто пришил? Ты и пришил! — определил Константин Константинович. — А за это у нас с такими, как ты, знаешь, что делают? У нас такие, как ты, костями срут. Собирайся.

— Куда?

— В братство. Скажут тебе напутственных пару слов.

Для большей убедительности Константин Константинович извлек огромных размеров пистолет и встал.

— Да за что ж в братство, что я сделал-то?

— Пойдем, пойдем, там разберемся, натурально.

Константин Константинович взял пушку, засунул за пояс, накинул поверх широкую кожаную куртку, с которой не расставался, несмотря на жару, и приготовился к выходу.

Сынок только смотрел, переводя расширившиеся глаза с одного на другого.

Был момент, когда Дедок невольно вжался в стенку, он понимал, что сейчас может случиться что-то непоправимое.

Это почувствовал и Константин Константинович. Он положил руку на рукоять пистолета и сказал:

— Не дури, Сынок.

Но понимал, что дурить Сынок может, сколько захочет. Сейчас преимущество было на его стороне. Стрелять среди бела дня, посреди огромной стройки Константин Константинович не станет. А вот Сынок запросто может увалить всех их троих, как делал это уже не раз и с более сильными противниками, чему Константин Константинович был свидетелем. Или взять тех же собак — как он их по одной...

Когда Сынок привез в Москву партию строителей, большая часть которых теперь как раз и возводила комплекс в центре Москвы, решено было отправить его на новое задание, но тут оказалось, что по дороге пропал Исмаил. Сынок довольно убедительно рассказал, как Исмаил самовольно отправился в ресторан в каком-то провинциальном городке по дороге, а там, видать, была драка, вот Исмаила и грохнули местные бандюганы. Подробностей Сынок не знал, потому что сам в ресторан не ходил, а расспрашивать на следующий день милицию не решился — все-таки на нем была ответственность за тридцать с гаком украинских строителей.

Вот тут и получалась нестыковочка, которую вчера растолковала Константину Константиновичу Мата. Откуда Сынок узнал, что Исмаила грохнули, если сам в ресторан не ходил?

Сынок, правда, плел что-то вроде того, что слышал утром на базаре. Но мало ли бабки на базаре треплются, почему Сынок так сразу им поверил? Что-то тут нечисто.

Сынка после приезда отправили на стройку, потому что в братстве все еще было небезопасно после аферы с «фальшивомонетчиками». Все еще могли послать своих боевиков обдуренные бандиты. А войны братство не хотело.

Сынок и сам был не прочь пожить какое-то время на стройке — за высоким глухим забором он был в полной безопасности, а потом — действительно, с Лесей у них начали налаживаться кое-какие не просто товарищеские отношения. Сынок взял Лесю под свою опеку, понимая, что девушку здесь обидеть могут запросто. Она ему доверяла, а он, переполненный сознанием незнакомой ему ответственности за постороннего человека, даже боялся к ней прикасаться, хотя вокруг все были убеждены, что Леся с Сынком спит.

Сама же Леся все порывалась вырваться в город — ей надо было найти пропавшую сестру. Сынок расспросил Лесю про сестру подробнее, та даже фотографию показала. Сестра так же уехала еще год назад в Москву на работу, тоже приезжали люди и тоже выбрали ее. Но через семь месяцев перестала писать, не звонила и вообще пропала. Вот Леся и собиралась поискать сестру в Москве.

Сынок пока уговаривал ее никуда не ходить. Это было опасно, вот пройдет время, улягутся страсти, тогда он сам поможет ей разыскать сестру.

Хотя самому ему уже было почти ясно, что сестру свою Леся никогда больше не найдет...

— Ты не балуй, — повторил Константин Константинович, — я, натурально, не посмотрю, что ты такой крутой...

— Ну грохни меня, — шагнул вперед Сынок. — Что ж ты...

В дверь вдруг постучали.

Константин Константинович рывком отворил, готовясь облаять непрошеных посетителей. На пороге стояли два милиционера. Один в капитанских погонах, другой — еще совсем молоденький лейтенант.

— Леонид Макарович Крупчанов? — привычно небрежным жестом отдавая честь, спросил капитан у Константина Константиновича.

— Нет, это он, — указал Константин Константинович в сторону Лимона.

— Это я, я это. Что угодно? — деловито и уверенно спросил Лимон, приобретя тотчас и трезвое выражение лица.

— Уголовный розыск.

Г л а в а 49

КАРМА

Кобрин предложил Гордееву встретиться в перерыве между заседаниями Госдумы в служебном баре, где они могли спокойно выпить по чашке кофе с коньяком и поговорить. В зале народу почти не было.

— Нет, Аркадий Самойлович! Здесь уже вопрос посерьезнее, чем газетные эссе, — ответил Гордеев. — Дело в том, что в некоем уголовном деле я выступаю защитником одной женщины, обвиненной в убийстве.

— Очень интересно. Но какое же отношение я могу иметь к этой женщине? — Кобрин попытался произнести это легко, но Юрий Петрович почувствовал в его интонации вполне понятное напряжение.

— К женщине, может быть, вы не имели никакого отношения, а вот к убитому мужчине самое прямое.

— Любопытно. — Кобрин нервно закурил.

— Ливанов Виктор Иванович — это имя вам о чемнибудь говорит?

Гордеев пристально вглядывался в лицо Кобрина.

— Что-то не припоминаю, — после некоторой паузы ответил депутат.

— Как же так? В его документах значилось, что он являлся вашим помощником.

— Как вы говорите? Ливанов? — Аркадий Самойлович растерянно оглядел бар. — Простите, не припоминаю. Дело в том, что помощников у меня много. А он, наверное, являлся еще и внештатником. — Кобрин утвердительно кивнул. — Ну вот! А тут штатных помощников не всех упомнишь.

Кобрин закурил, неловко распечатав новую пачку.

— Боже мой! Как все это случилось?

Гордеев кратко рассказал ему историю убийства. При этом он заметил, что Кобрин с трудом пытается сосредоточиться на его рассказе. Мысли Аркадия Самойловича, похоже, блуждали далеко. Казалось, он пытался что-то вспомнить.

— Вы знаете, Юрий Петрович, — сказал он, когда Гордеев замолчал, — все кадровые списки составляет мой главный помощник. Игорь Олегович Виноградов. Я только их подписываю. Честно говоря, почти не глядя. Я Игорю абсолютно доверяю. Это мой давний близкий друг.

— А говорят, что в политике и бизнесе друзей не бывает, — вставил Гордеев.

— И тем не менее, — произнес Аркадий Самойлович. — Вы знаете, когда-то меня хотели дискредитировать перед народом — это еще было на моей прошлой работе в стройуправлении. И для этого Игоря попросили, чтобы он выступил против меня как свидетель получения мною взятки, которую мне якобы накануне дали. Знали же, гады, что Игорь бедствовал, не имел квартиры, на руках больные родители. И вот ему предложили за его свидетельство против меня прописку в Москве и даже квартиру. А он отказался. Потом, когда я стал депутатом, я сам его нашел. Вытащил сюда из провинции, я ему обязан, вы понимаете?..

Кобрин замолчал.

— А чем занимался этот Ливанов? — неожиданно задал он вопрос адвокату.

— Вообще-то мы не знаем...

— Вспомнил! — перебил адвоката Кобрин. — Он, кажется, работал в области автомобильного бизнеса. Если это тот самый Ливанов. У него, кажется, автосервис. Мы к этому Ливанову ездили с Игерем месяца два назад. Он мне кольца поршневые менял. На своем автосервисе. В Ясенево. Парень вроде с головой, энергичный... Кажется, так. Если это он, конечно.

— Автосервис в Ясеневе? — переспросил Гордеев и сделал пометку в блокноте. — Это не тот ли самый, который якобы контролируется преступной группировкой...

— Откуда вы взяли? — опешил депутат.

— Как откуда, Аркадий Самойлович? «Новый экспресс».

Кобрин неприятно посмотрел на Юрия Петровича, потом разорвал пакетик с сахаром и очень долго размешивал сахар в чашке с кофе. Маленькая ложечка звякала о края чашки.

— И вы тоже поверили этой пачкотне? — сухо и несколько язвительно произнес депутат. — Я думал, вы мой адвокат. И вообще, с какой стати вы пытаете меня по поводу этого Ливанова?

— Да всякие странности, Аркадий Самойлович. В самом начале следствия по делу об убийстве пропадали вещдоки, свидетелей почему-то нет ни одного. Вот я и подумал...

— Что неизвестно с какого бодуна я вмешивался в это дело? Да я об убийстве Ливанова только от вас первого услышал! Да я вообще с милицией никаких дел не имею!

Гордеев усомнился в этом, памятуя о налете ОМОНа на редакцию.

— И вообще! Мне не нравится ваш тон! Это какой-то прокурорский тон!..

— Аркадий Самойлович, — спокойно остановил его Гордеев, — вы лучше подумайте, в каком тоне о вас выскажется очередная газета, если вся эта история завяжется вокруг вашего имени. Я думаю, что господа журналисты обойдутся в изложении столь занимательного сюжета уже без всяких намеков. В лучшем случае вы можете стать центром грандиозного криминального скандала. И это, я повторяю, в лучшем случае...

— Что вы от меня хотите? — Аркадий Самойлович жестко взглянул Гордееву в глаза.

— Только одного — чтобы вы мне рассказали о Ливанове.

Гордеев подозвал к себе официантку и заказал еще кофе.

— Вы еще будете? — предложил он Кобрину.

— Коньяку, — коротко отрезал депутат.

Пока не принесли заказ, они сидели молча.

— Юрий Петрович, — начал Кобрин, выпив коньяк одним большим глотком: видно было, что он еле сдерживается сейчас. — Я сказал вам все, что знал. Я действительно видел этого Ливанова всего один раз. И ничего о нем сказать не могу, кроме того, что на его автосервисе мне поменяли поршневые кольца всего за пять часов. Кольца поставили немецкой фирмы «Гетс». И мое масло «Шелл» рязанского розлива заменили на масло «Шеврон».

— И все это, конечно, бесплатно, — вставил Гордеев.

— И вы думаете, что я буду мелочиться на депутатской должности? — язвительно парировал Аркадий Самойлович.

— Да, платить за услуги — дело не государственных деятелей, — улыбнулся адвокат.

— Нет, как раз совсем в обратном смысле — Ливанову

этому было заплачено по счету, — заносчиво ответил Кобрин и заказал еще коньяку.

— Хорошо, тогда вы позволите мне поговорить с вашим главным помощником?

— Пожалуйста. Может быть, Игорь Олегович вам больше сможет рассказать. — Аркадий Самойлович сделался совершенно серьезным. — Но я уверен, что и он не знает ничего о связи этого Ливанова с какими-то там бандитами. Игорь в этих вопросах очень щепетилен. — Кобрин на некоторое время вновь задумался. — Хотя сейчас так трудно разобраться в людях. Даже в близких.

— Действительно не просто. — Адвокат достал блокнот и записал телефон Виноградова. — А адрес его заодно не продиктуете?

— Пожалуйста. Вот вам его визитка.

В этот момент к их столику подошел мужчина.

— Простите, пожалуйста, — извинился он перед Гордеевым и повернулся к Кобрину: — Я тебя уже полчаса жду. Я понимаю, что лучше посидеть в баре. — Он красноречиво взглянул на рюмки из-под коньяка.

— Одну минутку, — бросил Кобрин в сторону адвоката и, взяв мужчину под руку, отошел с ним к другому столику.

Гордеев не слышал, о чем они говорили, но было понятно, что их эмоциональная беседа была на грани конфликта. При этом мужчина настаивал на чем-то, а Кобрин пытался слабо возражать. Чувствовалось, что Аркадию Самойловичу сейчас не до выяснения отношений с ним, что мысли его заняты совсем другим. Это почему-то радовало адвоката. Теперь ему поскорее хотелось встретиться с Виноградовым.

— В таком случае на наши голоса в своем вопросе можешь не рассчитывать, — повысив голос, резко сказал мужчина Кобрину, после чего покинул бар.

— Ваше право, — сказал ему депутат в спину.

Гордеев поднялся.

— Вы меня еще раз извините. Я вас, наверное, задерживаю? — кивнул в сторону ушедшего мужчины адвокат.

— Нет-нет. Сядьте, — попросил Кобрин.

Юрий Петрович понял, что тот еще что-то хочет ему сказать.

— Как все-таки мы все связаны друг с другом, — вдруг подпер рукой щеку Аркадий Самойлович.

— В смысле? — в недоумении посмотрел на него Гордеев.

— Я раньше по молодости интересовался всякой эзотерической литературой. Свои кармические связи пытался исследовать. — Кобрин пьяно смотрел куда-то в пространство. Таким его Гордеев никогда не видел. — Вы сами-то как относитесь к закону кармического воздаяния?

— То есть? — Гордеев все никак не мог понять, дурачит его Кобрин или действительно волнуется по поводу идеалистического.

— По закону кармического воздаяния, — продолжал депутат Государственной думы, — люди переходят из одной жизни в другую одними и теми же группами, отдавая друг другу неоплаченные долги из своих предыдущих жизней в будущих. Потому мы настолько все переплетены друг с другом — просто до невероятности. Вы замечали, как мы все сцеплены друг с другом? А? Словно какие-то колесики в непонятном механизме.

«Лучше бы он пенсиями да пособиями для малоимущих занимался, чем этой эзотерической белибердой!» — подумал Гордеев.

— Так, значит, он был одним из моих помощников, — то ли переспросил, то ли еще раз для себя констатировал Кобрин. — А женщина, его убившая, значит, обратилась именно к вам — моему адвокату! Невероятно!

— Эта женщина только обвиняемая в убийстве, — уточнил Гордеев.

— Так вот что я вам скажу, — наклонился Кобрин к самому уху Гордеева. — Она виновата — это карма у нее такая...

Аркадий Самойлович уже совсем набрался.

Глава 50

ПОДАРОК СУДЬБЫ

— Уголовный розыск, — сказал милиционер и шагнул в вагончик.

Константин Константинович незаметно движениями живота прощупал, в каком положении находится пушка.

— Вам знакома эта личность?

С этими словами милиционер вынул из портфеля фотокарточки и разложил их на моментально очищенном от недавней трапезы столе.

Как ни старались милицейские гримеры — мертвое лицо было ужасно.

— Знакомо, — вздохнул Лимон. — Это наш прораб. Бывший, правда. На работу не ходил, прогуливал. Мы таких долго не держим. Месяц, как уволили.

— Видите ли... — Лицо капитана, а за ним и молоденького лейтенанта приобрело выражение строгой почтительности к сообщаемой информации. — Ваш бывший работник убит.

— Убит? — изумились все с несомненной демонстрацией актерского дарования.

— Да, убит. Причина — пьяная драка. Дело расследуется прокуратурой города Житомира. Ни адреса его домашнего, ни прописки мы не знаем. Только вот командировочное удостоверение нашли. Кто занимается у вас кадрами?

— Он, — Лимон ткнул пальцем в Дедка. — Лев Сергеевич, — поправился он тут же, — подготовьте документацию.

— А ты чего тут сидишь? — с прежней яростью, но без прежней подозрительности выкатил на Сынка глаза Константин Константинович. — А ну, пошел отсюда.

— Так чего, мне собираться? — спросил Сынок.

— Пошел вон отсюда, нечего уши крахмалить! Работай давай, натурально!

Сынка разве что не пинками выставили из вагончика. Он было примостился покурить под окошком, силясь выудить хотя бы звук из беседы, но в окно изнутри вагончика постучала костяшка Лимонового пальца, и Сынку пришлось ретироваться. Сынок пошел прочь по направлению к стройке. Постепенно шаги его стали ускоряться, и вот он уже бежал, как мальчик, вприпрыжку.

Иногда судьба все-таки умеет делать подарки.

Глава 51

ВИД ИЗ ОКНА

Гордеев несколько раз позвонил в дверь и собирался уже уходить, когда ему наконец открыли. Это был мужчина лет тридцати в наскоро накинутом на голое тело халате.

— Игорь Олегович? — спросил его адвокат.

Мужчина молча раздраженно кивнул.

— Я вам звонил вчера, — Юрий Петрович протянул свое удостоверение. Виноградов внимательно просмотрел документ.

— Ах да! Проходите, пожалуйста! — переменил выражение лица на приветливое хозяин.

Гордеев вошел в квартиру.

— Извините, что беспокою вас в выходной день, — Юрий Петрович бегло оглядел довольно скудную обстановку прихожей.

— Я уж давно перестал различать выходные и будние дни. — Виноградов несколько растерянно остановился у полуприкрытой двери в комнату.

Гордеев отметил, что, несмотря на дневное время, в комнате царил полумрак. Плотные шторы были задернуты.

— Вы не возражаете, если мы побеседуем на кухне? — предложил Виноградов.

Гордеев прошел на кухню.

— Чай? Кофе? — Игорь Олегович быстро освободил стол от двух фужеров с недопитым вином.

— Спасибо, не хочу!

Из комнаты вдруг раздался скрип то ли кресла, то ли дивана.

— Одну минутку! Я хотел бы переодеться. — Виноградов поспешно выскочил из кухни.

Через несколько секунд Юрий Петрович услышал из комнаты какой-то шепот. Потом молоденький женский голос капризно сказал:

— Никуда я не пойду! Я тебя подожду здесь!

— Нет, — стараясь говорить как можно мягче, произнес Виноградов. — Моя девочка сейчас быстренько оденется и уйдет. А вечером я увижу ее снова.

— Вечером я иду на дискотеку. И вообще, если я сейчас уйду, то больше не приду к тебе никогда!

— Ну киска моя, будь умницей! Мне нужно переговорить с одним человеком! Это очень важно!

— А я — это не очень важно?

— Ты самая большая моя ценность! Давай я помогу тебе одеться!

— Лучше бы ты помогал мне раздеваться!

Гордееву было неловко слушать эту воркотню, он тихонько прикрыл дверь.

Игорь Олегович вернулся через несколько минут уже одетый в джинсы и рубашку.

— Извините, что заставил вас ждать.

— Это вы меня извините, что нарушил ваши планы. — Гордеев с любопытством взглянул на появившуюся из комнаты девушку, которая, не здороваясь, вошла на кухню, отпила из фужера вино и удалилась в прихожую.

Через несколько секунд хлопнула входная дверь.

— Так, я вас внимательно слушаю! — снова обратился к адвокату Виноградов.

— Вы, наверное, уже в курсе, что случилось с помощником вашего шефа Кобрина.

— Да, это очень прискорбно. Мы говорили уже об этом с Аркадием Самойловичем.

— Игорь Олегович, а вы давно знали Ливанова?

— Ну в общем-то почти что столько, сколько он работал помощником моего шефа.

— А Аркадий Самойлович сказал, что это вы рекомендовали Ливанова ему в помощники.

— Да? Он так сказал? — На секунду оторвался Виноградов от кофе. — Ну что ж! Аркадий Самойлович человек занятой, всего может и не помнить. Несмотря на то что наш народ вовсю ругает Думу, нагрузки там у депутатов сумасшедшие. Простите, я все-таки сварю кофе.

Виноградов засуетился у плиты. Гордеев взглянул на заляпанную газовую плиту, немытую посуду.

— Быт у вас не очень налажен, — отметил он.

— Да, пока не до того было. Только переехал. Район замечательный. Тихо, спокойно — даже по рабочим дням.

Гордеев посмотрел за окно, которое выходило во двор дома. Дворик действительно казался уютным и тихим. Гордеев снова увидел девушку, которая несколько минут назад покинула квартиру Виноградова. Она лениво раскачивалась на облупленных качелях детской площадки, монотонно выдувая изо рта жвачные пузыри. Кто-то позвал ее. Девушка обернулась. Группа подростков каталась на роликах вокруг здания школы, заезжая на хоккейную площадку, где были разбросаны ящики и автомобильные шины, служившие преградами для роллеров. Девушка подошла к подросткам, толкавшимся за оградой хоккейной коробки. Закурила вместе с ними.

— Это очень странно, — вернулся к прерванному разговору Виноградов. — Действительно, списки помощников я готовлю сам. Кобрин их только подписывает. Но за Ливанова как раз Аркадий Самойлович специально просил. Даже напомнил мне дважды. Это очень странно, что он запамятовал.

— Вы не могли бы сказать, в решении каких вопросов участвовал Ливанов?

— Вы задаете не очень корректные вопросы, — усмехнулся Виноградов. — Если Кобрин вам не сказал, то... Даже несмотря на то что вы адвокат Аркадия Самойловича, я все же не могу без его ведома вводить вас в курс его дел, — уже жестко прибавил он. — Хотя, с другой стороны, дело касается расследования убийства нашего человека...

Виноградов на некоторое время задумался.

— Вы знаете, вся его помощь, если быть до конца честным, сводилась, в основном, к исполнению личных просьб Аркадия Самойловича. Вы же понимаете, что у Кобрина совсем нет времени заниматься своими бытовыми проблемами. Кажется, Ливанов помог решить вопрос со строительством дачи. Все официально. Легально. Просто Ливанов ускорил сам процесс подписания некоторых бумаг.

Затем, по-моему, помог жене Кобрина. У жены обнаружили сложное заболевание, срочно необходима была дорогая операция. А Кобрин, как известно, взяток не берет. Денег не оказалось. В общем, Ливанов помог. Но не деньгами, нет. Он просто договорился с врачами. Все, к счастью, с супругой обошлось.

— А что, простите, интересовало самого Ливанова?

— А что тут непонятного? Статус помощника депутата, даже внештатного, многое значит. Особенно в сегодняшней жизни. И еще! — Виноградов сделал внушительную паузу, как бы желая подчеркнуть, что он хочет сказать о чем-то важном. — Я очень сомневаюсь в том, что Ливанов имел отношение к каким-то там группировкам бандитов. Простите, мне Аркадий Самойлович рассказал о вашем разговоре.

Гордееву уже давно хотелось раскрыть свой блокнот и сделать кое-какие пометки. Но он понимал, что делать этого нельзя.

— А вообще... — Виноградов вдруг перешел на интимный тон. — Я, знаете, как чувствовал. Что-то в последнее время не так. Нет, никаких серьезных подозрений у меня не было. Но Аркадий Самойлович... Просто замотался человек, я понимаю. Мне даже поговорить с ним начистоту не удается. Я бы ему сказал.

— О чем?

— Да вот... Только между нами, хорошо? — пристально посмотрел в глаза Гордееву помощник депутата. — Какие-то странные люди стали в последнее время вертеться вокруг Аркадия Самойловича. Это же чувствуется, понимаете. Вот бегают у человека глазки. Разговорчик такой приблатненный. Все с какими-то хитрыми проектами, идеями не совсем чистыми... Да и этот Ливанов, честно сказать, мне никогда не нравился. Нет, наверное, я вам зря все это говорю. Просто мне за Аркадия Самойловича обидно. Я ему многим обязан. Это же он меня в Москву вытащил. Не забыл. Да и дело он делает настоящее, без громких слов — болеет за Россию. Но вот в людях разбирается плохо. Это точно. Я обязательно с ним поговорю. Но и вы, если у вас получится, скажите ему — чуть-чуть поразборчивее надо быть. Ладно?

— Хорошо, — не очень уверенно ответил Гордеев.

— А впрочем, может, мне все это действительно только кажется.

— Да не думаю. У меня тоже создалось такое впечатление.

— Теперь еще эта газетенка... Аркадий Самойлович злится, а я думаю — нет дыма без огня...

Когда адвокат уходил от Виноградова, он столкнулся во дворе все с той же девушкой, которую невольно заставил уйти час назад от Игоря Олеговича.

— Наговорились? — нагло улыбаясь, спросила она на ходу у Гордеева, направляясь в подъезд Виноградова.

«Да еще как!» — про себя ответил Гордеев.

Глава 52

ЖИЗНЬ ПОСЛЕ СМЕРТИ

Ирина сидела на нарах и тупо, безучастно глядела перед собой. Тоска ее, поступательно усиливаясь последние недели, вышла на тот уровень, когда ничто уже не могло ее увеличить и, как казалось, уменьшить. Жизнь кончилась, но самое страшное в жизни, так это вот что. Когда понимаешь, что твоя жизнь кончилась, она имеет обыкновение продолжаться. Началось то, что можно назвать «жизнь после смерти». Все, о чем бы ни думала Ирина, вызывало в ней боль. Она, пытаясь приглушить ее, старалась вспоминать радостные моменты своей жизни — детство, проблемы ранней юности, казавшиеся тогда неразрешимыми, — но все эти приятные для воспоминаний эпизоды теперь указывали только на одно, что все в этом мире преходяще, что это уже никогда не вернется. Удел всему — смерть! Смерть! Можно сказать, что детство и юность умерли, и с ними умерла та Ирина, девочка, девушка. Умерла, и теперь о ней, как обо всех покойниках, нынешняя Ирина вспоминала от случая к случаю. Она припоминала недавнее прошлое, полное радужных надежд, — и вновь удивлялась, как могла она быть так беззаботна, так наивна, предполагая в этой жизни возможность счастья. «На свете счастья нет, но есть покой и воля», — вспомнилось ей из школьной программы. Счастья нет. И плюс к тому, отсутствие покоя (она перевела безучастный взгляд на двух визжащих в драке зечек) и (она, скользнув взглядом по оконной решетке, вновь погрузилась в себя) полное отсутствие воли. Разве не было очевидно, что все это — вся ее молодая, полная дружб и влюбленностей жизнь, когда-то кончится? Разве не было известно, что всякой смерти сопутствуют обязательные мучения? Чем по сути дела было ее теперешнее состояние, как не агонией души? Ее душа умирала, умирала в муках, временами забываясь в кошмарной дреме, когда-то пробуждаясь в кажущейся трезвости. Все, что происходило вокруг нее, затрагивало сознание Ирины только по касательной. Несмотря на то что в камере для всех продолжалась жизнь — кто-то был полон оптимизма, попав сюда не в первый раз, кто-то делился горестями с вновь обретенными приятельницами, она же вовсе лишилась способности речи, и, пробудившись и пройдя предписанные тюремным режимом процедуры, застывала в оцепенении, глядя перед собой невидящими глазами. Она настолько не присутствовала в действительной жизни, что сокамерницы, казалось, вовсе не замечали ее. С первых дней за ней закрепилась унизительная, безобразная кличка, которую на печатный язык можно было бы перевести, как «Чокнутая». Она не знала об этом. Она не слышала, когда к ней обращались, она не слышала или не обращала внимания, когда о ней, не стесняясь ее присутствием, говорили. Она жила предощущением смерти, и только иногда, словно очнувшись от внутреннего душевного толчка, вдруг озиралась окрест себя с недоумением — кто я? Что я здесь делаю? Отчего это никак не кончится? Почему я еще жива? Зачем? И эти вопросы, раз всколыхнувшие ее сознание, тотчас же и угасали, не получив ответа.

Тяжелая железная дверь лязгнула. Контролерша сообщила коротко бесцветным голосом: «На прогулку». Арестантки стали вставать. По ногам повеяло сквозняком от открытой двери.

— Алиханова, Амелина, Антонова, Дочкина... — выкрикивала надзирательница по списку. Заключенные выходили в коридор, выстраиваясь в колонну за плечистым охранником.

— Пастухова... Пастухова?!

Ирина сидела, не шевелясь, все так же тупо глядя перед собой. «Все бессмысленно, — думала она, — бессмысленно ходить, говорить, пить, есть, делать добрые дела — все бессмысленно. Когда я умру, ничего не будет. Ничего. Это даже невозможно представить — ничто. Ведь чтобы представить ничто, надо самой все-таки быть. Значит, будет ничто и я. А тогда ничто — уже не ничто, а что-то», — думала она, чтобы хоть чем-то занять мысль.

Сильная, жесткая рука схватила ее за шкирку, ущипнув кожу.

— Пастухова?! Глухая, твою мать?! — контролерша с яростью, с лютой злобой вытаращилась в глаза Ирины светлыми, без ресниц глазами. Ирина встала в колонну, как обычно за толстой пожилой арестанткой Онисько. «Зачем они меня все обижают? Разве они не видят, что я умираю?». Ирине действительно казалось, что она умирает. Все время в тюрьме она почти ничего не ела, и муки голода не преследовали ее. Дважды в день им приносили пережженный перцем суп, то есть баланду — Ирина никак не могла включить в свои мысли слово «баланда», про себя она по гражданской привычке продолжала называть это пойло супом; тарелку со слипшейся перловой крупой. Ирина не могла это есть. Она сильно потеряла в весе, выступили скулы, запеклись губы — она выглядела, как больная. Если бы тюремная администрация узнала, что Ирина отказывается от еды, то это вызвало бы некоторую озабоченность, но Иринина тарелка возвращалась неизменно пустой и тщательно вылизанной — кое-кого такое меню вполне устраивало. Второй ее враг в камере был унитаз. Предполагалось, что Ирина будет справлять нужду на глазах у всех, и ей приходилось это делать, но с какими муками. Она старалась дотерпеть до темной ночи. Когда все уже точно спали и затухали последние разговоры, и только тогда украдкой, боясь кого-нибудь разбудить, подходила к унитазу, откидывала крышку и, стараясь быть беззвучной, с отвращением садилась.

Ей нужно было только, чтобы ее не тревожили. Тем не менее постоянно что-то выводило ее из состояния ее сосредоточенного созерцания. То подъем с необходимостью умываться или горячей или холодной водой — в умывальной не было смесителя, отчего вода текла либо горячая, из правого крана, либо холодная из левого. Смекалистые заключенные соединили два крана тряпкой, чтобы вода, стекая по тряпке, смешивалась до приемлемого уровня. Но надзирательница запретила это нововведение. Ее раздражала необходимость находиться в «гостиной» в часы досуга. Безостановочно орал телевизор, переключаемый с канала на канал, арестантки-рецидивистки, ощущавшие себя в тюрьме лучше, чем дома, зычно обсуждали все мужские персонажи на экране с половой точки зрения. Кроме того, необходимость этих ежедневных прогулок по такой же почти камере, только побольше и с потолком из колючей проволоки.

Ирина ходила по кругу. Небо над головой было ярко-синее, безоблачное, солнце светило напропалую. На верхушке стены проросла трава и белела такая неуместная здесь ромашка. Многие арестанты смотрели на эту ромашку, как на единственный знак жизни в пределах тюрьмы. Но эта ромашка вопреки всему зеленела похожими на укроп листиками, распускалась все новыми цветами. Одна Ирина не замечала этой ромашки, как не замечала, что за погода на дворе. Все, что она видела, — серые стены. За которыми тоже пустота. Все кончается. Удел всему — смерть.

После прогулки арестантки вернулись в камеру. Ирина опять села на нары, почти радуясь тому, что теперь ее долго не будут беспокоить. Однако пробудившиеся от последних остатков сна дамы были возбуждены, то и дело были слышны взрывы истерического хохота — рыжая арестантка, воровка Кулюкина, рассказывала про секс на расстоянии, которому она предавалась в зоне. С крыши женского корпуса она демонстрировала свои прелести зекам на противоположной крыше, а те, удовлетворяясь едва различимым видом ее красот, кричали ей матерные комплименты. Голос Кулюкиной был таким резким, развязным, что Ирина, с тем чтобы остаться одна, закрыла плотно ладонями уши и закрыла глаза. Однако голоса и взрывы хохота проникали сквозь ладони, заставляя Ирину брезгливо морщиться. Потом все замолчали, кажется, перешептываясь. Вдруг в лицо Ирине полетела мокрая тряпка. Ирина вздрогнула, посмотрела на арестанток широко открытыми, непонимающими глазами. Вновь раздался смех, не такой слаженный, как раньше, смех нескольких голосов, недобрый.

— Девчонки, зачем вы? — пропищала тихонько белокурая девушка пэтэушница, обвинявшаяся в убийстве своего незаконнорожденного ребенка. — Чего вы к человеку пристали?

— Закрой пасть, — порекомендовала Кулюкина.

Ирина посмотрела на Кулюкину, стараясь поймать ее взгляд. Ирине казалось, что, если Кулюкина — единственная, проявившая к ней интерес, посмотрит в ее глаза, она больше не будет приставать. Но Кулюкина стояла спиной к окну, так что Ирина не могла видеть выражение ее взгляда. Ирина легла на нары, свернулась калачиком и закрыла глаза. На пару секунд ей стало спокойно. Сразу исчезли и Кулюкина, и тусклый свет матового стекла в окне, и грязные, крашенные зеленым стены. Но тут же послышался окрик:

— Ты чего, блядь, легла? Твоя очередь сейчас? А ну, встать!

Нар в камере на всех не хватало, поэтому узницы отдыхали по очереди. Ирина совсем запуталась, когда ее очередь была ложиться. Но сейчас она про очередь совсем забыла.

— Ой, девочки, не надо! — запищала пэтэушница. Кулюкина походя сунула ей кулаком в лоб. Девушка упала на пол. Ирина еще больше сжалась, вдавив колени в живот. Она чувствовала, что Кулюкина приближается к ней.

— Ни хрена себе, — жизнерадостно обратилась Кулюкина к притихшим женщинам, — глянь — жопу свесила, думает, ее здесь нет. Встать! — рявкнула она неожиданно, ударяя Ирину ногой по копчику.

Ирина развернулась и села на нарах, пусто глядя перед собой.

— Ты, дерьмо вонючее, с тобой я говорю. Встать!

Ирина покорно встала. «Все пройдет. Это тоже пройдет, — думала она, — сейчас меня ударят. Это две минуты позора. И я опять останусь одна».

— Тебя порядок не касается? — спросила Кулюкина, беря Ирину за лацканы робы. — Тебя порядок не касается? — с бессмысленной угрозой повторяла она, заводясь. — Сука! — дала она сигнал самой себе и ловко врезала Ирине по носу. Ирина закрыла лицо руками, но следующий удар — в живот — заставил ее согнуться пополам. Тотчас коленом ей был нанесен удар вновь по лицу, от которого она, по счастью, не успела отвести руки. Ирина рухнула на пол, но Кулюкина, намотав Иринины волосы на кулак, силилась поднять ее, пиная ногами в то же время. Женщины собрались кружком, разгоряченные видом избиения.

— Плюнь ей в глаза, плюнь! — советовала Онисько, державшая сторону Ирины. — Ты ее укуси!

Руки Кулюкиной сомкнулись на шее Ирины и стали сжимать ее. Как ни велико было Иринино желание смерти, естественный инстинкт заставил ее сопротивляться. Ира рванулась, схватила сильные руки соперницы и пыталась их отвести. Кулюкина душила ее, иногда приподнимая голову Ирины и ударяя ей по кафелю пола.

— Ой, да что это такое! — завизжала детоубийца. — Она же ее убьет! Ой! Ой!

Дверь камеры с лязгом растворилась, ворвались контролеры.

— Что такое? — вскричала контролерша, словно сама не видела.

После того как резиновая дубинка пару раз прошлась по голове узницы, Кулюкину оставило желание разбираться с Ириной, и та осталась лежать на полу, спазматически дыша.

— На нары ее! — скомандовала надзирательница.

Женщины уложили Ирину на нары примерно в той же позе, в какой она лежала, отвернувшись от всех. Контролер подошел к ней и методически ударил дважды по почкам дубинкой.

— Она ни в чем не виновата! — пискнула пэтэушница в очередной раз.

— Ее что, порядок не касается? — хрипло отозвалась Кулюкина, держась за голову.

— В карцер захотела? — спросила контролерша. — Сейчас пойдешь.

Кулюкина отрицательно покачала головой. Дверь в камеру закрылась, и осталась только тишина.

Глава 53

АЛМАЗ И ГРАФИТ

Гордеев заявился к Довжику в половине третьего ночи и без звонка. По дороге купил бутылку водки и коробку конфет.

— Цветов только не хватает... — улыбнулся Володька, открыв дверь.

— Разбудил?

— Нет.

— Ты не один?

— Один.

— Я войду?

— Входи.

В скромной однокомнатной квартире Довжика царил холостяцкий беспорядок. На письменном столе рядом с включенным компьютером горела лампа, пепельница была полна окурков.

— Я тебя оторвал от работы, — догадался Гордеев.

— Успеется, — махнул рукой Владимир.

Устроились на кухне, под широким бархатным абажуром. Юрий сорвал обертку с конфетной коробки, разлил водку по стаканам.

— Ну? Вздрогнем?

Довжик придирчиво оглядел предложенный ему ассортимент и, неудовлетворенно покачав головой, начал доставать из холодильника разносолы — банку соленых огурцов, шмат ветчины, сыр, консервы какие-то.

— Ты, конечно, ждешь от меня наводящих вопросов? — тактично предположил он, сев напротив гостя. — Но я лучше промолчу. Надо будет, скажешь сам.

— Ох, Володька, как ты все понимаешь... — преданными глазами посмотрел на него Гордеев. — Я в такой ситуации оказался, врагу не пожелаешь. А уж без поллитры не обойтись...

— Споить меня хочешь? — настороженно спросил Довжик.

— Ты дурак?

— Шучу...

— Не бойся, водка кошерная, специально выбирал, — и он вылил содержимое стакана себе в глотку. — Выручай, дружище...Скажи, что там у вас на Кобрина?

— Юрка, опять ты за свое? — разочарованно протянул Владимир. — Я-то думал, мы эту тему закрыли...

— Нет, Вов, тема только открывается. Ты выслушай меня, ладно? Ты должен меня понять.

И он рассказал коллеге все, без утайки. Об Ирине, об убийстве парня, у которого нашли удостоверение помощника депутата Кобрина, об исчезнувших ноже и чемодане, о том, что удалось выяснить у Виноградова, о том, что кто-то давит на следствие...

Однокашник слушал его, не перебивая, положив локти на стол и подперев подбородок ладонями. С каждой секундой его лицо становилось все мрачнее и мрачнее.

— Ну что? — Гордеев плеснул в стакан еще водки, поднес его к губам, но пить вдруг передумал. — Думаешь, я тебя дурю?

— Не пойму пока... — признался Довжик.

— Чем тебе поклясться? Хочешь, здоровьем родных поклянусь?

— Не надо, с этим не шутят.

— А я не шучу! Какие шутки, Володька? Какие шутки? Ты пойми, в каком я положении... И если то, о чем я только догадываюсь, окажется правдой, то я вообще не знаю, что делать.

— Хорошо, — тихо произнес коллега. — Рискну тебе поверить.

Он вернулся из комнаты через минуту, бросил на стол пухлую папку, развязал тесемки.

— На, читай...

— И ты хранишь это у себя дома? — ошарашенно посмотрел на него Юрий.

— Что я, самоубийца? Это копии.

— А источник надежный?

— Надежней не бывает. Читай, пока я не передумал.

Гордеев проглатывал страницу за страницей, часто повторяя:

— Не может быть...

— Может, — каждый раз отвечал ему на это Довжик. — И не такое может.

Во-первых, Гордеева поразил, если можно так сказать, уровень документов. Тут были подписи Президента России, премьер-министра, министра финансов, директора Центробанка, а уж сошек поменьше — бессчетно. Общий смысл сводился к следующему. После распада СССР на территории России не осталось ни одного завода по производству искусственных алмазов. И такое производство решено было спешно наладить. Под строительство завода в подмосковной Истре было выделено ни много ни мало — миллиард долларов США. Генеральным подрядчиком строительства завода и налаживания производства технических искусственных алмазов выступал некий фонд реабилитации асоциальных элементов «Братство». Этот фонд получил также приличные таможенные льготы при ввозе табачной и винно-водочной продукции.

Директором фонда как раз и был не кто иной, как А. С. Кобрин, депутат Госдумы.

Начало дела была ясным, как чистой воды натуральный алмаз. Фонд получает от государства деньги и начинает стройку. Но затем в документах наблюдалось некоторое замутнение чистоты, которое чем дальше, тем больше превращало алмазную прозрачность в чернейший графит. То вдруг оказывалось, что геодезическая разведка места строительства была проведена некачественно, поэтому большая часть денег, выделенных на закладку фундамента и возведение стен завода, ушла на повторное геодезическое обследование. Затем вдруг оказывалось, что оборудование, закупленное для производства в разных странах мира, почему-то поступает неисправным, а то и полностью разукомплектованным, читай, украденным. Было приложено несколько актов, которые подтверждали — оборудование расхищалось и портилось по дороге. Дальше — больше. Накладные расходы на строительство и запуск достигали таких размеров, что уже превышали смету во много раз.

Кто при этом «нагревании» грел руки, можно было легко догадаться.

Параллельно в папке приводились документы и свидетельства о том, как в то же самое время на Канарских островах, в Париже, в Швейцарии и в нескольких других уютных уголках земли фондом были приобретены внушительные участки земли с коттеджами, дачами и даже дворцами. В нескольких аэропортах мира стояли готовые к моментальному вылету самолеты, тоже принадлежавшие фонду. Несколько документов прозрачно намекали на то, что в самых устойчивых банках мира фондом были открыты внушительные счета.

Еще один раздел папки затрагивал уже известную Гордееву тему: у десятков преступных авторитетов, убитых или взятых под стражу, были обнаружены удостоверения помощников Кобрина.

Был здесь и изобразительный материал: пятиэтажный особняк под Москвой, фотографии, на которых Кобрин ручкался с теми самыми авторитетами... В Париже, Лондоне, Нью-Йорке... Где только он с ними не ручкался...

Но самой впечатляющей была бумага, приколотая в папке в самом конце, — акт, из которого следовало, что никакого завода в подмосковной Истре не построено. Не был даже вырыт котлован под фундамент. Ничего — голое поле.

За окном рассвело.

— М-м-да... Он скрывал от меня... — с обидой в голосе произнес Юрий. — От своего постоянного поверенного, адвоката скрывал, сука такая... Впрочем, с какой стати он стал бы со мной делиться?.. И что теперь? А, Вовк?

— Ты меня спрашиваешь? — Прислонившись к краешку раковины, Владимир с аппетитом хрумкал пупырчатым соленым огурчиком. — Лично я бы, наверное, отказался...

— От чего?

— От кого. Тут два варианта. Либо от Кобрина, либо от Пастуховой. Выбирай. Кто тебе ближе? Тут ведь два взаимоисключающих фактора. Впрочем, можно попробовать и рыбку съесть, и на табуретку сесть. Но сложно будет. Разумеется, в том случае, если ты уверен, что Кобрин имеет какое-то отношение к делу Пастуховой.

— А разве нет?

— Не знаю, не знаю... В моих документах об этом ничего не сказано. Выясни, у тебя же теперь все карты на руках.

— Володька, как мне тебя отблагодарить?

— Прекрати...

— Вовка, я обязан тебе по гроб жизни. Что мне сделать для тебя?

— Для начала — никому не говорить о том, что ты сейчас видел.

Гордеев возвращался домой в полуобморочном состоянии. Все его опасения подтвердились. Кобрин был совсем не тем, за кого он себя выдавал. Даже страшно становилось. Такие деньги так просто не воруются. Большие деньги — это большая кровь.

«И какой же из этого вывод?»

— Известно какой, — вслух произнес Гордеев. — Мне надо позвонить...

Он горько усмехнулся, ввалившись в квартиру, сорвал с аппарата трубку и набрал домашний номер Кобрина.

Депутат ответил не сразу. Наверное, еще спал. Впрочем, это и неудивительно, в начале-то седьмого...

— Алло? — наконец, на другом конце провода раздался его глухой голос.

— Это я, Гордеев.

— Что так рано?

— Аркадий Самойлович, нам нужно встретиться. И чем скорей, тем лучше.

— Что-то стряслось?

— Да.

— Что-то серьезное?

— Не по телефону.

— Вы пугаете меня...

— Когда и куда подъехать?

— В два часа, раньше не получится. Никак.

— В два так в два...

— Жду вас в своем кабинете.

Глава 54

ИДЕАЛЬНОЕ МЕСТО

Все случилось так быстро, что Сынок только сейчас начинал понимать смысл происходящего. Еще вчера он мысленно прощался с жизнью, понимая, что рано или поздно недоверие к нему в братстве кончится сараем в монастыре, а теперь он мчится по шоссе в джипе Константина Константиновича, слушая его инструкции.

— И запомни, до двери он дойти не должен. Слышишь, ни в коем случае не должен.

— Ага, понимаю. — Сынок смотрел на фотографию мужчины лет тридцати пяти. — А если...

— Никаких если, натурально. — Константин Константинович кивнул на бардачок. — Вон там возьми.

Сынок открыл крышку и оттуда прямо ему на колени выпал револьвер. Новенький «магнум» с глушителем.

— Только что из коробочки? — спросил Сынок, скользнув пальцем по смазке на рукоятке.

— Не волнуйся, уже пристрелян. После всего можешь оставить его себе. — Константин Константинович ухмыльнулся. — Но советую все же выбросить, натурально.

Сынок сунул револьвер в карман.

— Значит так, у него здесь встреча в четырнадцать ноль ноль. — Константин Константинович посмотрел на часы. — Времени полно. Можешь пройтись там, местность изучить. Местность там — лучше не придумаешь. Переулочков куча, подворотен полно, центр опять же, а там всегда толпа. Пять метров отбежал, присел на корточки — тебя уже и потеряли.

— Так я что, сам отходить должен? — удивился сынок. — Своим ходом?

— Тебе что, денег на такси дать, натурально? — Константин Константинович посмотрел на Сынка. — Да там же центр, я ж объясняю. Там машины ходят со скоростью пять метров в час. Своими ногами там дальше убежишь. Нырнул в метро, проехал три станции, пересел на другую ветку и вышел в другом конце города. Хочешь, дам тебе жетончик?

— Откуда он должен приехать? — Сынок еще раз посмотрел на фотографию «объекта».

— Без понятия, — пожал плечами Константин Константинович. — Я с самого начала сказал, что задание сложное. Может, со стороны Пушкинской, может, со стороны Тверской. Скорее с Пушкинской — там движение проще. Но даже если с Тверской, то парковаться ему придется в стороне. Может, правда, так случиться, что он прямо к депутатскому корпусу подкатит, а там ментуры полно. Но это тоже вряд ли случится — сегодня Зюганов пресс-конференцию дает по поводу вчерашнего голосования, так что тачек будет под завязку — не припаркуешься, натурально. Поэтому так или иначе он будет искать место, где припарковаться. Да, кстати, вот тут, — старик ткнул в разложенную на коленях карту пальцем, — дворик один есть, так он в этом дворе часто паркуется. Вообще идеальное место. Подошел сзади, пока он из тачки вылезает, пульнул разок в затылок, обратно в тачку его сунул, волыну рядом положил аккуратненько и пошел себе тихонько мимо. Но это если он во дворик свернет.

— Понятно. — Сынок сунул фотографию за пазуху. — Да, кстати, какая у него машина?

— У него «СААБ», — ответил Константин Константинович.

— Хорошая марка. А цвет какой?

— Цвет синий металлик.

— И цвет хороший.

— Где тебя высадить? — спросил Константин Константинович, вырулив на Тверскую.

— Где удобно, там и высади. — Сынок пожал плечами.

Константин Константинович припарковался за светофором. Выключил мотор, вздохнул и тихо сказал:

— Если сделаешь, сможешь себе не только «СААБ» купить, но и квартирку где-нибудь в Митино.

— А если не сделаю? — прямо спросил Сынок.

Константин Константинович пристально посмотрел Сынку в глаза.

— А если не сделаешь, то я тебя сам грохну, натурально.

— Нет, я не в том смысле, — улыбнулся Сынок. — Если осечка какая-нибудь произойдет? Ну я не знаю, если вдруг...

— Вдруг только кошки родятся, — перебил его Константин Константинович. — Но если какая-то осечка действительно произойдет, то... — он задумался. — То позвони вот по этому телефону и скажи только три слова: «Ничего не вышло».

На приборной доске у него была записная книжка. Написав номер, Константин Константинович вырвал верхний листок и протянул его Сынку.

— Вот, по этому номеру позвонишь. Но это только в том случае, если...

— Я понял. — Сынок сунул листок в карман и открыл дверцу.

Он уже хотел выходить, но обернулся вдруг и спросил:

— Как его зовут?

— Кого? — не понял Константин Константинович.

— Ну этого... — Сынок похлопал себя по карману, где лежали и фотография «объекта», и револьвер.

— Ах, его?.. Его зовут Юрий. Гордеев Юрий Петрович.

Когда Сынок закрыл за собой дверь и отошел от машины, Константин Константинович оторвал от записной книжки еще несколько листков. Чтоб не осталось отпечатков от сделанной записи...

Да, здесь его вполне можно было бы грохнуть. Быстро, аккуратно, без лишнего шума. Соседство целой кучи до зубов вооруженных ментов, охраняющих зажравшихся народных избранников от собственного народа, еще ничего не значит. Здесь, во дворе, ментов не было. Конечно, если начать шмалять из автомата длинными очередями, менты прибегут. А если щелкнуть разок из глушака...

Да, двор был идеальным местом. Зайти сразу за въехавшей машиной, а потом укрыться вон в том подъезде. Там, на втором этаже, окошко, которое выходит уже в соседний дворик. А оттуда попадаешь в соседний переулок. Нет, идеальное место, лучше просто не придумаешь.

Выйдя из дворика в Георгиевский переулок, Сынок огляделся. Переулок довольно многолюдный, много машин по обочинам дороги. Более или менее свободно только возле самой арки. Если он будет парковаться не в дворике, то только здесь. По всему переулку стоят менты с автоматами. Но они все ближе к зданию депутатского корпуса. Отсюда слишком далеко. Пока подбегут, можно будет выскочить на Тверскую, а дальше уже дело техники. Даже не техники, а быстроты ног.

Сынок пытался пройти за жертву весь ее маршрут, определив возможные точки нападения, чтобы потом можно было выбрать самую удобную.

От машины он пойдет вон туда, к лестнице. Можно еще будет укрыться между теми двумя автобусами, если они к тому времени не уедут, и открыть стрельбу, когда он будет проходить мимо. Тогда, правда, пропадает весь обзор. Но и менту тоже ничего не видно. Место, конечно, похуже, чем во дворе, но тоже вполне ничего.

Дальше он свернет к лестнице. Если стрелять здесь,

то вполне возможно, что еще удастся выскочить на улицу. Правда, сразу натыкаешься на мента, но тут уж кто быстрее выстрелит. В любом случае гораздо хуже, чем даже стрелять из-за автобуса.

Ну а прямо перед входом в депутатский корпус, где ментов больше, чем голубей на крыше, уже почти нереально. Нет, конечно, будет пара секунд, чтобы достать револьвер, вполне возможно, что успеешь даже выстрелить один раз, но о том, чтобы после этого пробежать хоть пару метров, нечего даже и думать. Если и искать самое неподходящее место для нападения, то вот оно.

Еще раз обойдя весь переулок, еще раз все хорошенько взвесив, Сынок пришел к окончательному решению. До контрольного часа оставалась еще уйма времени...

Глава 55
ЧЕРНЫЕ ГЛАЗА

«Зачем она не убила меня? — думала Ирина, все так же свернувшись в эмбриональной позе. — Зачем? Я уже ничего не чувствовала, я умирала, а тут все заново. Зачем? Зачем?» Пока она лежала, нанесенные ей ушибы стали ныть — болел крестец, нос распух — видимо, была сломана перегородка. Из своего угла уже угомонившаяся, но все еще озверелая Кулюкина выкрикивала ей время от времени: «Я тебе глаза выдавлю. Ночью. Ты уснешь, я тебе глаза выдавлю!» Под носом у Ирины запеклась корка крови. Она потрогала ее сначала языком, потом пальцем. Потянула на себя угол саржевой простыни, послюнявила и попыталась оттереть. На ткани остались грязные пятна.

«Умереть, — думала Ирина, — раньше я боялась только позора и смерти. Теперь позор настиг меня, а смерти я не боюсь». Она вспомнила, что церковь, в которой она была крещена, осуждала самоубийц. За самоубийцу нельзя молиться, самоубийц не отпевают. «Меня и так не стали бы отпевать. И никто бы за меня не молился — ни Руфат, ни Ободовская. И Бог... Если есть Бог, тогда почему я здесь? За что я страдаю?» Она представила себе, как она летит несколько секунд из окна вниз — и все. И долгожданное ничто. Чем хорошо бросаться из окна, рассуждала она, так это тем, что нужно сделать один лишь шаг, а дальше, уж даже если испугаешься, то вернуться нельзя. Только здесь и окна зарешечены. Придется придумывать. Она закусила зубами полотно простыни и слегка надорвала его. Плотная ткань не сразу подалась. Ирина продолжила линию надрыва, ткань с сухим треском стала разделяться. Ирина, впервые за все время пребывания в тюрьме, заинтересовалась чем-то, кроме своих мыслей. Теперь важно было незаметно разорвать простыню, скрутить куски полотна и сделать веревку. Ирина совершенно серьезно проверяла оторванный кусок ткани на прочность, на скользкость, вспомнила, что надо бы достать мыла и, наверное, воды незаметно, чтобы намочить и намылить веревку. В течение двух часов ей удалось незаметно оторвать еще две ленты от простыни, связать их воедино и положить под подушку. Один раз только она чуть не прокололась. Когда она уже заканчивала отрывать третий кусок, она заметила, что на нее неотрывно смотрят черные глаза цыганки, сидевшей за торговлю опиумом. Эта цыганка никогда ни с кем не разговаривала, и ее опасались из-за черных глаз. Женщины суеверно избегали смотреть в них. Ирина тоже некоторое время глядела в цыганские глаза сейчас и не могла отвести взгляда, словно была в них какая-то магия. Потом Ирина заставила себя отвернуться и закрыла глаза.

Ирина пролежала еще около двух часов без сна. Ей казалось, что не все спят, хотя камера наполнилась звуками сна восемнадцати человек. Выждав время, Ирина попробовала веревку. Уже приглядела, где можно будет ее накинуть — прямо на спинку койки. Ире пришлось прождать еще несколько часов в ожидании рассвета. На рассвете все спят особенно крепко. Кроме самоубийц. Предрассветный час предпочитается ими. Едва квадрат окна стал чуть светлее, Ирина встала и, легко ступая босыми ногами, подошла к умывальнику. Смочила конец веревки и, взяв обмылок, тщательно натерла жгут. При этом, примечательно, она не думала о смерти. Она думала только о том, как действовать бесшумно. Ей не пришло в голову перекреститься, оставить записку — ей хотелось только одного, чтобы все это кончилось немедленно, сейчас же, чтобы наступило долгожданное ничто.

Пальцы не слушались, привычных действий не могли выполнить. Но Ирина старалась. Закрепив веревку на железной изголовной коечной дуге, она просунула голову в петлю, поправила ее на шее, отдавшейся тупой ломотой в позвонках. Ире вдруг показалось, что ведь, наверное, ей будет больно, когда петля затянется, — переусердствовала сегодня Кулюкина. Потом Ира подвинулась к краю койки — матрасная сетка скрежетнула. «Успею», — подумала она, услышав, что кто-то заворочался впотьмах. Она поглядела вниз — на белом фоне кафеля четко различались темные клетки, как решетка на окне. «Надо только поджать ноги». Ирина толкнулась вперед. Дыхание ее пресеклось, кровь кинулась в голову и застучала в висках. Вены вздулись на лице. Ее руки сами собой потянулись к веревке. Ирина дернула ногой, уперлась в пол. Петля не затянулась до конца — инстинкт самосохранения победил.

Вдруг чья-то тень метнулась с нар, бесшумно подлетела к Ирине, схватила ее за судорожно скрючившиеся руки, сжала их и тяжело повисла на ней. Петля перетянула горло, сознание покинуло Ирину.

А потом, через бесконечность, тело Ирины с треском обрушилось, упало, как кукла на пол, ударилось головой. Неясная тень метнулась назад. Тело Ирины, конвульсивно дергаясь, разбрасывая руки и ноги, билось об кафель пола. Тотчас с лязгом отворилась дверь. Мелькнуло встревоженное лицо ночной контролерши. Раздался визг. Ирина ничего не слышала, она лежала с почерневшим лицом, вывалив язык, выпучив слепые глаза, чтобы уже никогда не видеть этого жестокого мира.

Глава 56
ЧТО СЛУЧИЛОСЬ?

Когда Юрий свернул с Пушкинской, было без десяти два. Опаздывать он не любил, а ведь придется еще искать место, где припарковаться. Прямо у корпуса вряд ли получится. Сегодня у КПРФ какая-то шумная пресс-конференция, значит, будет полно машин. Да и депутаты, как известно, пешком на работу не ходят. Значит, придется опять парковаться в соседнем дворике. Пару раз, правда, приходилось выслушивать от жильцов угрозы, что шины проткнут или поцарапают двери, но пока ничего такого не было.

Да, действительно, у депутатского корпуса припарковаться не получилось. Юрий проехал мимо входа в здание, развернулся и покатил обратно, к въезду во двор.

Двор был пуст. Только какой-то однорукий верзила вошел с улицы, когда Юрий закрывал машину. Включив сигнализацию, Гордеев направился к выходу. Однорукий, как видно, не мог найти нужный дом, потому что вышел из дворика сразу за ним и, обогнав, быстро зашагал по мостовой, скрывшись за стоящим у обочины автобусом. Юрий посмотрел на часы. Было без трех два.

— Опаздываю, черт... — ругнулся он и ускорил шаг.

Однорукий был между автобусами. Видно, он не москвич, раз решил, что тут жилые дома. Гордеев, проходя мимо этого однорукого, вдруг заметил, что тот странно посмотрел на него. Но какое это имело значение?..

Все произошло, когда он уже взялся за ручку парадной. Что-то хлопнуло за спиной, кто-то закричал: «Ложись!» — и толкнул Гордеева в спину. Споткнувшись, Юрий Петрович полетел на асфальт, а вокруг загремели выстрелы и закричали люди.

Все закончилось так же быстро, как и началось. Кто-то поднял Юрия на ноги, несколько милиционеров сразу начали ощупывать его, хлопать по плечу и говорить, что он в рубашке родился, кто-то вдруг потребовал у него документы и захотел обыскать.

— А что случилось? — бормотал он, ничего не понимая. — Тут кто-то стрелял, да?

— Стрелял, конечно, стрелял!

Из парадной выскочили первые журналисты с видеокамерами. В нос Гордееву ткнулось сразу несколько микрофонов, но тут же пропали, оттесненные милицией.

— А в кого стреляли? — пробормотал Юрий, начиная смутно догадываться, что он тоже как-то замешан в случившемся.

— Так в тебя же и стреляли! — Его потрясли за плечо. — Ты чего, не понял еще?

Юрий почувствовал, что у него задрожали руки.

— Как в меня? — пробормотал он изменившимся, каким-то чужим голосом, и огляделся.

И тут он увидел лежащего на земле, окруженного милицией и телевизионщиками однорукого. Рядом с ним валялся револьвер с глушителем.

— Нашатыря! Дайте нашатыря! — услышал Юрий откуда-то с небес и догадался, что это он падает в обморок...

Глава 57

ПРОФЕССИОНАЛЫ

Лабиринты думских коридоров, своей стерильностью и строгостью напоминавшие больничные покои, мало успокоили Гордеева. За шеренгами дубовых отполированных дверей бесшумно растворялись сновавшие туда-сюда секретарши, исчезали мальчики в синих костюмах с мобильными телефонами, изредка мелькал шумный хвост свиты какого-нибудь депутата. Чинные таблички с именами, оповещающие о времени приема, церемонно охраняли порядок в доме законодателей. Вырвавшись от милиции на несколько минут, Юрий Петрович преследовал единственную цель — унять дрожь в коленках и остановить бессвязный поток фраз, которые долбили его мозг. Особенно злобствовала какая-то дешевая песенка, ее ритмический абсурд воспроизводился в голове с навязчивостью молотка соседа, рано поутру забивающего за стеной гвозди. «Ты ж еще молодой. Ты ж еще страдаешь...» «Идиотизм! — Чем страдает герой, Гордеев припомнить не мог и спотыкался всякий раз, ловя себя на мысли, что невольно подыскивает рифму, — ерундой, лебедой, сединой... Фу! Такое даже в страшном сне... Сон... Да, сегодняшней ночью он видел сон, будто из разбитой банки расползались тонкие, как ниточки, змеи. Ну и к чему это? Кобрин?.. В конце концов, почему он даже не появился, когда шумел весь этот сыр-бор вокруг покушения?»

Только сейчас Гордеев стал осознавать, что прорваться в эти коридоры его заставило тайное желание немедленно увидеть Кобрина. Смертельная опасность, которую Гордеев почуял, заставила его избрать тактику опытного поискового пса — бежать по не остывшим еще следам. Только депутат мог зарифмовать те страдания, которые мучили Гордеева.

Думские палаты вывели Юрия Петровича в светлый холл. Яркие стекляшки богатой люстры переливались на солнце, свисая в провал первого этажа. С балкона открывалась широкая лестница, покрытая ковром, а внизу царило оживление — журналисты вприпрыжку старались обставить друг друга, прорываясь сквозь заслон охраны к законодателям, слепили «Бетакамы», падали микрофоны, стоял гомон от сыплющихся слева и справа вопросов. Гордееву казалось, что это не люстра висит под потолком, а слившиеся в единый сноп вопросы повисли над головами народных избранников.

На противоположной стороне балконного круга, за горшками с пальмами, стыдливо укрылась дверь знакомого бара. Гордеев подумал, что это то самое блаженное место, где мысли наконец получат желанное построение по ранжиру. Уютные столики блистали девственной чистотой, а востроглазые буфетчицы — незамутненным взором. Гордеев попросил пятьдесят граммов коньяку и отчаянно опрокинул в один присест широкий, по всем правилам винного искусства, бокал. Девушка за стойкой сочувственно поморгала посетителю, но, спохватившись, заулыбалась, стуча по клавишам кассового аппарата. Сумма на чеке, несмотря на шикарность напитка, значилась мизерная. Гордеев вспомнил жалостливые интервью народных избранников — они, дескать, тоже зарплату получают нерегулярно, как и прочие простые граждане, — и заказал новую порцию коньячка. Вторые пятьдесят пошли не так споро, зато с бóльшим теплом. Приятная истома наконец стерла истерический ритм дешевой песенки в голове, и к Юрию Петровичу постепенно стала возвращаться трезвость мысли.

«В нашей жизни главное — постоянно поддерживать состояние легкого опьянения и не дай Бог чуть-чуть передержать» — так, кажется, говорил Гордееву один его клиент — ловкий «строитель пирамид», каждый час в качестве лекарства принимавший из микстурной бутылочки глоток коньяку. «Пожалуй, в чем-то он был прав», — Гордеев вытащил из кармана думский пропуск. Обычно Юрий Петрович гордился перед коллегами своей профессиональной памятью, справедливо полагая, что именно этот феномен во многом определил его удачную карьеру. Однако сейчас ему не хотелось огорчаться по поводу того, что он забыл номер кабинета, где принимает Кобрин. Его карьера, да и... сама жизнь больше не зависели от прочности памяти, они даже не зависели больше от его работоспособности и самоуверенности. Он вдруг понял, что та сила — физическая и моральная, присутствие которой он каждое утро с радостью обнаруживал в себе, собираясь на работу, больше не может служить ему верой и правдой. Не то чтобы Гордеев вдруг в один миг прозрел и растерялся, просто он неожиданно понял, что оружие, всегда защищавшее его, устарело — словно он старательно прочищал кремневое ружье, тогда как соседи давно уже изобрели втихомолку ядерное оружие.

Гордеев долго и бесцельно сидел за столом в совершеннейшей отключке. Постепенно какая-то сверлящая, беспокойная мыслишка внедрялась в его благостное сиюминутное существование и возвращала в реальность. Что-то внутри Гордеева задергалось, прореагировало — будто чьи-то глаза встретились с его глазами. Юрий Петрович с трудом оторвал взгляд от белого ровного полотна скатерти и огляделся. Пробуждение было тяжелым, не оставляло тягостное чувство: кто-то проницательный и умный «ведет» его. Но в думском баре по-прежнему царила пустынность и даже «сочувствующая» девушка за стойкой скрылась в подсобке, однако ощущение беззащитности, которое Гордеев испытал тогда, когда однорукий приближался к нему, сейчас повторилось еще обостреннее. Слежка была, в этом Гордеев не сомневался, но сколько он ни мотал головой, сколько ни высматривал, ничего подозрительного обнаружить не мог.

Он решил не пользоваться лифтом, так как и в хорошем настроении зажатый в четырех стенках кабинки, лицом к лицу с другими пассажирами, Гордеев всегда испытывал дискомфорт. Сейчас же кое-как обретенное присутствие духа нужно было беречь, поэтому Юрий Петрович поднялся на пятый этаж пешком, не переставая оглядываться и замедлять шаг. Коридор слишком гулко, как показалось Гордееву, отражал его нетвердый шаг и скрип туфель. Непозволительно шумно Гордеев приближался к заветной двери, словно Буратино к нарисованному очагу. Начищенная ручка послушно повернулась, квакнула, но дверь не поддалась. Юрий Петрович беспомощно оглянулся по сторонам, рядом мерцала табличка: «Кобрин А. С.», подтверждая правомочность притязаний Юрия Петровича именно на этот кабинет. Гордеев еще раз подергал язычок ручки, навалился всем телом на дубовое полотно. Несколько секунд паузы, показавшиеся

Юрию Петровичу вечностью, еще отделяли его от осознания: Кобрина здесь нет. Гордеев не хотел вот так, с ходу сказать себе это, он еще на что-то надеялся, но вместе с секундами уходили и остатки надежды. Нервы сдавали, Гордеев ударил каблуком по полированной поверхности, и стоило ему единожды нанести этот удар, как все напряжение прорвало, словно перезревший нарыв. Он с остервенением, не отдавая себе отчета в том, что делает, стал лупить ногой, кулаком по злополучной двери.

— Юрий Петрович! Вот уж не предполагал, что вы хотите загреметь по статье за мелкое хулиганство.

Гордеев оглянулся и увидел холодные, насмешливые глаза знакомого мужчины.

— Это вы следите за мной, Александр Борисович? — Гордеев не скрывал своего негодования. Скрывать больше ничего не хотелось.

— Да бросьте вы, Юрий Петрович! Вы неверно расставляете приоритеты, как принято выражаться теперь в этих кулуарах. В вашем положении подобные ошибки — непозволительная роскошь. Какая слежка?

— Будьте любезны не издеваться. — Гордеева раздражал игривый тон старшего следователя по особо важным делам Генпрокуратуры России.

— Вы, наверное, Юрий Петрович, как человек, склонный к рефлексии, подумали сейчас — вот и я попал в разряд особо важных дел.

— Ничего я не подумал, — буркнул Гордеев. — Моя профессия, как известно, связана с долей риска. А ваша, вероятно, вырабатывает в вас неумеренное самодовольство и нюх ищейки.

— Вас так оскорбила наша неожиданная встреча? Поверьте, Юрий Петрович, я не следовал за вами по пятам, не расставлял кинокамеры в унитазах и не сидел под столом в думском баре.

Гордеев криво усмехнулся. Чего это он, действительно? С Турецким они были знакомы давно. Одно время Гордеев работал в прокуратуре под началом Турецкого. Гордеев Турецкого уважал, если не сказать — обожал. Просто настроение было ни к черту!

— Вы же были в баре, Юрий Петрович? Только не думайте, что ваша интуиция вас не подвела. Всего лишь — запах коньяка. Свежий запах — и все, и никакого мошенничества.

— Скажите еще, что и сюда, на пятый этаж, вы пришли по запаху коньяка.

Турецкий открыто и весело захохотал.

— Обычная логика, Юрий Петрович. Простая детская задачка. Когда вы исчезаете от стражей порядка, спрашивается, куда вы можете отправиться? Ответ можно посмотреть в конце учебника: вы идете к Кобрину, так как это он пригласил вас к назначенному часу в то место, где вас почему-то ждал убийца. Ну скажите, что тут сложного?

Гордеев сразу как-то сник, потерял те остатки бойцовского запаса, которые старательно накапливал в себе последний час. Тепло и дурманящая бодрость коньяка исчезали с легкостью испарившейся на солнце лужи.

— Впрочем, мы слишком долго занимаем коридор служебного помещения. Не угодно ли куда-нибудь присесть, Юрий Петрович?

— Сесть мы всегда успеем. — Гордеев сам не ожидал от себя такой прямо-таки шариковской пошлости. — Вам что, Александр Борисович, нужны мои показания?

— Безусловно. Я думаю, вы и сами, как честный человек и гражданин, понимаете необходимость этой неприятной процедуры, — с тонкой иронией сказал Турецкий. — Протоколы, допросы... Это, увы, неизбежно. Но дело, как вы догадываетесь, весьма деликатного свойства. Спасибо хоть до журналистов еще не дошло, что вы приехали на встречу с депутатом. Представляете, какая красивая история? Скажу вам честно, мне опять придется работать с вами в связке. Так эффективнее. Пока пресса только муссирует наглость бандитов, работающих в непосредственной близости от Думы, а скоро может завопить, что мафия уже в Думе.

Они вернулись в тот самый бар на втором этаже, и Гордеев выпил еще пятьдесят граммов коньяку.

— Значит, вы желаете мне добра? — Гордеев поозирался, надеясь еще раз попробовать понять, за какой портьерой скрывался Турецкий тридцать минут назад.

— Все ищете момент истины? — догадался Александр Борисович. — Не по тому следу идете. Ну как вы думаете, чем я занимался все то время, пока вы выясняли отношения с самим собой?

— Искали Кобрина?

— Правильно. И не нашли. Не было Аркадия Самойловича сегодня на рабочем месте, и никто его не видел. А вы говорите — «дежурные слова». Пожалуй, я тоже приму коньячка — все же так дешево, просто грех отказываться. — Турецкий отправился к стойке. «Сочувствующая» девица вся засияла, когда к ней склонился следователь.

«Сердцеед», — поймал себя на зависти Гордеев, рассматривая спортивную фигуру Турецкого.

— Итак, — Александр Борисович уже разворачивал шоколадку перед носом адвоката, — вы, как субъект следственного процесса, заключаете в себе комплекс противоречий. С одной стороны, вы — потерпевший. Значит, должны быть заинтересованы выложить все сведения, которыми владеете. Для пользы следствия, разумеется. С другой стороны, Гордеев Юрий Петрович — адвокат, сторона в судебном процессе, «совесть продажная». А тут, как я понимаю, речь идет о немалых деньгах.

— Поэтому «важняк» хочет предложить мне конфиденциальный разговор. По дружбе.

Это у них был такой своеобразный стеб — они разговаривали иногда друг с другом, как ужасно занудные юристы и страшно черствые чиновники. А вообще-то оба питали друг к другу самые теплые чувства.

— Не стоит утрировать, — Турецкий демонстративно выпил один. — Я просто подумал, что, так как Кобрин исчез, вы тем самым от некоторых моральных обязательств освобождаетесь, и в целях личной безопасности, опять же потому что вышеупомянутый страж народных интересов исчез, пожелаете доверительно, безо всяких формальностей сообщить несколько важных подробностей.

— Что вас интересует конкретно? — Гордеев высказал это не сразу, а лишь спустя пару минут, подождав, когда коньячное тепло по-матерински укутает тело.

— Кто назначил эту встречу?

— Я. Это, кстати, уже, видимо, записано спецслужбами. Позвонил Аркадию Самойловичу и попросил аудиенции.

— Сколько времени прошло между разговором и покушением в Думе?

— Так... Часов семь-восемь. Сейчас вы спросите, кто еще мог знать о том, что я еду к Кобрину? Отвечаю — не знаю. Уборщица мне попалась под лестницей, когда я собирался выходить из консультации. Ну, охранник у дверей. Может, гаишник. Правда, я на лобовом стекле не писал — еду к депутату Кобрину. Но вдруг он такой проницательный. Не знаю... — Гордеев нервно развел руками.

— Тогда самое важное — тема вашей несостоявшейся беседы с Кобриным?

— Ага... Вот мы и добрались до камня преткновения. Неужели вы считаете, что я могу пренебречь интересами клиента? И все ради сомнительных подозрений в виновности Кобрина? Вы меня недооценили, Александр Борисович, хотя мы не первый день знакомы.

— Хотелось бы поддержать ваш оптимизм, Юрий Петрович, но не получается. Презумпция невиновности — вещь хорошая. Но тогда ответьте мне, куда же делся Аркадий Самойлович? Депутатов такого ранга можно обвинять в чем угодно, только не в отсутствии пунктуальности. Кто же будет иметь дело с политиками, которые назначают встречу и тут же забывают об этом?

— Ваши аргументы неотразимы, но я защищаю честь и достоинство Кобрина перед обществом. Как же я могу предать огласке ту информацию, которую получил в качестве профессионального секрета? Поверьте, ваша логика в моих ценностях бессильна.

— Да нет еще никакой логики, Юрий Петрович. — Турецкий досадливо махнул рукой, словно стараясь урезонить непонятливого ребенка. — Хотелось, чтобы вы помогли ее восстановить. Какая может быть логика в исчезновении Кобрина? Если он подстроил покушение, зачем ему навлекать на себя ненужные подозрения. Логика...

— Может быть, сразу взять бутылку? — поинтересовался Гордеев, приподнимаясь со стула.

— Не стоит, — Турецкий заулыбался. — Рабочий день все-таки впереди. Мой телефон вы знаете. В случае чего — звоните. Помогу. И по дружбе, и из профессиональных соображений.

Прощальный воздушный поцелуй «настоящего полковника» запечатлелся в глазах «сочувствующей» девушки, теперь ее взор выражал неприкрытое сожаление по поводу ухода Турецкого. Гордеев торопливо вскочил и нагнал следователя уже на парадной лестнице под стекляшками люстры.

— Александр Борисович, вы простите, я просто не в духе.

— Было бы странно, если бы вы веселились, — покровительственно улыбнулся Турецкий.

Гордеев снова вернулся на балконный круг, присел на банкетку и приступил к выработке плана действий. Перво-наперво следовало все-таки разыскать Кобрина, хотя бы по телефону, во-вторых, черт возьми, прежний сильный Гордеев никогда не простил бы себе, что бесполезно пропадает целый день, а потому сегодняшние цели и задачи должны быть выполнены. В конце концов, адвокат Гордеев еще жив и даже здоров, и с утра он намеревался проверить финансовые документы Кобрина по строительству. А время адвоката Гордеева — золотое, вернее, долларовое, поэтому никакой однорукий или одноногий, или даже одноглазый бандит не смеет нарушать расписание адвоката Гордеева.

Глава 58
СПОКОЙНОЙ НОЧИ

На этот раз ручка на двери кабинета Кобрина приветливо выскользнула из защелки, пропуская Юрия Петровича внутрь уютной комнаты с образцовой европейской офисной мебелью и многочисленными горшками цветов на окне, компьютере, столе и даже на полу. За столом красила губы секретарша, напротив нее в кресле с чашкой кофе сидел помощник депутата Виноградов. Увидев на пороге Гордеева, Игорь Олегович растерялся — время близилось к обеду, когда чиновный люд приходит в состояние некоторой «расслабухи», и Игорь Олегович, вероятно, разрешил себе чуть-чуть приударить за хорошенькой секретаршей. Не следовало быть большим психологом, чтобы по поведению подчиненных определить — хозяина на месте не только нет, но и в ближайшее время не предполагается.

Виноградов своей ретивостью поспешил исправить оплошности любвеобильной натуры.

— Какими судьбами, Юрий Петрович? Не ожидали вас увидеть сегодня, не ожидали. Чай? Кофе?

Гордеев еще раз попытался уцепиться за ускользающий хвост надежды:

— А разве Аркадий Самойлович не предупреждал о моем приезде? Мы договорились с ним встретиться в два часа.

— Нет, — глаза Виноградова удивленно раскрылись, и чашка с остатками кофе опустилась в пудру секретарши. Легкое облачко «Кристиан Диора» взметнулось в воздух, и помощник депутата громко чихнул.

— Ой! Ну че это вы, Игорь Олегович? — кокетливо заверещала секретарша, полагая, что любовные игры все еще продолжаются, и не желая понимать, что Виноградов уже давно принял совсем иную — деловую стойку.

— Нет, — Игорь Олегович решительно отмежевался от подруги. — Сегодня сумасшедший день. День сплошных недоразумений. По-моему, Юрий Петрович, в нашей стране самым всенародным праздником может стать День недоразумений. Надо внести проект на рассмотрение в Думу. Приезжаю на работу, а у входа какая-то заварушка, здание оцеплено, кто-то в кого-то стрелял. Честно говоря, я не стал пробиваться с боями, плюнул на все и — в «Ростикс», кукурузу вареную кушать. Пусть недоразумениями питается тот, кто их заваривает, — Виноградов улыбнулся, оценив нечаянный каламбур.

Секретарша на всякий случай тоже заулыбалась, хотя ей не нравился гость, который так долго занимал внимание Игоря Олеговича, да и сам Игорь Олегович, слишком резко переметнувшийся на сторону случайного посетителя, не вызывал у нее больше положительных эмоций.

— Представьте себе, Игорь Олегович, вас ожидает еще одно недоразумение. — Гордеев помедлил, но решил, что не сказать Виноградову о случившемся причин нет. — Виновником этой так называемой заварушки стал я, а может... и господин Кобрин.

— Не может быть! — Виноградов сконфузился. — Пройдемте в кабинет, Юрий Петрович.

Виноградов, едва заскочив в тесную, заставленную столами комнату, повернул ключ в двери. Гордееву эти меры предосторожности показались лишними, но Виноградов выглядел слишком смущенным и хотел, вероятно, таким образом продемонстрировать адвокату свою озабоченность:

— Что случилось? Аркадий Самойлович в порядке?

— Это я желал бы спросить у вас. В семь утра мы созвонились с Кобриным и условились встретиться в Думе.

— В семь?! Вы, наверное, что-то неправильно поняли. — Заосторожничал Виноградов, не решаясь продолжить разговор.

— Я еще не в маразме, Игорь Олегович. И к этому времени обычно просыпаюсь, провожу полный комплекс упражнений. К тому же в эту ночь я вообще не ложился.

— Не стоит так волноваться, — успокоил Виноградов. — Я знаю только то, что Аркадий Самойлович позвонил мне сегодня в десять и сообщил, что день его пройдет, как и планировалось. Он уезжает в Тулу, там проходит предвыборная кампания одного кандидата, которого мы поддерживаем. Кобрин обещал ему помочь. Меня же он попросил приехать к обеду и принять делегацию профсоюзов. — Игорь Олегович посмотрел на часы.

Повисло напряженное молчание. Слышно было, как в соседней комнате пищит компьютер секретарши. Виноградов нажал кнопку селектора связи:

— Любочка, Аркадий Самойлович уехал в Тулу?

— Конечно, как и собирался, — прорskotала обиженно механический голос секретарши.

— Вот, — Виноградов вопросительно посмотрел на адвоката. — Что же случилось с вами, Юрий Петрович?

— Сущая безделица. Когда я подъехал к Думе, как было условлено, какой-то маньяк пытался выстрелить в меня.

— Что же?.. Что же?.. Что вы хотите сказать?.. Этим?.. — Лицо Виноградов меняло окраску, последовательно проходя весь спектр от красного до белого.

— Я уже ничего не хочу сказать. Как у Шекспира — «дальше молчание».

Игорь Олегович схватился за телефонную трубку и стал лихорадочно набирать номер.

— Так и есть, мобильный отключен, — выдохнул он наконец, изрядно повоевав с трубкой. — Будем ждать. Аркадий Самойлович, вероятно, приедет теперь только к ночи. Вы же знаете, он живет с семьей на даче. Я буду звонить.

— Ну что ж, на этом остановим свои разбирательства, — миролюбиво согласился Гордеев, насладившись смятением помощника. — В общем-то я пожаловал сюда не затем, чтобы сообщить вам пренеприятное известие, а по делу.

— Конечно, конечно, — засуетился Виноградов. — Всегда к вашим услугам.

— Мне необходимо просмотреть кое-какие документы.

— Конкретно?

— По благотворительному фонду «Братство».

— Запросто.

Игорь Олегович открыл сейф и вытащил оттуда пухлую папку с аккуратно подшитыми бумажками.

— Располагайтесь как дома. Вам принести чай, кофе?

— Можно, — совсем обнаглел Гордеев.

Виноградов вышел из кабинета, предоставляя адвокату возможность углубиться в отчет.

Голова после всего пережитого была пуста, как барабан. Гордеев чувствовал, что вот-вот уснет прямо над документами. Но спать было нельзя. Совершенно новый сюжет разворачивался в папке, предоставленной Гордееву Виноградовым. Хотя действующие лица были прежними — фонд «Братство», правительство, министры, банки. Речь шла о строительстве жилищного комплекса. Гордеев призвал на помощь всю свою силу воли, перелистывая строгие листки платежек и честно просматривая графы, заполненные сухими цифрами. Ничего подозрительного он углядеть не мог — расчеты велись через банк, поручения заполнялись по всем правилам. Единственное, что заметил привычный к деталям глаз Гордеева, — размеренная периодичность выдаваемой платы. Второго и шестнадцатого числа каждого месяца строители получали причитающиеся им деньги. Январь, февраль, март, апрель... Стоп! 16 апреля Гордеев отмечал свой законный день рождения. Вот когда профессиональная память не подвела — зацепилась за конкретную дату. В голове Юрия Петровича отчетливо всплыл день его рождения в этом году. Обычно гости собирались без предупреждения, Гордеев несколько раз пытался перенести празднество на выходные, но стихийного бедствия, коим становилось нашествие друзей, избежать так ни разу и не удалось. В конце концов он плюнул и обреченно стал брать отгулы в свой день рождения. Но в этот год праздник Гордеева пришелся точно на *воскресенье*. Это был самый золотой день, Юрий Петрович пробежался по рынкам, а, посколь- ку назавтра был рабочий день, то ни один гость не напил- ся и не засиделся за полночь. Все складывалось как нельзя кстати. Но как же тогда 16 апреля фирма Кобрина полу- чила деньги из банка? Гордеев на всякий случай сверил даты по маленькому календарику, который всегда носил в записной книжке. Так и есть — по документам строите- ли получили несуществующие деньги. Гордеев едва удер- жался, чтобы не чиркнуть красным карандашом по фаль- шивой платежке.

Он в радостном возбуждении взъерошил волосы — день не пропадал даром. Все-таки его теория о внутренней силе не оказалась таким уж пустоцветом. Жизнь налажи- валась. К Гордееву вновь возвращалось прежнее самооб- ладание. «Ты ж еще молодой... Фу! Только этого мне не хватало! А Аркадий Самойлович хорош! Режиссер хоть куда!»

У стола секретарши сидел за бумагами Виноградов. Гордеев едва не ляпнул о своем открытии, но вместо этого он, потирая руки, спросил:

— Что же? Кофе будет?

Виноградов вздрогнул от неожиданности:

— Сейчас, сейчас. Любочка побежала.

Секретарши действительно не было на месте, в возду- хе витал только тонкий запах ее духов.

— Поработали, Юрий Петрович?

— Угу, — изо всех сил сдерживал себя Гордеев.

Теперь в его руках был козырь, которым он мог побить любую карту. Нужно только правильно распорядиться своей находкой, связать Ливанова и Кобрина, доказать факт давления на следствие, что было уже просто делом техники. И тогда Иринино дело будет не таким безнадеж- ным, можно будет даже ходатайствовать об изменении меры пресечения на подписку. А уж если это получится, дело, считай, в кармане.

Никогда еще Юрий Петрович с таким удовольствием не глотал растворимый кофе, доставленный секретаршей из депутатской столовой. Он посчитал сегодняшний день завершенным — не может же человек продолжать беско- нечно получать эмоции в течение одних-единственных суток. Нужно что-то оставить и на потом.

Виноградов наотрез отказался возместить материаль- ный ущерб, нанесенный адвокатским обедом.

— Вы наш гость, — улыбался Игорь Олегович, щуря близорукие глаза. — Вижу по радостному выражению вашего лица, что день ваш все-таки прошел недаром, — вдруг почти дословно угадал он мысли Гордеева.

— Недаром, — скромно согласился Гордеев. — Есть кое-что.

— Вы тоже заметили? — спросил Игорь Олегович, проницательно глядя в глаза адвоката.

— Что заметил? — схитрил Гордеев. Вдруг он не все заметил?

— Даты. Выплату зарплаты строителям, — не открыл ничего нового помощник.

Секретарша навострила ушки.

Гордеев встал и открыл дверь кабинета. Виноградов понял его, захватил свою чашку с кофе, последовал за Юрием Петровичем.

— Что происходит? — спросил он, плотно прикрыв за собой дверь.

— Вы у меня спрашиваете? — удивился Гордеев.

— Да. У вас. Потому что вижу — у вас информации куда больше.

— Есть кое-какая.

— Скажите мне, Юрий Петрович. Вы же понимаете, меня это касается в первую очередь.

Гордеев вспомнил об откровенном разговоре с помощником, о том, что именно Виноградов подтвердил — какие-то у Кобрина темные знакомства.

— Боюсь, ваш босс сильно увяз.

— Он и ваш босс, — напомнил Виноградов.

— Вот в этом я теперь сильно сомневаюсь. Знаете, это прозвучит дико, но у меня есть принципы.

— Все! — вскочил на ноги Виноградов. — Я чувствовал, что этим кончится. Почти что знал! Да что там — уверен был! Я пытался с ним поговорить. Я даже настаивал — «нет, ничего страшного, что ты выдумал?!» Все! Это конец. Господи, как это банально — хороший, добрый, честный человек получает власть и прямо на глазах становится злым, жадным и бесчестным! Простите меня за пафос. Но вы сами понимаете. И вот что мне теперь делать, Юрий Петрович?

— Это вы сами решайте, — пожал плечами адвокат.

— Да нет, я не в том смысле. Я Аркадия Самойловича не брошу. Знаете, я его никогда не брошу. Это и непорядочно сейчас было бы. Мы с ним друзья. Я думаю теперь, как его выручать?

— Вот это вопрос на засыпочку, — сказал Гордеев. — Я бы мог вам посоветовать уговорить его все бросить сейчас же. Но тут речь идет о таких больших деньгах, что, боюсь, мой совет уже не поможет. Тут, знаете ли, о жизни подумать надо.

— В смысле?

— В смысле — остаться в живых. Он слишком сильно увяз во всем этом. А там, вы же знаете, вход — рубль, а выхода нет.

Виноградов снова схватился за телефон, снова стал набирать номер Кобрина.

Телефон не отвечал.

Когда Юрий Петрович вышел к своей машине, день уже слегка был тронут тлением предстоящего вечера.

Дома Гордеев неторопливо разоблачился от парадных доспехов и пошлепал голышом в ванную. Долго стоял под струей теплой воды, наслаждаясь журчанием. В голове прокручивались эпизоды прошедшего дня, но сейчас они казались ему лихо поставленным боевиком, в котором главный герой, несмотря на всяческие перипетии, остается победителем. Он сравнивал себя теперешнего с утренним смятенным человеком и удивлялся, как он мог так растеряться. Здесь, у цветного витража с изображением средневекового рыцаря, под сенью разросшейся хищной манстеры, которая смиренно опустила свои листья в ванну, Гордеев чувствовал себя как никогда защищенным.

Звонок в дверь вывел Юрия Петровича из блаженного оцепенения. «Кто это?» Гордеев накинул халат и заглянул в глазок. На площадке стояло неопределенного возраста существо в железных бигуди и прозрачном дождевике. Бешенство включилось внутри Юрия Петровича, словно электрический фонарик. Эта ненормальная старуха прибегала со второго этажа ругаться всякий раз, когда в квартире Гордеева работал кондиционер. Дело в том, что на первом этаже дома находился продуктовый магазин и аппарат выбрасывал воду на козырек этого заведения. Старуха жаловалась, что капли падающей воды раздражают ее своим шумом. Она писала во все инстанции, звонила на автоответчик Гордееву, угрожая расправой, привлекала к разбирательствам местное начальство. У Юрия Петровича чесались руки — сбросить когда-нибудь злобную фурию с лестницы. Но он никогда не признавался даже себе, что побаивается эту ненормальную старуху. Про себя он шутил, вспоминая Зощенко: «Она же может и вилкой ткнуть», справедливо полагая, что соседка способна на самые нетрадиционные поступки.

Разъяренная жалобщица давила звонок с настойчивостью идиотки, но Гордеев предусмотрительно не открыл ей. Вечер был испорчен. Он зло отключил кондиционер и долго мысленно обливал соседку потоками брани. Радости от этого занятия не прибавлялось. Тогда он решил, что много чести для дуры, если он проведет остаток дня в односторонних словопрениях, и усилием воли заставил себя заняться чисткой аквариума. Однако едва он поднял черную крышку — аквариум у адвоката был самый что ни на есть шикарный, — намереваясь щеткой провести по стеклу, как зазвонил телефон. Гордеев с остервенением рванул трубку — сейчас он покажет наконец соседке кузькину мать. Но звонили из «Эрикссона», Ободовская.

— Пастухову отправили в больницу.

— Как? Почему? Что случилось?

Машка, не ожидавшая таких эмоций от обычно всегда сдержанного юриста, испуганно пролепетала, что она не знает и что Ирина находится сейчас в Склифе. Гордеев бросил трубку.

— Кретинка!

Минуту он бегал по комнатам, пока не успокоился, рассудив, что это всего лишь его работа, очередной эпизод его нелегкой жизни, а потому не стоит так волноваться. Он стал набирать номер больницы. Длинные гудки означали, что наступил вечер и персонал покинул свои рабочие места. «Да должны же хоть где-то дежурить врачи, медсестры наконец», — злился Гордеев.

— Але! Але! — оживился Юрий Петрович, когда услышал в трубке кряхтение и треск. — Мне нужна информация о Пастуховой Ирине Алексеевне. Да... она поступила сегодня из следственного изолятора.

Уставший голос попросил Гордеева подождать, пауза затянулась минут на десять, адвокат уже стал терять терпение, когда кто-то на другом конце провода завозился.

— Вы слушаете? — Усталый голос захрипел, и Юрий Петрович напугался, что связь сейчас прервется.

— Да! — заорал он.

— Переломано два ребра, разорвано легкое. Последствия тяжелой асфиксии шеи.

— Как она? — бестолково тыкался Гордеев в трубку, которая уже жалобно сигналила короткими гудками.

«С клиентами творится что-то неладное», — мрачно пошутил про себя Гордеев.

На следующий звонок он уже отреагировал вяло.

— Юрий Петрович? Решил воспользоваться вашим любезно предоставленным мне номером телефона.

— Александр Борисович?

— Он. Хочу оставить вам информацию к размышлению. В кармане нападавшего на вас бандита обнаружена бумажка с номером телефона. — Турецкий назвал цифры. — Вы не узнаете этот номер?

— Узнаю, — упавшим голосом сказал Гордеев. — Это телефон Кобрина.

— Спокойной ночи, — сказал Турецкий.

Глава 59

ЖЕЛТЫЕ ГЕРБЕРЫ

Юрий Петрович, бывший хотя и чрезвычайно умным человеком, являлся тем не менее человеком своей эпохи. Каждый день, прожитый в наше время и в нашей стране, представлялся ему подарком небес. Теперь он успокоился и рассматривал покушение на свою жизнь скорее с аналитических позиций, чем с эмоциональных.

Не столько беспокоило Юрия Петровича то, что жизнь его могла трагически и нелепо оборваться, как то, почему это произошло. Кому нужна была его смерть? Пусть поведение Кобрина было подозрительно — даже весьма подозрительно, но это не было прямое указание на его виновность. Своими силами Гордеев не мог бы разобраться, но, к его счастью, к делу подключился «важняк» Турецкий. Гордеев теперь догадался, что Турецкий неспроста появился в Думе, стало быть, он уже давно интересуется делами Кобрина. А теперь покушение на Гордеева стало одним из эпизодов того самого большого дела, которое, по всей видимости, давно затеяла прокуратура. Оставив рассмотрение дела профессионалу, Юрий

Петрович мог предельно сконцентрироваться на ближайших проблемах. Если бы однорукий убил его, Юрий Петрович перестал бы автоматически заниматься земными делами. Если же Гордеев уцелел, не было оснований бросать все. Две основные проблемы оказались в фокусе внимания: не было понятно, работает ли Гордеев на Кобрина или же он работает на мушке у Кобрина? Телефон в кармане у бандита был дан тому самим депутатом или же врагами депутата? Гордеев был убежден, что Кобрин недоволен своим постоянным адвокатом, но, как человек осторожный и думающий, вряд ли стал бы организовывать его убийство. Такое было возможно только в крайних случаях, скажем, если бы Гордеев вышел ненароком за пределы положенного ему знания и оказался обладателем изобличающих материалов о крупной антигосударственной афере. Это действительно произошло, но Кобрин об этом не знал и знать не мог. Да и узнай депутат про раскопки адвоката, он мог быть спокоен, это оставалось бы профессиональной тайной, не пошел бы Гордеев с заявлением в прокуратуру. Как адвокат, Гордеев по закону не имел права на разглашение тайн клиента. Гордеев занимался лишь выяснением частного вопроса своего клиента и проник в его рассмотрение ровно настолько, насколько позволяли обстоятельства.

До сей поры Гордеев рассматривал два дела — обвинение Пастуховой в убийстве и дело о клевете в отношении депутата Кобрина — как параллельные. Даже пересечение двух дел — убитый Пастуховой помощник депутата Кобрина — оставалось лишь случайностью. Конечно, изъятие удостоверения помощника депутата из кармана бандита — серьезный компромат на Кобрина, но, опять же, не настолько серьезный, чтобы губить Гордеева. Покушение на Гордеева в обязательном порядке влекло за собой еще больший поток подозрений против Кобрина.

Странным образом зарифмовалось покушение на Гордеева и самоубийство Ирины. Да. Действительно. Ирина была очень плоха, когда он навещал ее. Но самоубийство? Бедная девочка, ее действительно довели тюремные порядки. Она, эта блестящая, еще недавно преуспевающая бизнес-леди, девушка из сити, вдруг оказалась брошенной на самое дно общества. Обстоятельства попытки самоубийства Ирины Гордееву хотелось разузнать досконально. Не только Ирине, но и Гордееву — быть может, под впечатлением от ее слов — казалось, что вокруг Ирины сложился какой-то заговор, что вокруг сгустились тучи зла и источник их возникновения оставался не найденным.

Ирину хотел убить помощник Кобрина. Это — факт. Но не было ли это совпадением? За годы адвокатской практики Гордеев убедился, что совпадения вообще редки. Все здесь кажется случайностью, и все не случайно.

Теперь Юрий Петрович направлялся в институт Склифосовского, где в травматологии содержалась Ирина. Следователь уже назначил судебно-психиатрическую экспертизу. По прохождении курса лечения Пастухову решено переправить в институт Сербского на предмет стационарной психиатрической экспертизы. Это был целесообразный шаг — Ирина числилась в медицинской карте как «потенциальный суицидент», и медицина не могла гарантировать, что отчаявшаяся женщина не повторит своей попытки свести с жизнью счеты.

Гордеев доехал до проспекта Мира и вышел у метро, чтобы купить Ирине цветы. Он долго выбирал из ярких, искусственно праздничных голландских букетов, пока не остановился на оранжево-желтых герберах. Получив цветы в зеркальной упаковке, он вернулся к машине.

Припарковался на кольце и уже было вошел в арку Склифа, но был остановлен на пути старой женщиной.

— Молодой человек, вы не могли бы дать мне немного денег? — обратилась она к Гордееву. Юрий Петрович удивился, услышав такое обращение. Очевидно, старушка была нищенкой, но фраза, с которой она попросила у него милостыню, никак не вязалась с ее внешним обликом. Гордеев вынул кошелек, чтобы достать мелочь, и извлек, повинуясь моментальному порыву, пятьдесят рублей. Старушка взяла купюру, посмотрела на деньги, на Гордеева.

— Это очень много, — сказала она, словно не решаясь положить купюру в карман, но в то же время и не отдавая ее.

— У меня нет меньше, — соврал зачем-то Юрий Петрович, стыдясь своей неожиданной щедрости, как школьник.

— Подождите, я вам дам сдачи, — полезла старушка в карман.

«Сумасшедшая», — подумал Гордеев, развернулся и пошел к машине.

— Постойте, подождите, — закричала нищенка. — Он остановился, она подошла к нему: — Вы очень добры. Вам Бог того не забудет. Вы верите в Бога?

— Да, — сказал Гордеев, чтобы отделаться.

— Вы не думайте, я не нищая, — сказала старушка, — меня жизнь заставила. Ведь если я буду ходить в лохмотьях и просить Христа ради, то ведь нищей я от этого не стану? Правда?

— Дай Бог вам здоровья, — произнес Гордеев не присущую ему фразу, считая, что упоминание о Боге будет приятно религиозной женщине.

— Здоровье мне ни к чему. Он бы меня к себе прибрал скорее. Ну да жаловаться — Бог смерти не даст. А вот вам здоровья и счастья. Я пожелала — так и будет.

Старуха осталась стоять, величественная в своем пророчестве, а Гордеев, хрустя герберами, пошел к больнице.

В регистратуре он предъявил разрешение следствия на посещение подзащитной и свое адвокатское удостоверение.

— Она очень слаба. У нее истощение. Видимо, она голодала, — сообщила молодая врач примерно одних лет с Ириной.

После многократных повторений, что визит Гордеева необходим для блага пациентки, ему выписали пропуск и допустили к свиданию.

Ирина помещалась в отдельной палате «люкс» с телевизором. Больница была переполнена, «люксы» при этом пустовали. После того как все коридоры оказались забиты пациентами, главврач отдал распоряжение предоставить «люксы» в пользование вновь поступившим. То, что Ирина была под следствием, тоже сыграло свою роль — тюремные власти настаивали, чтобы Ирина была ограждена от контактов с гражданскими пациентами.

Показав милиционеру на входе свое удостоверение, Гордеев вошел в палату — Ирина не спала. Она слабо улыбнулась ему, и глаза ее просияли.

— Что, Юра, — обратилась она к нему, лаская пальцами лепестки гербер, — у меня опять двойка?

— Что же ты с собой сделать хотела, — отечески пожурил ее Гордеев, — зачем же ты так?

— Не могла я больше, Юра, — она перестала улыбаться. — Здесь мне так хорошо, как в детстве. А там... Если меня туда вернут, я долго не протяну. С собой я не покончу — страшно оказалось, страшнее, чем я думала. Я сама умру, своей смертью. Я уж к тому близка была.

— Мне сказали, что ты не ела ничего.

— Да, правда. Я и голода не чувствовала, все только думала, думала. Отчего так? Как так случилось? Я даже религиозная стала, в Бога поверила, только молиться не могла. Если бы знала, как молиться, я бы, может, и не повесилась бы. А тут... лукавый... — она улыбнулась, произнося, как верующая, «лукавый». — Попутал.

Ирина поменяла со стоном положение на кровати. Ее шея была скована гипсовым воротником от смещения позвонков.

— У тебя серьезная травма, — заботливо сказал Гордеев.

— Нет, не особенно. Жить буду. Мне бы хотелось, чтобы было что-нибудь посерьезнее. Знаешь, не хочу отсюда. У меня позвонки растянулись. Мне же повеситься помогли.

— Как то есть помогли? — насторожился Гордеев.

— Да не знаю как. Только я повисла, — она опять жалостно улыбнулась, — а тут кто-то на мне и повис.

— Так, подожди. Кто это мог быть?

— Не знаю. Кто-то из заключенных. Меня уже пытались задушить в этот день — вот отчего я решила повеситься.

— Кто пытался задушить?

— Да там есть одна... Кулюкина ее фамилия. Воровка. Но это не она... Она меня по злобе, без расчета задушить хотела. Просто оттого, что я не такая, как она. За то, что я сидела и молчала о своем. А она гадости рассказывала.

— Но у этой Кулюкиной был повод тебя задушить?

— А зачем там повод? Она мне глаза обещала выдавить ночью. Только когда я веревку прилаживала, она храпела. Да, точно помню, она спала. Это не она была, это кто-то другой.

Мысль Гордеева лихорадочно заработала в направлении нового факта. Если это было не самоубийство, вернее, не только самоубийство, но еще и покушение на убийство, два случая рифмовались уже точно. Кому-то одновременно потребовалось убрать Ирину, убившую по

328

случайности помощника Кобрина, и его, который также помогает Кобрину в щекотливом деле.

— Мне хотелось бы знать, кого ты подозреваешь? — сказал он.

— Я никого не могу подозревать. Я там была, как в пустыне. Я никого вокруг себя не видела, даже не знаю, как ко мне относились остальные.

— Был кто-нибудь, кто догадался о том, что ты готовила... самоубийство?

— Нет, что ты, — улыбнулась Ирина, — я была очень осторожна. Я за час отрывала по одной полосе от простыни, очень тихо. Все думали, что я спала.

Она замолчала, вспоминая.

— Хотя нет, — медленно произнесла она. — Кажется, один человек знал.

— Кто? — спросил Гордеев, предчувствуя нечто важное.

— Знаешь, там была одна цыганка. Она видела. То есть могла видеть. Я, когда отрывала последнюю полосу, встретилась с ней глазами. Она смотрела на меня. Точно, я еще испугалась, что она обо всем догадается и расскажет другим.

— Кто? Как фамилия?

— Ах, да откуда мне знать...

Гордеев все больше и больше укреплялся в мысли, что покушения на Ирину и на него не были совпадением.

— Она, кажется, сидела за наркотики. Цыгане продают наркотики?

— Да, — кивнул Гордеев, — это их уже традиционный бизнес. Они продают «черную» — какую-то бурду из маковой соломки, вроде опиума.

— Да, — сказала Ирина, — их взяли, кажется, нескольких, с поличным. Но эта цыганка все время молчала. Я даже не знаю, кто она, какая она. Глаза только черные. Как у всех цыган.

— Мне будет необходимо навести о ней справки.

— Не надо, зачем, — улыбнулась Ирина, — она помочь мне хотела. А ты ее засудишь, она век из этого ада не выберется.

— Ты действительно стала религиозной, — улыбнулся в свою очередь Гордеев. — Что же, — продолжил он официально, — мне нужно идти.

— Подожди, не оставляй меня сразу. Расскажи, что там, на свободе?

Гордеев пожал ей руку.

— Я ухожу, чтобы ты скорее сама смогла видеть, что там. Кажется, узел начинает распутываться. Еще не могу сказать точно, но думаю, что все концы у меня в руках. К тому же, — он понизил голос, — дело, близкое к нашему, ведет Турецкий.

— Турецкий? Кто это?

— Скоро узнаешь. Я вас познакомлю.

— И еще, — напоследок сказала Ирина. — Помнишь, я вам все про бабку свою рассказывала? У меня до сих пор сердце не спокойно за нее. Я уж не знаю... Хотя, впрочем, ладно. Мне бы только на свободе оказаться, и я перед всеми покаюсь. Вот веришь, нет ли — покаюсь. Иной раз представлю себе, сколько же я людей обидела в жизни, даже страшно становится. А сейчас думаю — вот если бы померла в петле, так что после меня осталось бы? Всем в жизни только пакостила... Вот и Руфат от меня сбежал. Ведь сбежал же?

— Дома его нет, — сказал Гордеев.

— Все пропали. И я в этом виновата. Зачем мне вообще жить?

— Ну, это неправда, — сказал Гордеев, понимая, что Ирина еще в шоке. — Ты сейчас сгоряча говоришь. Вот будешь свободна, выздоровеешь, а там займешься следопытской работой. А пока набирайся сил — скоро суд как-никак.

— Господи, Юра, ну кто мне объяснит, почему все это навалилось?

— А ты сама что думаешь?

— Я уже ничего не понимаю.

— Ну хотя бы с чего все началось? — допытывался Гордеев.

Ирина мучительно сжала виски.

— Не знаю. Не помню...

На пути к машине Гордееву снова повстречалась та же старушка.

— Молодой человек, вы не могли бы дать мне немного денег...

Гордеев остановился, укоризненно посмотрел на старушку.

— Да я же вам подавал недавно.

— Да? — искренне удивилась старушка. — Извините ради Бога.

Она вдруг оглянулась по сторонам, словно не понимая, что она здесь делает.

— Идите домой, — сказал адвокат. — Вы где живете?

— Я?.. — Старушка наморщила и без того сморщенный лоб. — Нет, я никуда не пойду. Мне тут надо. Не гоните меня... Мне надо тут...

Глава 60

БЫТОВУХА

— Ваши документы? — В боковом зеркале машины Турецкий увидел неприлично молодое лицо пацана, который прилагал гигантские усилия, чтобы придать собственной физиономии солидность.

— Во-о! Детей уже ставят в оцепление, — кряхтел шофер прокурорской «Волги» дядя Толя, которому каждое движение, даже такое простое, как сунуть руку в карман, казалось наказанием божьим. Живот его уже едва умещался между сиденьем и рулем. — Депутатов, что ли, пачками по Москве убивают, раз на них нормальных милиционеров не хватает?

Александр вышел из машины — размять ноги, а заодно и оценить обстановку. По давней привычке Турецкий любил начинать работать, что называется, издалека. Его всегда интересовало не только место преступления, но и окрестности, причем их он изучал особенным, только ему понятным методом — «вживания». По теории Турецкого выходило, что любой закуток, любой ландшафт имеет свою индивидуальную атмосферу, которая, конечно, не может быть зафиксирована в протоколе, но для итоговой следственной «эврики» осмотр места преступления играет немаловажную роль, как катализатор для химической реакции.

«Широкий мир» неподалеку от дачи Кобрина предстал перед Турецким райским уголком — лес, птички, кристальный воздух, не хватало лишь голых прародителей. Вместо них через каждые десять метров по кругу натыканы были милицейские курсантики. Несмотря на ворчание дяди Толи, это был не самый худший выход из положения — во всяком случае, мальчишки очень старались, и проникнуть в зону оцепления без специального пропуска мог разве лишь такой же ловкий пацан, не выросший из коротких штанишек, но никак не взрослый, умудренный опытом человек. Галдеж от недовольства журналистов, которые не подпускались к даче ближе ста метров, походил на суету растревоженной птичьей стаи — просто картина Саврасова. Дядя Толя так и отметил:

— Во-о! Слетелись!

Турецкий оставил машину у кордона и направился по раю пешком. Дом у Кобрина ничем особенным не отличался от других депутатских гнезд — добротное европейское строение о пяти этажах. По остаткам строительного мусора, по свежести положенной асфальтовой дорожки и даже по особенному запаху становилось понятным, что дачу заселили совсем недавно, обжить как следует не успели. В таких младенческих строениях по законам жанра убийства не положены — нет должной ауры, однако именно отсюда Кобрина Аркадия Самойловича отправили в морг вперед ногами. Депутата буквально расстреляли в упор в собственной постели шестью выстрелами, контрольный был сделан, как и положено, в голову. Банальное по форме убийство никак не смыкалось по содержанию с высоким чином потерпевшего. Родные такого важного лица обычно предпочитали не бунтовать, а терпеть от главы семейства все, что угодно, — кормушка была уж больно обильной. Тут же произошел случай невероятный — ночью жена убивает своего мужа и признается в содеянном.

Ворота во двор дачи были распахнуты настежь. Суетились вокруг дачи оперативники. Бегали поводыри с собаками. Слепили мигалками несколько милицейских «фордов».

Турецкому доложили, что подозреваемая в доме. Ожидали его. Поиски улик оперативно-следственной группой продолжаются, но по всей видимости, ничего нового не будет обнаружено. Обыкновенная бытовуха.

Подойдя поближе к дому, Александр услышал душераздирающие женские крики, отборный мужской мат и звон бьющегося стекла. В окне, за тонкой занавеской метались чьи-то тени.

— Держи ее, суку!

— Да что ты, Климов, меня за ногу тащишь. Ты ей рот открывай!

— Не дается! А-а-а! — Рев мужчины напоминал призыв раненого зверя. — Кусается, гадина!

Турецкий рванул дверь веранды, на всякий случай нащупав пистолет. В центре комнаты, под огромным гостиничным столом копошилась куча мала. Несколько мужчин пытались влить в рот бьющейся в истерике девушки какую-то жидкость. Женщина с серым, бесформенным лицом стояла в позе мадонны со сложенными на груди руками и прерывисто, в такт вскрикам девушки, вздыхала. Наконец одному из боровшихся удалось изловчиться и прижать голову сопротивляющейся к полу. Жидкость полилась по плотно сжатым зубам девушки и вытекла по щекам на пол.

— Попала! — торжествующе провозгласил мужчина.

— Попала, — эхом отозвалась «серая» мадонна и закатила глаза к потолку.

Девушка затихла, продолжая по инерции слабо мотать головой.

— Что происходит? — Турецкий встрял в образовавшуюся неожиданно паузу.

Один из мужчин, красный, взъерошенный, выскочил из-под стола. Указательный палец его руки кровоточил.

— Вот, — махнул он в сторону лежащей девушки, — надумала травиться. Хлопнула упаковку снотворного.

— Ты у меня, Климов, еще ответишь, — пыхтел другой страж порядка, пытаясь вытащить самоубийцу из-под стола. — Как эта дура, спрашивается, нашла лекарство? Ты куда смотрел?

Климов молчал, слюнявя укушенный палец.

— Весело тут у вас. Это дочь Кобрина? — догадался Турецкий.

Девушка полулежала у ножки дивана. Волосы, выкрашенные в немыслимый малиново-фиолетовый цвет, свалялись, отчего голова ее походила на подломленную верхушку елки, украшенную диковинными сосульками. Через секунду конвульсивные рвотные позывы скрутили тело девушки. Мадонна бросилась на помощь, откуда-то появились тазики и вода.

— Прочь! Прочь отсюда! — Мадонна угрожающе округлила глаза.

Мужчины отступили в другую комнату, дверь оставили открытой, чтобы видеть происходящее в гостиной.

— Кто же знал? — канючил, оправдываясь, Климов. — У нее в сумочке лежала упаковка. Досматривать личные вещи свидетелей указаний не поступало.

— Ты, Климов, работаешь, как дрессированная обезьяна. Не в цирке, ей-богу. Старший оперуполномоченный Сыромятников, — представился по форме маленький человечек с крючковатым носом.

— Отлично. — Турецкий чувствовал себя опустошенным, словно он тоже принимал участие в спасении девушки. — С ней все в порядке?

— Бог даст — выживет. У-у! Козел! — Сыромятников явно с удовольствием оперировал зоологическими понятиями в адрес провинившегося Климова. — Сейчас врачиха придет, укольчик какой вколет девице. И... — Оперуполномоченный подбирал слова для успокоения начальства. — Уснет, успокоится.

— Дочь Кобрина тоже была прошедшей ночью на даче?

— Да нет же, — вмешался Климов, — я говорю, она приехала почти одновременно с милицией. Мать ей сначала позвонила, потом нам.

— Что значит одновременно? Не получится из тебя, Климов, хорошего работника органов, — хмыкнул Сыромятников. — Она выходила из машины, когда прибыла милиция.

— Как девушка прореагировала на убийство?

— Заиндевела поначалу вся. А потом стала кричать матери: «Зачем ты это сделала?» Рвалась даже ударить ее. — Климов вдохновлялся от пристального внимания Турецкого. — Пришлось ее держать. Сильная девка, несмотря на субтильное сложение.

— Да просто обнаглели. Привыкли... Депутатские дети, что скажешь. — Сыромятников достал сигарету и вышел из дома.

Криминалист из экспертно-криминалистического управления продемонстрировал Александру завернутый в полиэтилен пистолет — подарок депутату от министра обороны.

— Отпечатков не обнаружено. Оружие было найдено в кустах, под балконным окном. Вероятно, его выбросили, но предварительно хорошо протерли.

— Странно, что жена, будучи в аффекте, позаботилась об уничтожении улик, — размышлял вслух Турецкий.

— Вы следствие, вы и разбирайтесь, — ответил эксперт.

Турецкий несколько секунд подержал на руке упакованный пистолет, словно проверяя его на вес.

— Гильзы тоже нашли?

— Все как положено. В спальне. Сомнений мало — убийство совершено из этого оружия.

На крыльце Турецкого ждал Сыромятников. Под крючковатым носом на усах застряли крохотные крупинки кофе.

— Будете еще раз осматривать место происшествия, Александр Борисович? Дежурный следователь уже свой протокол составил.

— Да. Только сначала хочу поговорить с женой. Как ее зовут, кстати?

— Аделаида Ивановна. Во всем призналась. Непохоже, чтобы женщина себя оговорила. Все совпадает, как в аптеке. — Сыромятников распахнул дверь на веранду.

Здесь уже ничего не напоминало о попытке суицида. Девушка, завернутая с головой в плед, лежала на спине, и только тонкая рука с ярким маникюром выскользнула на волю. Мадонна сидела рядом на краешке кресла со сложенными на груди руками. Турецкий, стараясь не потревожить больную, почти на цыпочках поднялся на второй этаж.

Черные глаза из-под седых волос стоящей у занавески женщины опалили Александра. В ослепительном солнечном свете она могла показаться глубокой старухой, если бы не насыщенная глубина зрачков, присущая лишь энергичным молодым девочкам и ведьмам. «Да-а... Пожалуй, такой тип действительно не стоило дразнить изменами и мелкими склоками. Леди Макбет...»

— Что с Зоей? — Женщина повернулась к мужчине, который что-то писал, скрючившись у журнального столика. Можно было подумать, что она обращается к нему. В действительности же в ее голосе Турецкий уловил сильное желание выпроводить ненужного свидетеля.

— С кем? — Мужчина поднял голову. Это был дежурный следователь.

— Я хочу поговорить с Аделаидой Ивановной наедине. — Турецкий проводил взглядом немедленно подчинившегося его приказу человека. — Ваша дочь спит.

— Я знаю, она пыталась отравиться. У нее это уже бывало, Зоя всегда отличалась нервным характером. Неудивительно... — Женщина замолчала и шаркающей походкой побрела от окна к стулу. — С ее детством...

— Муж обижал вас, Аделаида Ивановна? — Турецкий опустился на то место, которое минуту назад занимал ушедший мужчина, и доверительно положил подбородок на замок рук.

— Конечно, конечно. — Женщина захохотала. — Давайте, давайте разбираться в этом грязном дерьме! Он не обижал меня. Он обидел меня один раз... И навсегда.

Голос ее звучал гулко, словно в стереофоническом радиоприемнике. Казалось, что говорит не она одна, а по крайней мере три человека вторят ей, раскладывая звук на разные тональности. Эта ее возможность присутствовать голосом в разных точках комнаты поразила Турецкого. Он беспомощно оглянулся по сторонам. Деловой настрой мгновенно улетучился.

— Чем я могу вам помочь, Аделаида Ивановна?

— Мне? Лучше поддержите девочку. Ей хуже всех. Пережить такое в восемнадцать. Она сейчас еще не понимает всего ужаса положения, но потом начнется осознание. И зовите меня, наконец, просто Ада. Я ненавижу имя Аделаида.

— Вы стреляли в мужа?

— А кто? — вопросом на вопрос ответила женщина.

— Когда Зоя приехала на дачу?

— Ах это... — разочарованно протянула Ада. — Я полагала, что вы умней. Да они бы, — женщина снова потянулась к окну и, как подпольщик, боком выглянула в щелку занавески, — давно бы арестовали ее, если бы имелась хоть одна зацепка. У Зои — алиби. Она всю ночь веселилась с молодыми людьми в клубе.

— Я спрашиваю, в какое время Зоя уже была на даче?

— Наверное, в десять или раньше. Кто же в состоянии запомнить точно? Это же счастливые часов не наблюдают. — Ада с какой-то особенной издевкой произнесла слово «счастливые».

— Вы чувствовали себя несчастной, Аделаида... Ада? — поправился Турецкий. — А на первый взгляд как

336

будто не скажешь. Наоборот, избранница судьбы — достаток, любимый муж, уважаемая работа.

— И на первый взгляд не скажешь, и на второй, и даже на третий... — В ее зрачках пробежали искры, будто кто-то чиркнул спичкой и не смог зажечь огня.

— Вы ведь всегда были на виду. Не сидели клушей на хозяйстве, не бегали от скуки по тренажерным залам. Зачем вам понадобилось убивать мужа? Ну ушли бы и все, и нет, как говорится, проблем.

— Я не смогу вам объяснить, даже если — что совершенно невозможно — расскажу всю свою жизнь. У меня один знакомый загремел в психушку... Знаете, как он это состояние передал? Сидишь в собственной квартире, смотришь на противоположную стену и в какой-то момент понимаешь, что либо ты, либо эта замызганная, с застарелыми пятнами стена. Другого не дано — либо-либо. И начинаешь сходить с ума.

Турецкий тоже подошел к окну. Ада оказалась на удивление низкорослой женщиной, она едва доставала Александру до плеча. Дорожки морщин плотной сетью раскинулись вокруг нижних век, на верхней губе и подбирались ко лбу. Волосы, наверное, не причесывались с прошлого вечера и сбились в колтун, под ногтями застряла то ли грязь, то ли кровь. Но и в таком неприглядном виде Кобрина имела странное свойство — под воздействием какой-то внутренней силы мгновенно превращаться в привлекательную женщину, обращать внимание собеседника на положительные стороны своей внешности, она как будто даже становилась выше ростом, опрятнее, эффектнее, чем была на самом деле.

— Вы объясняете свой поступок внезапным помутнением рассудка?

— Да, да. Они уже это записали, — женщина мотнула головой в сторону стоящих во дворе машин. — Разве можно убить человека, да еще с которым прожила вместе столько лет, в здравом уме?

— Можно. И, прошу вас, без истерик и поз. Оставьте свою роль для более благодарных зрителей. А для меня начните, уж будьте любезны, все сначала.

Ада опустилась на банкетку. Несмотря на сгорбленные плечи и помятый вид, понятно было, что она не сдалась и силами еще может помериться с целым следственным управлением. Контакта у Турецкого с подозреваемой не получалось.

— Мы выпили... — начала она как-то механично. — Ах, да! Не с того места начала. Муж появился поздно, он уезжал куда-то по делам. Последний год такой образ жизни у нас стал правилом — встречались на несколько минут и в койку. Утром я его уже не видела. Но вчера я предложила ему выпить. Виски... Там, — Ада снова кивнула в сторону окна, — бутылка фигурирует в качестве вещественного доказательства. Или вас не интересуют мелкие следственные фактики? Ага! Вы — психолог. Изучаете женскую натуру в своем пределе.

— Нет. Я не замахиваюсь на столь глобальные темы, дай бог хотя бы немного понять вас. По какому поводу вы решили устроить торжество? Юбилей вашей свадьбы?

— Вы уже и это успели узнать, — женщина с нескрываемой ненавистью кинула черный взгляд на Турецкого.

— Ничего я не знал, только предположил. Женщины чрезвычайно любят отмечать интимные даты и придают им эпохальное значение. Настолько эпохальное, что даже, как видите, доходят до убийства. И как же вы провели торжество?

— Гостей не было. Мы сидели вдвоем, потом поссорились.

— А Зоя все время живет в городе? К вам приезжает редко?

— Ну при чем тут Зоя? — Ада занервничала. — Да, мы поссорились.

— По какому поводу?

— Не знаю, не помню. Он оскорблял меня, начал таскать за волосы. Он мне изменял, я его ревновала. Так просто и понятно! — Ада уже кричала. Какие-то из слов Турецкого привели ее в бешенство, что-то особенно больно задело.

— Почему оскорблял? В чем причина конфликта? — Раздражение женщины «завело» Турецкого, он тоже перешел на повышенный тон.

— Надоело! — Ада заткнула уши и сморщилась, словно от нестерпимой боли.

— А вы что же, серьезно считаете, что вас сейчас должны оставить в покое? Убит человек, и не простой человек, а депутат. Поднялся такой вой, Дума гудит, как растревоженный улей. Вы неглупая женщина и понимаете, о каких высоких постах идет речь. Да вас теперь замучают мелочами. Никаких интимных тайн, никаких запретных тем! Не стройте из себя дамочку сентиментальных романов. Вас будут спрашивать, даже когда вы последний раз спали со своим мужем.

— На это как раз вовсе нетрудно ответить. — Ада успокоилась и в ней появилась надменность. — Вчера. И не смотрите на меня так, — заметила она остановившийся взгляд Турецкого. — Да, после скандала мы занялись любовью. А разве это противоречит законам психологии?

— В связи со своей профессией я вообще стал сомневаться, что существуют какие-либо законы в этой призрачной области науки. Когда же вы решились на убийство, сразу после...

— Знаете, как вас там, Турецкий, я не верю в минуты, которые разом переворачивают человеческую жизнь. Это иллюзия, что судьба играет человеком, на самом деле все наоборот. Человек ведет судьбу на веревочке, как неповоротливого медведя. По действию это было так: мне не спалось, я вышла из спальни, бродила по дому, потом взяла пистолет, включила свет. Аркадий не проснулся. Я стреляла.

— Вы знали, где хранится пистолет мужа, и решили воспользоваться им. Где вы научились так хорошо владеть оружием?

— Представьте себе, я чрезвычайно любознательная особа. Когда-то в юношеском возрасте занималась всеми мыслимыми видами спорта, в том числе и в тир бегала.

— И до сих пор не утратили мастерства? Да и разве в тире вас баловали пистолетами министерства обороны?

— Чего вы меня подлавливаете? Когда в доме появился пистолет, я попробовала из него стрелять в сарае. Я же говорю, грешна любопытством. Да и совершенно несложно попасть с трех шагов в спящего человека.

— А потом вы протерли оружие и выбросили его?

— Да. А вы хотели, чтобы я сразу побежала сдаваться? Но я действительно не экзальтированная дамочка из сентиментальных романов. Было много крови, я побежала в ванную, мыла руки, а заодно подставила под струю пистолет. Обычная женская брезгливость. Я тогда ни о чем не думала. Но потом все-таки решила оружие выбросить. — Ада замолчала, снова подошла к окну, посмотрела за занавеску. — Логики-то нет. Если бы я хотела скрыть следы, зачем бы я выкидывала пистолет на даче?

— Еще не встречал ни одного преступления с железной логикой, всегда какая-то доля абсурда присутствует. Ну а после вы позвонили дочери и в милицию? Кому раньше?

— Скрывать не имело смысла. Я вышла на кухню, охранник, представьте себе, спал, — Ада захохотала. — Честное слово, с открытыми глазами. Я думала раньше, что такое только в сказках бывает. Я смеялась от души. Не поверите... Ну а потом — звонки...

— Что вы сказали дочери по телефону?

— Ну уж только не правду, обычные фразы — приезжай срочно, нужна твоя помощь.

— Значит, Зоя только здесь все узнала? — Этот последний и, в общем-то, единственный удар Турецкий приготовил Кобриной напоследок. — А зачем же вы, Аделаида Ивановна, всю ночь звонили дочери? В какую логику вписать, что вы не отрывались от телефона? Вы это делали между занятиями любовью и убийством? Насыщенная ночка получилась, ничего не скажешь.

Ада задохнулась от гнева. Казалось, вся комната полыхнула пожаром, огонь выплескивался из зрачков женщины и разлетался в поисках кислорода. Становилось нестерпимо жарко. Турецкий встал:

— Вам еще придется, Ада, рассказать свою жизнь до мелочей, всю подноготную, без утайки. Только не торопитесь с мемуарами. Это опасно.

Женщина молчала. Турецкий вышел из комнаты, и тут же в дверь, как тень, скользнул дежурный следователь.

Спальня располагалась рядом с комнатой, в которой Александр беседовал с Адой. Постель, где убили депутата Кобрина, никто не убирал — кровавые пятна растеклись по подушке, простыне и пододеяльнику. Можно было подумать, что здесь приносили в жертву какое-то гигантское животное. Турецкий никогда не уставал удивляться — сколько же крови содержится в теле обычного человека. Кровью были заляпаны стены, окно, пол, потолок, цветы в горшках. Большая бурая клякса засохла на экране телевизора.

Глава 61

ВЕЗУНЧИК

Начальство изоляторов временного содержания относится к защитникам своих подопечных с неприязнью не меньшей, а может быть, и большей, чем к самим подследственным.

Несколько десятков заключенных приходится каждый день выводить из камер для встреч с адвокатом, что нарушает и без того неспокойный ритм жизни тюрьмы. Кроме того, адвокаты то и дело норовят против чего-нибудь протестовать, пишут жалобы, таскают в прокуратуру и суд — кому это понравится.

Но Гордеев пользовался у начальника женской тюрьмы некоторыми довольно внушительными льготами. Дело в том, что Юрий Петрович недавно помог полковнику Сорокину выиграть одно весьма щекотливое дело. Сорокин, будучи в сильном подпитии, возвращаясь домой, бросил почему-то свою машину на вокзале и сел в электричку. В этой электричке полковник начал безобразным образом кадриться к молоденьким пэтэушницам, при этом, как было потом записано в милицейском протоколе, «обнажая свои половые органы».

— Да я им просто намекал, что у меня все в порядке, — скромно жаловался потом адвокату полковник.

Гордеев ухитрился спустить дело на тормозах, безо всякого судебного разбирательства, за что и имел теперь неограниченный доступ к своим подзащитным и, разумеется, к самому полковнику.

Сорокин справился о женщинах, содержавшихся в одной камере с Ириной, и радостно сообщил, что действительно сидела с ней вместе там некая цыганка по фамилии Романова, но была вчера выпущена на свободу под подписку о невыезде.

— Адрес! — взмолился Гордеев.

— Не могу, — строго ответствовал Сорокин. — Секрет, сам знаешь. Улица Вавилова, дом пять, квартира сорок четыре.

Гордеев пожурил Сорокина за то, что он плохо контролирует подведомственное ему учреждение, и помчался на улицу Вавилова.

Телефон Руфата уже был введен в память его телефона, поэтому он набирал его механически и периодически раза четыре на дню.

Но на этот раз трубка не ответила долгими гудками, а спросила мужским голосом:

— Да?

— Алло! — заторопился Гордеев, не веря, что наконец нашел возлюбленного Пастуховой. — Я ищу Руфата!

— Да. Это я.

— Ох, слава Богу! Меня зовут Юрий Петрович Гордеев, я защитник Ирины.

— Кто, простите?

— Защитник. Адвокат.

— Она что, со мной судится? — удивился голос.

— Да нет! — вспомнил Гордеев. — Вы же не в курсе. Ирина под следствием. Она убила человека.

В трубке раздались какие-то странные звуки, и все смолкло.

— Алло! Алло! — закричал Гордеев. Трубка молчала. В обморок он там упал, что ли?!

— Простите, — наконец отозвался голос. — Это у меня кот... Так что вы говорите?

— Ирина убила человека и находится под следствием.

— Она это может, — вдруг спокойно отреагировал Руфат.

— Дело в том, что несколько свидетелей показали, будто бы это вас она убила.

— И правильно показали. Она меня убила. Но не до конца. Я выжил, как видите... то есть слышите.

— Понимаете, мне необходимы ваши показания, чтобы защитить Ирину.

— Какие показания?

— Да простые — что вы живы и здоровы.

— А кто вам сказал, что я жив и здоров? Я ж вам только что объяснил, что она меня убила.

— Простите, Руфат, я не шучу, тут дело серьезное — ей грозит большой срок.

— Так ей и надо.

— Значит, вы отказываетесь помочь ей?

— Да. Отказываюсь.

— Извините.

Гордеев положил трубку. Вот так-так.

Двенадцатиэтажный дом на улице Вавилова Гордеев нашел легко, с трудом припарковал машину у подъезда и уже собирался искать нужный подъезд, как сам же себя и остановил.

Стоп. Что это я делаю? Это меня уже понесло. Я ж не сыщик, в конце концов, надо составить ходатайство по всей форме, пусть разбирается Чекмачев. Что я собираюсь спросить у этой черноглазой Романовой: «Простите, вы правда собирались помочь умереть Пастуховой?» Нет, меня точно заносит.

Но что-то все же мешало Гордееву тронуть машину и укатиться от дома. Он понимал, что Чекмачев ни в чем разбираться не станет. Чекмачеву нужно было держать Ирину в заключении. Зачем? За что?

И снова он задал, теперь уже себе, тот же вопрос, что задавал недавно Ирине: с чего все началось? Где логика? Почему кто-то наваливается на несчастную женщину, словно пытается сжить ее со свету?

Не было ответа.

Гордеев думал, что сможет расспросить Руфата, но тот оказался или подонком, или обиженным до смерти слабаком. Нет, Руфат не поможет.

А кто поможет?

Господи, был бы хоть один свидетель!

Стоп! Ирина говорила, что какая-то старуха кричала ей из окна. Значит, могла видеть и само убийство. Если это было убийство...

Зазвонил телефон.

Гордеев нажал кнопку и услышал усталый голос Турецкого:

— Вам повезло больше, Юрий Петрович, — сказал без предисловий «важняк». — Вы везунчик.

— В смысле?

— В том смысле, что вас не убили, а Кобрина-таки убили.

Глава 62

ВСЕ РАВНО

Теперь стояла, казалось бы, очень простая задачка — весь этот ворох материалов, весь этот многотомный следственный роман, однозначно уличающий Ирину Алексеевну Пастухову в преднамеренном убийстве, свести к простому выводу: невиновна.

343

Гордеев понимал, что в московском суде любой инстанции его аргументы пролетят, как фанера над Парижем. При зыбкости своих доводов он мог надеяться только на одно — на здравый смысл и сочувствие суда. Знал он и общеизвестную истину — суды чаще всего работают на обвинение, защитнику выиграть дело почти не удается. Но он надеялся на настоящий суд, на суд присяжных. В Москве таких судов не было, поэтому теперь перед Гордеевым стояла непростая задачка перетащить судебное разбирательство в Подмосковье.

Уж какие он там рычаги дергал, на какие кнопки нажимал, кому наносил визиты — это адвокатская тайна.

Но ему удалось. Поскольку городские суды были перегружены, а областные недогружены, судебное начальство поручило слушание дела Мособлсуду.

Ах, кто из настоящих защитников не мечтает о суде присяжных! Кто в самых радужных мечтах не представлял себя пламенным оратором перед двенадцатью внимательными слушателями, кто мысленно не играл на самых высоких человеческих чувствах, вызывающих слезы умиления или гомерический хохот зала. Кто не знал сакраментальную фразу: «Господа присяжные заседатели! Лед тронулся!», правда, звучавшую когда-то сатирически, а теперь вполне судьбоносно.

Юрий Петрович относился к отбору присяжных не менее ответственно, чем к самому суду.

Кого он хотел видеть своими слушателями по этому делу? Конечно, в первую очередь женщин. Но тоже не всех. Это должны были быть, что называется, современные женщины. Так им легче будет вникнуть в проблемы Ирины. Это должны быть женщины, лишенные предрассудков, тогда они поймут, почему Ирина решила сама разрубить узел своих проблем. Это должны быть красивые женщины, чтобы не завидовать красоте Ирины.

Конечно, должны быть и мужчины. Обязательно будут. Здесь требования те же, что и к женщинам, исключая последнее — присяжные мужчины должны влюбиться в Ирину.

Отбор присяжных, впрочем, пошел совсем не так, как предполагал Гордеев.

В подмосковном Подольске уже было проведено несколько судов присяжных, но большинство из них кончились скандалом. Присяжных бессовестно запугивали,

344

подкупали, посреди судебного слушания некоторые из них добывали себе справки о нездоровье. Люди боялись идти в присяжные заседатели. Морока получилась страшная. В конце концов выбрать удалось совсем не тех, о ком мечтал Гордеев.

Всего три женщины, какие-то располневшие домохозяйки, приходящие на слушания с авоськами и говорившие в перерыве только о деньгах, которых, конечно, не хватало, о детях, о еде, о пьющих мужьях. Что им за дело было до несчастной Ирины, которую тревожили непонятные предчувствия, на которую навалились необъяснимые невзгоды. Им бы со своими ясными проблемами справиться.

Остальные были, естественно, мужчины. Но какие! Их жестким лицам очень не хватало красного знамени или плакатов «Банду Ельцина к ответу!».

В первый день было оглашено обвинительное заключение.

В общих чертах оно сводилось к следующему — Пастухова Ирина Алексеевна задумала убить гражданина Ливанова и, заранее спланировав убийство, заманила потерпевшего Ливанова в подъезд дома, где и нанесла ему смертельный удар каблуком в глаз. От чего Ливанов и скончался. Мотивы убийства сводились к некой политической подоплеке. То бишь помощник депутата Кобрина был убит по заказу злых тайных сил, которые следствию установить не представилось возможным.

Разгромить все эти домыслы о мотивах убийства Гордееву представлялось проще пареной репы. А после этого можно было приступать и к фабуле убийства. И тут Гордеев не сомневался: он легко докажет, что у Ирины умысла на убийство не было.

Но вот убийство-то никак не уберешь. Ирина сама во всем созналась и отказываться от показаний не собиралась, да Гордеев и не настаивал. Он был уверен, что Ирина действовала в порядке необходимой обороны.

Словом, когда начался допрос свидетелей, а их по списку обвинительного заключения набралось пять человек, правда, не прямых, а косвенных, Юрий Петрович был напорист и даже агрессивен.

— Итак, вы показываете, что Ливанов в этот день никого не провожал на Курском вокзале? — На месте свидетеля сидел крепкий мужчина с простым и ясным взглядом.

— Нет, не провожал.

— А как тогда объяснить, что потерпевший оказался в районе вокзала?

— Протестую! — вскочила прокурорша, довольно ехидная, злая и цепкая дама лет сорока. — Защита требует от свидетеля объяснений, которые он дать не в состоянии.

— Принято, — сказал судья. Это был молоденький парень, с даже еще ломающимся голосом, старающийся держаться строго, но поневоле открывающий увлеченно рот, когда слушал защитника или обвинителя, или даже свидетеля.

— Это был вопрос риторический. Свидетель не может отрицать очевидного. Вопрос снимается.

— Он в этот день собирался заняться машиной, — вступил свидетель. — Нечего ему было делать на вокзале.

— То есть вы уже не утверждаете, что Ливанов на вокзал не ездил, вы только утверждаете, что у него были другие планы? Так? — додавливал Гордеев.

— Так.

— У меня больше нет вопросов. Таким образом выходит, что Ливанов чудом оказался на вокзале, хотя должен был быть совсем в другом месте. Это первое чудо, на которое я обращаю внимание присяжных.

Судья невольно улыбнулся.

Прокурорша язвительно вставила:

— То, что у человека могут меняться планы, еще не чудо. Вот почему они изменились? На этот вопрос мы и попытаемся ответить.

Следующим свидетелем была немолодая женщина в строгом костюме и с твердым взглядом.

Потом Гордеев отметил, что все вызванные в суд свидетели обвинения были подобраны, если так можно сказать, с большим вкусом. Все они внушали доверие. Никто откровенно не врал.

— Нина Игнатьевна, расскажите нам, пожалуйста, чем занимался потерпевший в тот день? — мягко спросила прокурорша.

— Пришел на работу, как всегда. Отдал кое-какие распоряжения. Он действительно собирался заниматься своей машиной, поэтому переоделся в рабочую спецовку...

— Он что, сам ремонтировал машины?

— А как же! У нас в штате лишних не было. Из администрации — только он и я. Я бухгалтер и кассир.

— Ясно. Значит, он начал ремонтировать свою машину. А дальше?

— А дальше ему позвонили. Очень долго он говорил.

— О чем?

— Весь разговор я, разумеется не слышала. У нас радиотелефон, поэтому Ливанов вышел на улицу. Я поняла только, что кто-то его вызывает куда-то.

— Жена?

— Он не женат. Нет. Кажется, это был кто-то из его знакомых. Потому что он говорил в трубку с кем-то, кого звали Костя.

— И после разговора он уехал?

— Нет, он еще работал часа два. А потом собрался и уехал, сказав, что вернется к девяти вечера.

— Как вы считаете, это был неожиданный звонок для потерпевшего?

— Скорее всего — да. Он действительно собирался весь день посвятить ремонту. Он давно уже об этом говорил. Все об этом знали.

— Он был расстроен после звонка?

— Да! — горячо поддержала женщина. — Он с полчаса вообще ничего не делал, только курил и ходил из угла в угол.

— А вам он ничего не сказал?

— Нет. И это странно. Он всегда говорил, куда отправляется.

— Могу я сделать вывод, что звонок некоего Кости был неприятным для Ливанова?

— Конечно. Он очень расстроился.

— Скажите, а Ливанов был серцеедом?

— Как? — не поняла женщина.

— Ну, он нравился женщинам, их у него было много?

— Я протестую, — встал Гордеев. — Обвинение уклоняется от темы.

— Ваш протест не принимается, — поспешно сказал судья. — Насколько я понимаю, прокурор пытается нарисовать портрет погибшего.

— Именно, — благодарно поклонилась прокурорша. — Прошу вас, отвечайте на мой вопрос.

— Что он был бабник? Извините... — перевела на русский женщина.

— Можно и так сформулировать, — снисходительно ответила прокурорша.

— Вот уж нет! Никогда его с женщиной не видела. Он все в делах, все в делах... Да что вы! Он такой был стеснительный...

Гордеев обернулся на Ирину.

После Склифосовского, после попытки самоубийства прошло уже достаточно времени. Раны зажили. Но Гордеев все равно не мог смотреть на свою подзащитную спокойно. Более того, он старался на нее вообще не смотреть. Теперь он не узнавал легкую, деловитую, веселую и очаровательную бизнес-леди, которая пропархивала по коридорам «Эрикссона», неся за собой шлейф дорогого французского парфюма.

Казалось, что душа Ирины тогда, в ту страшную тюремную ночь, умерла. Осталось живым только тело. Оно двигалось, рот отвечал на вопросы, руки поправляли волосы, глаза смотрели, уши слышали. Но все это было механичным ровно до того предела, чтобы исполнить волю полумертвого мозга.

«Она мне не помощник, — думал Гордеев, — придется вытаскивать ее самому. Но вот что подумают присяжные о ней? Хорошо, если они расценят и поймут ее глубочайшую подавленность. А если они увидят холод и равнодушие, дескать, подумаешь, грохнула мужика, так ему и надо?»

Если верить рассказам Пастуховой, то Ливанов вовсе не был таким уж стеснительным, вот почему Гордеев и оглянулся на Ирину, но та никак не среагировала на слова бухгалтерши. Словно и не слышала. Хотя, и это Гордеев знал, Ирина все запоминала почти дословно. Мозг фиксировал все, как на видеопленку, но безо всяких эмоций и оценок.

«Нет, она мне не помощник», — снова подумал Гордеев.

— У защиты есть вопросы к свидетелю?

— Да. Есть и множество, — встрепенулся Гордеев. — Во-первых, я хотел спросить уважаемого свидетеля, из чего он заключил, что телефонный звонок некоего Кости как-то связан с последующим поведением Ливанова?

— Как? — не поняла женщина.

— Ну почему вы решили, что именно после звонка Ливанов отправился на встречу с Пастуховой? Ведь вы же сами показали, что звонил Костя.

— А я и не говорила.

— Не следует ли из ваших показаний нечто совсем иное. Ливанову позвонили, после чего он, ужасно расстроенный, полчаса курил, а потом отправился на встречу с кем-то, даже не сообщив вам? Вы сами считаете это подозрительным, так?

— Да.

— Нельзя ли с тем же успехом допустить, что у Ливанова были какие-то не вполне...

— Я протестую!

— Отклоняется.

— Спасибо, — поклонился в сторону судьи Гордеев. — Я тоже пытаюсь нарисовать портрет потерпевшего. Так вот, не можем ли мы допустить, что связи у Ливанова были весьма опасные? Их-то он и боялся? Можем. Я не настаиваю на этом. Но обвинение то и дело пытается представить дело таким образом, словно все было заранее спланировано.

Тут Гордеев обернулся к присяжным.

— Представляете? Долго и тщательно планируется убрать кого-нибудь, а на дело посылается не киллер, а женщина, вооруженная туфлями на шпильках.

Среди присяжных прошелестел легкий смешок. Это был добрый знак.

— Что касается скромности вашего начальника, то, хоть это и не принято говорить о покойных, у меня ваше утверждение вызывает большие сомнения.

— Вы допрашиваете свидетеля или произносите защитительную речь? — напомнил судья.

— Хочу только собрать воедино некоторые материалы дела по этому поводу. — Тут Гордеев сдернул со своего стола бумажку и стал в нее поглядывать. — В кармане потерпевшего, лист дела 231, было обнаружено две упаковки презервативов корейских с вкусом клубники. В записной книжке, испещренной телефонами и женскими именами, есть такие записи: «Г. — 3 раза конч. улет.». Или вот: «С. — минет бесподобный». Продолжать? Не буду. Так вот вопрос к свидетелю. Из чего вы заключили, что ваш начальник был стеснительным?

— Как из чего?.. — Женщина совсем поникла. — Ну,

я ни разу его не видела с женщинами. Только с мужчинами.

Только когда зал вместе с присяжными грохнул от хохота, женщина спохватилась, что сморозила глупость.

— То есть я хотела сказать, что с женщинами он дел не имел, а имел дела с мужчинами, — «поправилась» она.

Судья, казалось, сейчас лопнет от сдерживаемого смеха. Навести тишину в зале словами он не мог, если бы открыл рот, прыснул бы сам. Он только постукивал костяшкой пальца по столу, но никто этого стука не слышал.

— Я протестую! — взвизгнула прокурорша.

— Против показаний свидетеля вы протестовать не вправе, — напомнил Гордеев.

Он оглянулся на Ирину — у той единственной в зале оставалось каменное лицо.

«Ей все равно! — с ужасом подумал Гордеев. — Ей абсолютно наплевать на свою судьбу. Ужас, как же ее до этого довели?!»

Глава 63

КРАХ

Но все это были для Гордеева мелкие победы, так сказать, семейные радости. Он понимал, что неукоснительно движется развязка суда, а она не могла быть радужной. На вопрос судьи присяжные все равно ответят — виновна. А это пусть не пожизненный, даже не десятилетний, но — срок. А Ирина срока не вынесет никакого. Вообще. Каждый день за решеткой был для нее мукой мученической.

Гордеев мог в пух и прах разбивать косвенные улики, но от главной отбиться не получалось — убила.

Как ему не хватало свидетеля защиты — очевидца случившегося, серьезного, настоящего, который бы хоть как-то объяснил, что же случилось в тот день, почему Ирина ударила Ливанова в глаз своим каблуком.

Следствие такого свидетеля не нашло. Тогда Гордеев самостоятельно обошел всю округу, сам звонил и стучал во все двери. Даже нашел старуху, которая кричала Ирине из окна. Но старуха оказалась подслеповатой. И помнила хорошо только события своей давней молодости.

Гордеев все-таки решился притащить ее в суд, но лучше бы он этого не делал.

В судебном заседании старуха вдруг все отчетливо вспомнила, но из ее вполне связного рассказа получалось, что Ирина специально догнала Ливанова и умышленно нанесла удар: всадила каблук в глаз.

— Он так и повалился, родимый, — задушевно сказала старуха. — А эта села на лавку и давай выть. Я ей и сказала, чтоб она убиралась куда подальше. Я ж сначала не поняла, что она мужика насмерть убила. Думала, он пьяный лежит, прочухается. Нет. Потом милиция приехала, машин было — ой-е-ей!

— Скажите, а не видели вы в руках у моей подзащитной чемодана?

— Да вижу я плохо. Никакого чемодана я не видела.

— Простите, вы только что сказали, что видели подробности происшествия, а вот чемодана не углядели?

— Значит, не было никакого чемодана.

Прокурорша даже отказалась допрашивать свидетельницу защиты, за нее всю работу сделал адвокат.

Но самым печальным и самым позорным сюжетом своей практики Гордеев потом долго будет считать допрос самой Пастуховой.

Кто ее надоумил, неизвестно, но Ирина надела в этот день какой-то невообразимо-розовый костюмчик с юбкой выше колена, с откровенным вырезом на груди. С бледным ее лицом, с тощими плечами костюм выглядел диким и вызывающе-жалким. Ирина говорила низким, словно бы пропитым и прокуренным донельзя голосом. Отвечала на вопросы четко, но бесстрастно, словно всем своим видом говорила: а мне наплевать, что вы там решите.

Прокурорша сразу же уловила этот свой шанс окончательно растоптать защиту и была во всем обличающем блеске.

— Скажите, подсудимая, как вы себя чувствуете?

— Протестую!

— Почему? — удивился судья.

— Вопрос не касается сути дела.

— Как раз касается, — мягко возразила прокурорша. — Если подсудимая не может отвечать за свои слова, то я не буду и спрашивать. Меня просто беспокоит ее вид, — тонко съязвила она.

— Я себя прекрасно чувствую, — сказала Ирина. И в обычной жизни это был обычный ответ. Но здесь, на скамье подсудимых, он выглядел зловещим и кощунственным.

— Отлично, — обрадовалась прокурорша. — Тогда расскажите, пожалуйста, что же произошло в тот день?

— Я вернулась из Крыма. Денег у меня не было ни копейки. Потому что по дороге в поезде меня обворовали. На вокзале я увидела Ливанова...

— Вы знали его раньше?

— Да... То есть нет. Я видела его всего один раз, когда он провожал на вокзале женщину, которая меня и обворовала.

— Но вы назвали его фамилию.

— Я услышала ее впервые на следствии.

— Отлично, продолжайте.

— И я пошла за этим человеком.

— Зачем?

— Скорее всего, меня вела обида.

— Обида на кого?

— На этого человека.

— На Ливанова?

— Да.

— И что же это была за обида?

— Я была уверена, что он соучастник той воровки.

— Из чего вы это заключили?

— Он же ее провожал.

— Отличная логика. Продолжайте.

— И я пошла за ним. А потом с ним познакомилась...

— Как? Прямо вот так на улице вы знакомитесь с незнакомым человеком? Более того, с вашим, как вы говорите, обидчиком?

— Я хотела побольше узнать о нем.

— Простите, я еще раз спрошу — это не он с вами познакомился, а вы с ним?

— Да.

— «Да», — прокурорша выразительно посмотрела на Гордеева. — Еще вопрос. Сколько денег у вас украли?

— Пять тысяч долларов.

— Ого. Огромная сумма.

— Протестую. Обвинитель дает оценку...

— Поддерживаю. Прошу присяжных не учитывать это показание.

— Хорошо. Я не столько интересовалась суммой, сколько пыталась оценить человеческую жизнь, — сказала прокурорша. — Пожалуйста, продолжайте. Значит, вы с ним познакомились. Дальше.

— Он назвался Германом. Пригласил меня к себе в дом.

— И вы пошли?

— Да.

— Простите, я не ослышалась? Вы только что говорили, что видели этого человека второй раз в жизни. Что он был вашим обидчиком. И вот он приглашает вас к себе в квартиру, а вы соглашаетесь? Почему?

— В этот момент я уже не считала его своим врагом.

— А стало быть, сразу другом, да?

— Протестую. Обвинение приписывает моей подзащитной слова, которых она не говорила.

— Поддерживаю.

— Хорошо, поставим вопрос иначе: вы считали Ливанова настолько хорошим знакомым, что решились пойти к нему домой?

— Я ему поверила.

— Обойдусь без оценок, — чуть не подмигнула в сторону присяжных прокурорша. — И что же произошло в доме?

— В лифте он на меня напал. Он хотел ударить меня ножом.

— При вашем задержании никаких ран на вашем теле не было.

— Я закрылась чемоданом.

— Значит, он напал на чемодан?

— Он не видел. В лифте было темно.

— Значит, за изрезанный якобы чемодан вы решили убить Ливанова? Это не утверждение, это вопрос.

— Я не хотела его убивать. Я схватила его за ногу, он вырвался, но упал, пытался еще раз ударить меня ножом, но я ударила его каблуком.

— Вот так просто, — как бы себе под нос сказала прокурорша, тем не менее ее все хорошо слышали. — А теперь давайте перейдем к материалам дела. Объясните мне, пожалуйста, почему никаких подтверждений вашей поездке в Крым следствие не нашло?

— Протестую. Это вопрос к следствию.

— Отклоняю.

— Я тем не менее могу поставить вопрос по-другому. Есть ли у вас свидетели того, что вы отправились на отдых в Крым?

— Нет. Я никому не говорила.

— А вот свидетелей, которые утверждают, что вы никуда не ездили, — пруд пруди. Проводник вас не видел, в кассе билет вами не покупался. Ничего нет. Таким образом, ставятся под сомнение и ваши показания по поводу кражи. Вы настаиваете на ваших показаниях?

— Да.

— Ладно, но отметим первую нестыковку. Вторая нестыковка естественно вытекает из первой. Вполне допускаю, что вы встретили Ливанова на вокзале, или в метро, или возле. Но никакого чемодана у вас не было. Вот протоколы. Нигде не упоминается никакой чемодан. Есть у вас свидетели того, что вы были с чемоданом?

— Нет.

— Вторая и очень важная нестыковка. Нет чемодана. Стало быть, если бы Ливанов действительно хотел на вас напасть с ножом, то даже в темном лифте он бы не промахнулся. Но здесь третья нестыковка — ножа тоже не было.

— Был нож и был чемодан.

— Но о них ничего не сказано в материалах следствия. Только в ваших показаниях. Может быть, пока ехала милиция, мимо вас проходили какие-то люди? Может быть, это они забрали нож?

— Никто не проходил.

— Исчезли важнейшие улики! Прямо беда, — искренне сокрушалась прокурорша. — Дамская сумочка со всеми принадлежностями, брошь, даже шляпа перечислены в протоколе, а вот чемодана нет. Не заметили, что ли? Но если мы будем полагаться не на показания подсудимой, а опираться на материалы, то получается совсем иная картина.

— Вы хотите делать выводы? — спросил судья. — Все это вы скажете в своей обвинительной речи.

— Разумеется. Я пытаюсь найти хоть какую-то частицу правды в показаниях подсудимой. Если она сможет ее опровергнуть, я буду очень рада. Вы встретились с Ливановым... Впрочем, не важно, где вы встретились. Даже не важно, давно ли вы знали Ливанова. Но вы его специально выслеживали, чего, впрочем, вы и не отрицаете. Вы даже проговорились, что он вас обидел. Вот в этом и корень. Вы хотели ему отомстить. За что?

— Он первый на меня напал.

— Вот это уже ближе к делу. Не знаю, напал ли он на вас, сомневаюсь. На вашем теле не было обнаружено ни ран, ни следов побоев. Но меня в данном случае интересует причина. Я не склонна, подобно вашему защитнику, устраивать эстрадное шоу по поводу моральных качеств погибшего. Впрочем, скорее склонна поверить, что он не был святошей. Не тут ли кроется причина?

— Протестую. Обвинение ставит некорректный вопрос.

— Могу и точнее. Не в том ли было все дело, что Ливанов вас бросил?

— Я видела его второй раз. Я не была с ним знакома.

— Как говорилось в одном анекдоте: а разве это повод для знакомства? Сегодняшние нравы настолько легковесны, что второй встречи вполне достаточно. Поставлю вопрос прямо — вы были его любовницей?

— Нет, — холодно ответила Ирина. И как-то неуверенно. Это отметили все.

— Оставим это. Но, пожалуйста, подскажите мне другую логику вашего поведения! — Молитвенно сложила руки на груди прокурорша. — Как вы объясните, что, видя человека во второй раз, вы заходите с ним в дом, куда он вас приглашает? Почему вы убиваете его? Объясните мотивацию убийства. Или вам нечего сказать?

Ирина молчала.

— У обвинения больше нет вопросов.

— Объявляется перерыв на два часа, — сказал судья.

Гордеев не стал просить свидания с Ириной. Говорил он с ней или не говорил — получалась чушь. Ирина была в полной прострации.

Он забрался в свою нетопленую машину и уставился на зимнюю улицу. Он проигрывал дело по всем статьям. Это был полный крах.

Телефон Турецкого рука набрала как-то машинально. Он то и дело звонил Александру, расспрашивая о ходе следствия по делу о самоубийстве(?) Кобрина. Турецкий постоянно отвечал уклончиво. Впрочем, сказал только, что появились какие-то новые данные, а какие, не уточнил.

— Здравствуйте, Турецкий, — сказал Юрий Петрович. — Это Гордеев беспокоит.

— И зря беспокоит, — весело ответил Турецкий. — Пока ничего нового сообщить не могу. Работаем.

— Понятно... Извините...

— Постойте, — прервал «важняк» движение Гордеева, намеревавшегося уже выключить телефон. — Что у вас-то голос упавший?

— Да, заботы.

— С Пастуховой?

— С ней. Похоже на полный провал. Как ни верти — получается умышленное убийство.

— А как еще можно вертеть?

— Как? Здесь же ясно: необходимая самооборона. Был бы хоть один у меня очевидец происшедшего. Нет, есть, конечно, свидетели-сослуживцы, но все больше о работе — дескать, неплохо работала. И все.

— Очевидец вам, стало быть, нужен? — раздумчиво спросил Турецкий.

— Хоть сам роди. Я верю Пастуховой, понимаете, но это и все. Ни ножа, ни чемодана, о которых она говорила, ни хотя бы свидетеля.

— Да, нелегок хлеб защитника, — вздохнул Турецкий. Ну, как говорится, взялся за гуж — не говори, что не дюж.

— Да это я так. Я не жалуюсь. Председательствующий хороший парень. Присяжные, кажется, честные люди. Но вот засудят Ирину ни за что ни про что.

— Бывает и такое, — сказал Турецкий. — Ну что вам тут посоветовать? Знаете, мне всегда «нравился» совет невропатологов — не волнуйтесь. Это как подойти к морю и сказать — не волнуйся.

— Да-да, — криво улыбнулся Гордеев. — Ну спасибо, что вы мне этого совета не даете.

— Именно даю. Не волнуйтесь.

Гордеев отключил телефон. И снова уставился в окно. Ба! Старая знакомая!

У дверей подольского суда попрошайничала та самая старушка, которую Гордеев однажды встретил у Склифа.

«Преследует она меня, что ли?»

— Здравствуйте, — тем не менее вышел он из машины.

— Дай Бог здоровья.

356

— Что вы тут? В Москве не подают? — Гордеев достал из кармана десятку.

— Москва? Страшный город! — испуганно сказала нищенка.

— А где вы вообще живёте?

— Не знаю, — сказал старушка. — Я тут живу.

Глава 64

ОТКЛОНЯЕТСЯ

Он должен был задать этот вопрос снова и именно сейчас. Картина убийства всегда становится не такой ужасной, если хотя бы чуть-чуть заглянуть назад, проанализировать события, ей предшествующие.

— Скажите, с чего все началось?

И первый раз за все слушания Ирина вскинула глаза — что-то в них мелькнуло живое, но тут же растаяло.

— Протестую. У нас нет времени выслушивать всю жизнь подсудимой.

— Почему же? — пожал плечами судья. — Давайте послушаем.

— Я не прошу вас рассказывать всю жизнь. Но хотя бы события последних нескольких дней.

— Я теперь поняла. Все началось тогда, когда я чуть не провалилась в лифт. Да. Это было началом.

Зал замер.

— Как это вы чуть не провалились?

— Очень просто. Дверь открылась, я шагнула, а лифта не было.

— Я запрашивал справку из вашего домоуправления. Действительно, в тот день были какие-то неполадки с лифтом. Но почему вы считаете, что с него все началось?

— Потому что... Потому что, мне кажется, после этого смерть ходила за мной по пятам.

— Подробнее, если можно.

— Потом убили возле нашего подъезда соседку.

— А какое это имеет к вам отношение?

— Да очень простое. Ее просто перепутали со мной.

— Из чего вы это заключили?

— На ней был такой же плащ, как на мне. Она вообще на меня похожа.

— Действительно, возле дома Пастуховой 15 августа в двадцать три тридцать шесть был обнаружен труп гражданки Соколовой. Вот ее фотография. Прошу ознакомиться.

— Протестую. Защита связывает два не имеющих друг к другу никакого отношения дела.

— Покажите мне фотографию, — попросил судья. Долго рассматривал ее, вскидывая глаза на Ирину. — Пока присяжным не покажем. Продолжайте.

— А что случилось потом?

— Потом наша компания проводила рекламную акцию... Впрочем, нет. Там мне просто показалось.

— Что показалось?

— Что в меня стреляли. Но это просто лопнул рекламный воздушный шар.

— Протестую. Защита оперирует домыслами.

— Это моя подзащитная считает, что ей показалось. В самом деле в тот день у мэрии действительно стреляли. Правда, ни в кого не попали. Вот документы. Возбуждено уголовное дело по этому факту. В стене нашли пулю.

Ирина удивленно подняла глаза.

— В какой стене? — спросила она.

— В стене мэрии. Вот здесь. — Гордеев развернул большую фотографию здания мэрии с указанной точкой.

— Я там стояла, — упавшим голосом сказала Ирина.

— Это уже не домыслы, — подтвердил адвокат. — Вы можете ознакомиться с материалами дела, которое ведет Мосгорпрокуратура.

— А вы знакомы? — спросил судья.

— Да, мне известно, что все свидетели в один голос подтверждают, что именно там стояла Ирина.

— Пожалуйста, передайте присяжным фотографию убитой Соколовой, — попросил судья.

Это была одна ступенька к победе.

Присяжные тоже внимательно рассмотрели фотографию, перешептываясь: похожа, не похожа.

— Продолжайте.

— Потом я поссорилась с Руфатом, — тихо сказала Ирина.

— Это кто?

— Это мой... любовник.

Вот это она зря сказала, подумал Гордеев.

— Думаю, это не криминальный факт. А сколько времени вы были знакомы с Руфатом?

— Три года.

— Вы жили вместе?

— Какое-то время.

— Можно это назвать гражданским браком?

— Он так хотел считать.

— К сожалению, свидетель отказался присутствовать на суде и давать показания, но вот его письменное заявление. Цитирую: «Ирина была против нашего брака. Я ее упрашивал, но она говорила, что нам и так хорошо. А я ее любил.

В о п р о с. Любила ли она вас, как вы считаете?

О т в е т. Конечно!

В о п р о с. Она вам изменяла, как вы считаете?

О т в е т. Она? Да когда? У нее и на меня времени не хватало. Она так уставала после работы...» Все так?

— Да, — кивнула Ирина.

— Так вот, я не считаю ссору с гражданским мужем чьим-то злокозненством. Но это, согласитесь, добавляет весомую лепту в нервное состояние моей подзащитной. Тем не менее продолжим. Что же случилось дальше?

— Дальше меня выгнали с работы.

— Да, многовато для нескольких дней. Если тут и были случайности, то они уже перерастали в закономерность.

— Протестую. Никаких закономерностей я тут не вижу, — вставила прокурор.

— Поддерживаю, — сказал судья.

— Хорошо. Действительно, увольнение с работы — не преступление против моей подзащитной. Хотя уволили ее нечестно, отобрав причитающиеся деньги за выполненную работу. Вам было обидно?

— Да.

— Еще бы! Вы заключили очень выгодный для фирмы контракт, по которому вам причиталась довольно внушительная сумма. А фирма просто увольняет вас, забирая причитающееся себе. Но давайте продолжим. А что случилось потом?

— Потом меня пытались убить.

— Как это произошло?

— В темном переулке в мою машину врезался грузовик. Я чудом успела выскочить.

— Свидетельство об этом есть в материалах дела. Прошу суд ознакомиться со справкой ГИБДД. В двух словах: ни с того ни с сего на машину моей подзащитной со всего хода наезжает тяжелый грузовик. Водитель с места происшествия скрылся. Грузовик оказался угнанным. Я сейчас не пытаюсь исследовать причины этого, не побоюсь сказать, покушения. Я просто складываю одно с другим. А теперь перейдем к самому главному, к тому, что собрало нас в этом зале. Расскажите, пожалуйста, что произошло в этот день.

— О Господи, мы слышали это уже много раз, — как бы про себя пробурчала прокурор.

— Вы слышали это много раз, будучи уверенными, что все слова моей подзащитной — ложь. Но если мы хотя бы на минутку ей поверим, то вот вам последняя капля. Ее обворовывают. И она, вернувшись из Крыма, видит человека, который, по ее мнению, к этому причастен. Это было так?

— Да.

— Протестую. Защита подсказывает ответы.

— Отклоняется.

— Да. Согласен, ни чемодана, ни ножа на месте не обнаружено. Из чего делается далеко идущий вывод, что моя подзащитная и вовсе никуда не ездила. Тогда у меня вопрос к подзащитной. Скажите, вы любите одеваться со вкусом?

— Да, — несколько удивленно ответила Ирина.

— Вы следите за своими туалетами?

— Да.

— Понятие ансамбль в одежде вам знакомо? То есть можете ли вы надеть, скажем, кружевную кофточку вместе с джинсами?

— Нет.

— Переходите к сути дела, — нетерпеливо прервал судья.

— Самая суть! В протоколе нет ни чемодана, ни ножа. Но есть, и прошу обратить на это ваше особое внимание, шляпа. В протоколе так и записано: «шляпа типа панама ярко-желтого цвета...» Панама, слышите? В тот день — вот данные Гидрометцентра, — в Москве было пасмурно. Кроме того, а здесь меня особенно должны понять женщины, платье на подзащитной было светло-розовое, почти такое же, как сейчас. Ну как вам розовый с яркожелтым? Впечатляет? Почему вы в тот день надели панаму?

— Мне просто некуда было ее сунуть.

— Вот вам и ответ! Конечно, Пастухова приехала с юга. Конечно, она только что сошла с поезда. Она торопилась домой! Панама фигурирует в протоколе. На нее просто не обратили внимание.

— Протестую. Защита обвиняет органы правопорядка в подделке протокола.

— Я высказываю сомнение. Потому что теперь все дело становится не таким ясным. И теперь имеет смысл выслушать мою подзащитную подробнее. И, может быть, прислушаться к ее показаниям.

А дальше Гордеев снова подробно, теперь уже с деталями, выспросил у Ирины обо всем, что произошло в тот вечер. Она сначала говорила вяло, тихо, холодно, но потом, когда воспоминания увлекли ее за собой в страшные минуты, в глазах вспыхнул огонь, раскаяние, страх, ненависть, растерянность. Ирина ожила.

Краем глаза Гордеев наблюдал за присяжными, теперь они смотрели на Ирину немного другими глазами. Нет, не сочувствующими, до сочувствия было еще далеко, но как бы понимающими.

Это был второй успешный ход.

А к концу Гордеев даже перешел к самой поездке в Крым. Все-таки надо бы сгладить пусть и не такое уже страшное впечатление от убийства. Этот четкий психологический ход Гордеев усвоил давно.

— Скажите, вы можете пояснить, почему проводник поезда не узнал вас? Почему он показывает, что в этот день вы в его вагоне не ехали?

— Протестую, — уже вяло сказала прокурорша. — Обвиняемой предлагается делать собственные умозаключения в связи с показаниями свидетелей.

Судья растерянно завертел головой. Он не очень-то понял протест обвинения, но чувствовал, что действительно вопрос не совсем корректен.

— Давайте все-таки послушаем мою подзащитную, — весело предложил Гордеев, чувствуя, что он сейчас в ударе. — Может быть, забывчивость проводника объяснится? Вот, кстати, жаль, что обвинение его не пригласило в судебное заседание. Итак, расскажите нам о происшедшем в поезде.

Ирина уже была готова говорить. Потому что видела — ее слушают. Слушают внимательно. И она рассказала историю собственной глупости, иронично подсмеиваясь над собой, вовлекая слушателей в собственную доверчивость.

— Да, но вы не ответили, почему же проводник вас не узнал, — напомнил в конце рассказа Гордеев.

— Я думаю, все дело в том, что проводник просто *не хотел* меня вспоминать.

— Как это? — тонко сыграл удивление Гордеев.

— Оказывается, проводник обязан возить с собой декларации. Более того, он обязан перед границей пройти по купе и предложить заполнить декларации всем пассажирам.

— А ваш проводник этого не сделал?

— Нет.

— Как вы думаете, почему?

— А разве не ясно?

— Протестую! — вскочила прокурорша. — Домыслы обвиняемой выдвигаются в качестве...

— Отклоняется, — по-мальчишески махнул рукой судья.

Глава 65

ОБВИНЕНИЕ

Самый важный и для защиты и для обвинения день в судебном разбирательстве называется прения сторон.

Давно минули те времена, когда великие русские юристы заставляли зал суда рыдать и хохотать, когда бросали в сухой порох дремлющих человеческих мыслей огонь горячего слова о свободе, о совести, о праве, когда заставляли присяжных выносить оправдательные приговоры, а зал подхватывал на руки подсудимых и выносил их восторженной толпой на улицу.

Сейчас все прозаичней и суше. Но к заключительным речам обвинители и защитники по-прежнему готовятся днями и ночами, копаются в юридических справочниках, вдоль и поперек изучают материалы дела, роются в комментариях к Уголовному кодексу, восстанавливают в памяти латинские изречения и цитаты из классики.

Прения сторон — это не только сухая логика, но это — искусство оратора, тем более если дело рассматривается в суде присяжных.

Гордеев готовился к этой речи еще до начала судебного процесса. Он знал два неизбежных правила — краткость и доходчивость. От длинных речей люди устают. Специальными терминами их легко можно усыпить. Стало быть, надо говорить емко, образно, выразительно. Надо заставить присяжных поставить себя на место подсудимой. Надо задеть те струнки их душ, которые отзовутся однозначным — невиновна.

И вот этот день настал.

Первым слово дается прокурору. В этом мудрый смысл судебной практики, идущий еще со времен римского права. Защитник должен выступать последним. А самое последнее слово получает подсудимый.

Прокурорша была в элегантном черном костюме, на высоких каблуках и с хорошей, летящей при ходьбе прической.

«Фурия», — отметил про себя не без восхищения Гордеев. Он знал, что обвинитель опытный, сильный, честный. Он знал, что есть козыри на ее руках и уж она ни одного из них не пропустит, а выставит в самом выгодном для обвинения и невыгодном для подсудимой свете.

Все это он знал. Он предполагал самое худшее. Но он не знал, что получится так сильно.

— Панама, — неожиданно начала свою речь прокурорша. — Песенка еще такая была — мама, мама, где моя панама. А в начале века панамой называли всякое и всяческое жульничество. Интересно, что пирамиду изобрел не Мавроди и даже не Чубайс. Она была изобретена уже давно. Деньги, собранные на строительство Панамского канала, бесследно исчезли. Но это так — к слову.

Впрочем, слово, как известно, не воробей.

А теперь перейдем к сути дела.

Убит человек. Убит жестоко. Уж чего мы не начитались и не навидались за последние годы — но на эти фотографии без дрожи смотреть нельзя. Каблуком в глаз.

Ливанову было двадцать девять лет. У него еще даже не было семьи. Что мы знаем о нем? Знаем, что был он трудягой. Что честным, подчеркиваю, честным трудом, своими руками зарабатывал на жизнь. Казалось бы — чего еще? Но, какая же редкость в наше время, Ливанов был еще и человеком неравнодушным. Как-то неловко сегодня говорить о политике. Да, она себя замарала с ног до головы. Мы знаем и о взятках, и о шикарных дачах с машинами. Пусть это остается на совести нечестных политиканов. Но есть еще люди, которые думают о судьбе России, как бы громко это ни звучало, совершенно бескорыстно. И не только думают — делают. Таким был и Ливанов. Мы много наслышаны о помощниках депутатов. Каждому на память придет какая-нибудь скверная история. Но подумаем, сколько их наберется — сотня? Две? Пусть тысяча. А помощников у депутатов, внештатных, тех, кто тратит свое личное время безвозмездно, — сколько их? Сотни тысяч. Ливанов был одним из них.

Гордеев вспомнил о фотографиях в папке у Володьки Довжика. Да уж! Бескорыстные. К сожалению, говорить об этом в суде он не мог.

— Здесь выступали свидетели, — продолжала прокурорша. — Ни от одного из них мы не слышали дурного слова о Ливанове. Но дело даже не в этом! Да будь он злодей из злодеев, что, повторяю, совсем не так, совсем наоборот, но допустим, — так кто имеет право вершить суд и казнь? Наша страна вообще объявила мораторий на смертную казнь. А скоро она будет исключена из Уголовного кодекса, потому что это — негуманно. Не может государство становиться на один уровень с убийцей.

«А вот это она зря, — отметил Гордеев. — Отмена смертной казни в России весьма не популярна в народе. Тут она прокололась».

— Государство не может, а подсудимая Пастухова на себя такую роль берет.

Впрочем, об этом позже. Сейчас рядом с портретом Ливанова поставим портрет подсудимой, опираясь только и исключительно на факты. Высшее образование, знает языки, последнее время работала на фирме «Эрикссон», которая снабжает новых русских мобильными телефонами. Ну какой же новый русский и без мобильника?!

Попала. Присяжные улыбнулись.

— Впрочем, проработала она там не так уж долго. Хотя работа не пыльная, прямо скажем: поездки заграничные, зарплата две тысячи долларов в месяц...

Присяжные покачали головами: не нравилось им, что кто-то получает такие деньги.

— Но и на этой работе не удержалась. Знаете, почему? Проворовалась. Подделывала подписи на платежках. Да-да. Я уже показывала вам заключение ревизии, справку с работы и характеристику. Но, может быть, действительно чьи-то козни? Допустим. А что же раньше? Да то же самое. Нигде Пастухова не проработала больше года. За семь лет — одиннадцать мест работы. Вот такое постоянство. В личной жизни... Ну да не будем вдаваться. И так много наслышаны.

Присяжные согласились. Прокурорша их зацепила. Ирина им нравилась все меньше.

— Но этого мало. К портрету надо бы добавить и еще кое-что весьма существенное. Пастухова пила. Нет, она не была отъявленная алкоголичка. В таком случае с работы она вылетела бы намного раньше. Но не отказывала себе. Отсюда разбитая машина. Никто же не поверит, что менеджера фирмы решили устранить таким диким способом. Впрочем, может быть, и решили устранить. Но, как мы отлично знаем, чаще всего такие покушения связаны с криминальными разборками. Нет, я не говорю, что Пастухова была связана с криминальным миром, что она занималась темными делишками, что кого-то надула, за что с ней и решили посчитаться. Но другой причиной аварии, на которой снова и снова настаивает защита, как на некоем коварном плане, может быть только управление машиной в нетрезвом виде. А машину действительно жаль, новенькая, импортная...

Снова — в точку. Присяжные если и имели машины, то это были подержанные «жигулята» или «Москвичи». Иномарки они терпеть не могли, как и их владельцев.

— Ну а теперь перейдем к самому главному. К самому убийству. Защита с упорством, достойным лучшего применения, настаивает на каком-то помрачении рассудка вследствие страшного стечения обстоятельств.

О причинах этого стечения мы тут немного уже поговорили. А теперь о следствии. Как бы ни был обижен человек, как бы он ни был расстроен, раздавлен, унижен, вытекает ли из этого полная неизбежная необходимость кого-то убить? Да упаси Боже! Что-то тут, воля ваша, не стыкуется, хоть убей, извините за тавтологию. Вы жутко расстроены, вам свет не мил, а вы надеваете ярко-желтую панаму, знакомитесь на улице с первым встречным, всячески любезничаете с ним, добиваясь того, чтобы он попросту завел вас в подъезд. Нет, не к себе домой. Ну это еще бы можно понять! Человеку захотелось душевного разговора. Но в доме, где произошло убийство, Ливанов не жил. Значит, как же себя надо повести, чтобы мужчину заманить в подъезд? Вы скажете, он сам ей предложил? Так тем более — кому это предлагают? Известно кому. Ну а там? А там вы снимаете с ноги туфель и острым длинным каблуком ударяете человека прямо в глаз. Это только додуматься надо! В глаз. Нет, Пастухова не избивает своего обидчика, что можно было бы еще понять, если допустить, что Ливанов действительно был ее обидчиком. Она точно и расчетливо ударяет его каблуком в глаз. Если бы не убила, то обязательно на всю жизнь покалечила бы.

Это ужасно.

Ну а когда ее ловят, она, естественно, заявляет о том, что просто, дескать, оборонялась. Что Ливанов сам собирался ее убить! Да где же обыкновенный здравый смысл? Ведь подсудимая не раз заявляла, что не Ливанов, а она сама подошла к нему! Сама заявляла! Никто никаких протоколов не подделывал, как нас тут пытается убедить защита. Да и сам адвокат был на всех допросах Пастуховой, проведенных в стадии предварительного следствия. Собственно, это же подсудимая подтвердила и здесь, в зале судебного заседания. И что же получается? Случайно подошла к человеку, который как раз и собирался ее убить?

И, конечно, в показаниях подсудимой появляются мифический нож, чемодан и еще бог знает что! Вот никто этого не видел, только подсудимая, а мы с вами, пожалуйста, — поверьте ей на слово.

Нет, не верим. Мы верим материалам предварительного и судебного следствия.

И вот здесь возникает панама! Если вся защита держится на панаме, то мне и добавить нечего. А логика-то, логика, слышите, какова? Пастухова не могла надеть к розовому платью желтую панаму! И поэтому не убивала. Да прислушайтесь сами! Это же нонсенс, мягко говоря.

Присяжные уже были окончательно утеряны для Гордеева. Он чувствовал это кожей. Он перебирал в голове свои аргументы, но все они теперь казались пустыми, легковесными и неубедительными.

Прокурорша говорила дальше, Гордеев старался ее слушать без эмоций. Только фиксировал ошибки, которых было не так уж много. Она снова развила мысль о том, что Пастухова наверняка была знакома с Ливановым раньше. И убийство произошло из ревности, умноженной на то, что Ливанов был помощником депутата. Как же, мол, такой видный человек ее бросил, вот она и решила его уговорить вернуться или убить из злости. На том, что план у нее был приготовлен заранее, прокурорша особенно настаивала.

Она сыпала цитатами из показаний самой Ирины, свидетелей, заключений экспертов, находила аналоги в других делах, куда более громких. Словом, броню она выстроила — будь здоров, не пробьешь! Была у Гордеева надежда заявить ходатайство о направлении дела на доследование. Теперь и эта иллюзия рухнула. Суд на это не пойдет. А значит — речь может идти только о сроке. «Невиновна» — присяжные не скажут.

Он повернулся к Ирине. И снова внутренне ахнул.

Увидел только опущенную голову и обвисшие безвольно плечи. Ирина потеряла надежду навсегда. Она тоже чувствовала, что суд присяжных к ней будет немилосердным.

В конце своей речи прокурорша еще раз поразила Гордеева.

Конечно, она просила признать Ирину виновной в умышленном убийстве. Но! Ввиду смягчающих обстоятельств, как-то: убийство Пастуховой совершено в первый раз, слабая спившаяся женщина, возможно, была в возбужденном состоянии, сотрудничала со следствием, и так далее, просила не применять к Пастуховой высшую планку, а ограничиться всего лишь (!) семью годами лишения свободы.

Ничего, подумал Гордеев вяло, мы еще поборемся. Но сам он в успех уже не верил.

Судья потер руки, словно предвкушал что-то весьма драматичное и интересное, и сказал:

— Объявляется перерыв до завтра, до десяти утра. Прения сторон будут продолжены. С утра — защитная речь адвоката Гордеева.

Глава 66

ШЕКСПИР

Когда запиликало электронно, Гордеев решил, что это телефон, но это звонил будильник.

Гордеев взглянул на часы — было без десяти восемь. Вот как! Он просидел, оказывается, всю ночь. Теперь надо было срочно собираться и ехать. А под глазами круги и в голове муть. Чем же он занимался всю ночь? Где плоды бессонных бдений?

А не было никаких плодов. Гордеев, как шизофреник, всю ночь крутился вокруг одной и той же мысли, которую теперь не смог бы и сформулировать толком. Но самое обидное, что мысль эту он так и не решил!

День начинался плохо.

Как-то он закончится?

Когда увидел Ирину, совсем скис. Та была, как бледная тень. Тихая и почти бесплотная. Виновато улыбнулась Юрию и сказала:

— Плохо, да?

— Ну что ты! — бодренько ответил Гордеев. Но сам же и ужаснулся неискренности своего голоса.

— Прошу встать, суд идет.

Гордеев втянул побольше воздуха в легкие, словно собирался нырнуть на огромную глубину, в темные беспросветные воды.

Сейчас прозвучит: «Слово предоставляется защитнику».

— Прошу садиться.

— Наша задача установить истину, и это главное, не так ли? — сказал вдруг судья вовсе неожиданное. — Дело в том, что только вчера вечером от Генеральной прокуратуры поступило ходатайство заслушать в судебном заседании еще двух свидетелей. Стороны не против? Суд по своей инициативе считает необходимым допросить дополнительных свидетелей.

Прокурорша не задумывалась ни минуты. Она уже знала, что победила, — никакой свидетель не мог теперь сломить ее железную постройку.

А Гордеев, хоть и сделал вид, что раздумывает, но внутренне согласился сразу. Ему просто нечего было терять.

— Тогда, — сказал судья, — возвращаемся к судебному следствию, а затем вновь прения сторон. Прошу пригласить в зал свидетеля Сысоева Федора Константиновича.

Гордеев обернулся на распахнувшуюся дверь и обомлел.

Прямо на него шел, улыбаясь смущенно от внимания большого количества людей, не кто иной, как однорукий! Тот самый! Бандит! Который стрелял в Юрия Петровича на пороге Думы и был убит.

Хотелось ущипнуть себя, чтобы проснуться.

И так это было похоже на сон, ведь в голове муть была, как в бреду.

Этого не могло быть, мертвые не воскресают!

Гордеев обернулся с открытым ртом на Ирину, и понял, что и она видит кого-то испугавшего ее.

Ирина тоже узнала этого человека. Вернее, его глаза. Где же она видела этот взгляд? Где?! Какой-то был очень важный момент! Господи, да конечно же! На вокзале! Она как раз садилась на поезд до Симферополя! А этот человек... Постойте, но он тогда стоял в какой-то страшно подозрительной компании. Или ей показалось?

— Назовите, пожалуйста, свою фамилию, имя, отчество, а также профессию и место работы, — попросил судья.

— Сысоев Федор Константинович. Оперуполномоченный Московского уголовного розыска.

Гордеев чуть не вскрикнул — нет! Он лжет! Он бандит и убийца! Но вдруг заметил в зале плотную фигуру Турецкого. «Важняк» смотрел прямо на адвоката и что-то четко артикулировал губами.

«Не волнуйтесь», — наконец угадал Гордеев.

Ничего себе!

Но тем не менее действительно заставил себя успокоиться и повернуться к однорукому.

— Скажите, гражданин Сысоев, что вам известно по настоящему делу? — сказал судья. — Знакомы ли вы с подсудимой?

— Нет. Правда, я встречал ее один раз на Курском вокзале. Это было семнадцатого августа. Она садилась в поезд до Симферополя. Но в чем дело, я знаю.

Гордеев громко сглотнул.

— И что вы можете показать по этому делу? — спросил судья.

— По данному делу я могу показать следующее — убитый Ливанов был довольно высокопоставленным членом огромной разветвленной преступной группировки, именуемой «Братство»...

— Вы можете привести доказательства?! — наконец опомнилась прокурорша.

— Разумеется. Но, к сожалению, со следственными документами пока может ознакомиться ограниченный круг лиц, поскольку следствие это засекреченное и оно продолжается, — однорукий виновато скосился на присяжных.

— Продолжайте, — сказал председательствующий.

— В задачу Ливанова входило отслеживать пассажиров, покупающих билеты через крупные богатые фирмы. Соседнее место в купе резервировалось для мошенниц, которые и выманивали деньги у состоятельных попутчиков.

— Простите, — вскочил Гордеев, забыв, что однорукий в него когда-то стрелял, — а проводники вагонов были в курсе этих махинаций?

— Разумеется. В их задачу входило...

— Спасибо! — чуть не вскрикнул Гордеев. Как он угадал! Как Ирина угадала, жаль, правда, задним умом.

— Пожалуйста, — ответил однорукий, улыбнувшись. — Кроме того, махинации прикрывали коррумпированные, сросшиеся с преступностью работники правоохранительных органов.

— Значит, вы утверждаете, что Пастухова действительно садилась на поезд? — спросил судья.

— Да. Я также утверждаю, что в поезде она была обворована мошенницей, которую мы задержали. Как она вам представилась? — обернулся он к Ирине.

— Зиной.

— Ага. Зина. Понятно.

— Но это ничего не проясняет! — вставила прокурорша. — Пастухова обвиняется в умышленном убийстве!

— Вот собственно за этим я и здесь, — сказал однорукий. — При допросе одного из сотрудников милиции, который прикрывал преступников, выяснилось, что с места происшествия были незаконно изъяты и не занесены в протокол следующие вещественные улики: ножфинка с наборной ручкой и чемодан кожаный с женскими вещами, изрезанный этим ножом. Эти вещдоки могут быть предоставлены суду.

Гордеев о таком чуде и не мечтал. Ах, Турецкий, ай да сукин сын!

«Важняк» иронично улыбался в углу.

Были еще вопросы судьи, прокурорши, адвоката, но уже так, по мелочам, уточнялись детали. Только теперь Гордеев понял, почему однорукий так казенно выражается — он жутко волновался. С одной стороны, ему надо было выступить свидетелем защиты, а с другой, не раскрыть тайны ведущегося и, видать, сложнейшего, крупнейшего, важнейшего следствия.

— В зал судебного заседания приглашается свидетель Чуркин Игнатий Семенович, — сказал судья.

Если бы сидящие в зале были более внимательны на улицах и в метро, то узнали бы во въехавшем на коляске в зал безногом человеке мелькающего там и сям нищего. А будь они полюбопытнее, узнали бы и его кличку — Афганец.

Этот еще больше смутился от количества народа, что выразилось в кривой усмешке и каком-то развязном подхихикивании.

— Знаете ли вы подсудимую? — снова спросил судья.

Афганец посмотрел на Ирину и, хихикнув, сказал:

— Она.

— В каком смысле?

— Ну это она была с Геркой.

— Когда?

— Хи-хи... Когда грохнула его.

— Вы что, — вскочил Гордеев, — видели сам момент убийства?

— Видел я все. В том дворе у нас «красный уголок», хи-хи... Ну, это... отдохнуть там, посидеть, выпить. Я все видел. Как они зашли, как потом Герка вывалился из подъезда, как ножик схватил, как она его каблуком... А потом реветь начала, я ноги и сделал... хи-хи... — показал он на свои культяпки.

— Вы позволите допросить свидетеля? — встал Гордеев.

— Да-да, — сказал судья. — Пожалуйста.

— Игнатий Семенович, вы не могли бы поподробнее вспомнить, как все произошло?

— У меня только костыли оторвало, а мозги на месте... хи-хи...

— Расскажите посекундно, как это было?

— Ну как... Сели они в лифт, а там света нету. Это наши лампочку вывернули, зачем, хрен их знает. Вот что в лифте было — не видел. Не буду врать. Но чего-то, кажись, они там ссорились. А потом лифт обратно пошел, открылся, и Герка выходит. Видно, после темноты сразу ослепел... хи-хи... А вот она следом за ним и раз его за ноги. Он, правда, вывернулся. Но споткнулся — конь о четырех ногах спотыкается... А вот я не спотыкаюсь... хи-хи... И как ломанется об бетон башкой... А она его...

— Подождите, Игнатий Семенович, вы сказали, что Ливанов сам упал?

— Какой Ливанов?

— Ну, пострадавший, Герман, как вы его называете, Герка.

— Ну, сам завалился. И башкой как хряпнется... Аж слышно было, как хрустнуло в черепе...

Это был последний и самый удачный ход Гордеева.

Ирину освободили в зале суда.

— Да не мог я вам ничего сказать! — уже в который раз повторял Турецкий. — И не потому, что я вам не доверяю! Все должно было пройти абсолютно натурально! Нам надо было выводить Сынка... то есть Федора, из игры. И так он был уже на грани провала.

— А вы не подумали, что я мог просто помереть со страху?!

— Да вы и не поняли ничего! Но я все равно приношу вам извинения.

Сынок, а по-настоящему капитан милиции Сысоев, скромно сидел в уголке и попивал коньяк.

Это опять был коньяк. На этот раз хороший, дорогой, поставил бутылку Гордеев. Не пожалел, раскошелился, да и на большее бы не пожалел.

Вот теперь Турецкий и посвящал его в самые поверхностные тайны всей операции. Сынка внедрили в «братство» с тем, чтобы он исследовал его вдоль и поперек.

Вдоль — получилось, а вот поперек, то есть по вертикали, до самых главарей, до руководителей, это уже Гордеев постарался, сам того не ведая.

— Значит, Кобрин?

— Он, родимый, — зло сказал Турецкий. — Ах, Юрий Петрович, знали бы вы, сколько Сынку пережить пришлось.

— Я бы добрался, — виновато сказал Федор.

— Да-да, опять вечное — шерше ля фам. Девчонку пожалел, убил своего «напарника» по банде. А кстати, вы должны были слышать — помните, трупы в бомбоубежище? Ну, еще там собаки взбесились.

— А! Да!

— Так вот, девчонки этой сестра там погибла. Как ее?

— Девчонку? — вдруг сильно смутился Федор. — Леся.

— Привезли их с Украины незаконно. Они на стройке работали. Ну зарплата им шла, как вы понимаете, двойной бухгалтерией. Рабочим копейки, начальству рубли.

Турецкий отхлебнул из бокала, медленно проглотил.

Гордеев понял, думает «важняк», стоит ли посвящать адвоката в подробности.

— Но в тот раз у них нестыковка вышла, им самим деньги не перечислили. Рабочие и взбунтовались. Вот их привезли в подвал и всех...

— Дикость, — сказал Гордеев.

— Слишком мягко сказано. Мы еще все гадали, почему же их никто не ищет? Оказалось — эмигранты.

— Всех гадов взяли?

Вопрос Турецкому не понравился. Взяли многих, но далеко не всех. Главное, схватили верхушку, а шушера частью растеклась, частью оправдалась. Идеально не получилось. Да и не получится никогда.

— Возьмем, — тем не менее сказал Турецкий. — Когда-нибудь всех возьмем. Но твою цыганку поймали, успокойся.

Ирину Гордеев посетил через неделю. Мог, конечно, и раньше, но Ирина сама не хотела.

— Погоди, Юра, — просила она. — Дай очухаться. Я сейчас и на женщину не похожа.

Недели Ирине не хватило. Все еще была худа, болезненна. Все еще тусклые глаза, все еще опущенные плечи, но руки ожили, волосы заблестели, улыбка была не вымученной.

Гордеев принес цветы и торт.

— Ну как ты?

— Вы-пол-за-ю, — передразнила Президента Ирина.

— Ну и ладушки. Что дальше?

— Даже и думать не хочу. Вообще ни о чем не хочу думать.

— Это понятно. А вот я тоже не хочу, а думаю.

— Привычка, наверное.

— Да, вторая натура.

— И о чем же думает защитник обездоленных?

— Да так, о разном... — Гордеев решил, что сейчас не время, что, может быть, лучше потом. А может, совсем не стоит.

Но Ирина уловила это сомнение:

— Ну давай, юрист, колись.

— Да так, ерунда. Забудь. Просто, понимаешь, это у меня бзик такой. Вот забуду какое-нибудь слово, пока не вспомню, не успокоюсь.

— Какое слово?

— Да нет, это я к примеру. Вот засела у меня одна мысль — никак не вытравлю.

— И что такое? Нет, погоди, потом про мысли, давай чаю? Или покрепче?

— Покрепче.

— А я не буду. Суд меня образумил, теперь что ни сделаю, подумаю, а как об этом потом на суде скажут...

— Тьфу на тебя!

— Нет-нет, теперь я такая осторожная буду.

Ирина достала вина, налила чаю, разрезала торт.

— Ну, давай за твою мысль.

Гордеев выпил, вино отличное. Торт после него все бы испортил.

— Я все понять хочу, с чего это началось?

— Что — это?

— Ну, напасти твои...

— Господи, Юра, слава Богу — кончились!

— Вот видишь, а я мучаться буду. Тебе так трудно? Вспомнить попытаться, с чего началось.

— Да не знаю я! Хотя какое-то предчувствие было. Я к бабке своей поехала, она мне аппарат заказала слуховой, я купила, а отдать все не могла. Ну, замоталась. Позвонила — не отвечает. Ни утром, ни вечером. Наконец поехала. Там какие-то люди ремонт делают. Бабка моя, видать, в деревню смоталась.

А я подошла к окну — там еще детская площадка такая, обшарпанные качели, коробка хоккейная, ну, ты знаешь... Школа... Все такое обычное, серое, а я смотрю — как дернулось что-то в груди. Почему, до сих пор не понимаю... Юра, ты что?

Гордеев медленно-медленно поставил бокал на стол. Казалось, он вдруг среди бела дня впал в транс.

— Ты что, Юра? — испугалась Ирина.

— Адрес, — выговорил наконец Гордеев.

— А? Что?

— Адрес бабки.

— Так это... Карманицкий переулок...

— Дом три, корпус два! — выпалил Гордеев.

— А ты откуда?.. — спросила Ирина, но Юрий Петрович уже был в прихожей, уже открывал дверь.

Вот теперь все становилось на свои места.

Виноградов открыл сразу, словно стоял за дверью.

— А! Юрий Петрович, какими судьбами?

— Да вот радостью хотел поделиться.

— Правда, а какой?

— Пастухову освободили из-под стажи.

— Какую Пастухову? — опешил Виноградов.

Они так и стояли в прихожей.

— Ирину Пастухову. Ну что вы! Я же вам рассказывал. Ливанов, помните?

— Господи, Юрий Петрович, стоило ли ради такого пустяка себя утруждать...

Виноградов двинулся на кухню. Гордеев последовал за ним.

— А разве это пустяк? — спросил Гордеев.

— Нет, ну, конечно, для вас и для Пастуховой это не пустяк... Чай? Кофе?

Гордееву сейчас жутко не хватало ясности в голове, и он сказал быстро:

— Кофе. А для вас это не пустяк?

Гордеев сейчас не мог посмотреть на себя со стороны. Просто боялся. Он делал то, чего делать был не должен ни под каким видом. Но и устоять не мог.

— Для меня? — Виноградов удивленно скривил губы. — Для меня, в общем, конечно, тоже, хотя я эту Пастухову совсем не знал...

— И знать не хотели, так?

— Я что-то не понимаю, Юрий Петрович. Вы все намеками какими-то...

Он поставил перед Гордеевым дымящуюся чашку кофе.

— Да все вы понимаете, Игорь Олегович. Бросьте, честное слово.

Гордеев одним глотком опорожнил чашку.

— Да что бросать-то? — не терял удивленного лица Виноградов.

— Вас это должно волновать. Вас это сильно должно волновать. Но не радовать, нет. Совсем наоборот.

— Что-то вы, Юрий Петрович... Почему меня так уж это должно волновать? И почему не радовать?

— Да потому, что убить вы хотели Пастухову. Долго, настойчиво и, увы, безуспешно.

— Я-а??! Пастухову?! Которую и в глаза не видел?! Приехали. Может, я бы и хотел ее убить, да вот повода не вижу. Вы уж мне, темному, объясните.

— А вот оно, объяснение, — развел широко руками Гордеев.

— В смысле? — проследил за жестом Виноградов.

— Квартирка эта, Игорь Олегович, — с улыбкой пояснил Гордеев. — Такое сплошь и рядом случается. Надувают собственного начальника. Вы же, поди, просили квартирку себе чистую устроить, дорогую, а вам подсунули паленую. Старушка тут жила. Все думали — одинокая. Старушку прибрали, а тут ее внучатая племянница появляется откуда-то. Начинает старушку разыскивать. Ваши ребята на нее и накатили. Да и вас, конечно, в известность поставили. Как же вам не заволноваться, Игорь Олегович, какой вы шалун, честное слово.

— Знаете что, — вдруг миролюбиво сказал Виноградов. — Я вот только что хотел вас вышвырнуть из дому, но теперь мне даже страшно вас на улицу выпускать. Вы на людей кидаться начнете.

— А вы все-таки вышвырните.

— А что, пожалуй, воспользуюсь вашим советом.

Виноградов шагнул к Гордееву, но схватил его не за шиворот, как полагается в таких случаях, а за горло.

Гордеев хотел отбиться, но руки почему-то не слушались. И ноги стали ватными. Только теперь он почувствовал, что к вкусу кофе во рту примешалась еще какая-то лекарственная гадость. Гордеев попытался хотя бы глубоко вздохнуть, но в горле что-то хрустнуло, в глазах запрыгали черные, все разрастающиеся точки, и он думал почему-то только об одном — не обмочиться бы.

Он знал, что, когда люди погибают от удушения, они позорнейшим образом разом справляют всю нужду. Почему-то даже собственная жизнь его сейчас волновала меньше позора.

Мир уже стал уходить куда-то вниз, уже Гордеев увидел себя под потолком, увидел, как Виноградов опускает чужое мертвое тело на пол и как внезапно распахивается дверь.

Дальше — тишина.

— Шекспир, — сказал чей-то очень знакомый голос.

Гордеев открыл глаза. Было еще не все видно. Но быстро становилось резким. Он глубоко вздохнул, закашлялся, и его вырвало, кажется, прямо на чьи-то поддерживающие руки.

А после этого вдруг все стало ясным.

«Опозорился-таки, — подумал Гордеев. — Опозорился перед самим Турецким».

— Ничего, бывает, — сказал тот, словно услышал мысли Гордеева. — Ну как, жить будем?

— Будем. — Гордеев сел. Тело била мелкая дрожь.

— Экий вы неугомонный, — сказал Турецкий, — а, Игорь Олегович?

Гордеев перевел взгляд и увидел прикованного наручниками к батарее парового отопления Виноградова.

— Не думал, что вы раньше меня догадаетесь, — признался Турецкий. — Как вас осенило-то?

— Долгая история. А вас?

— Да Кобрина-то убили. Жена, правда, убила, но ее заставили. Пригрозили, что дочку убьют. Испугалась. Истеричка.

— Ну вот теперь никаких вопросов, — блаженно улыбался расслабленный Гордеев.

— А «быть или не быть»?

— Что?

— Да вы все, когда в себя приходили, «быть или не быть» бормотали.

— Правда? — удивился Гордеев. — Значит, чуть не помер.

...Из дома Гордеева выводили под руки, хотя он и сопротивлялся.

— Да пустите меня, — просил он, — я сам могу идти.

— Нет-нет, сейчас вас в больницу, вы что, шутите? — увещевал Турецкий.

Гордеева уже стали запихивать в «скорую», но он вдруг взбрыкнул и нетвердыми шагами пошел к старухе нищенке, которая наблюдала всю эту сцену.

— А, здравствуйте! — обрадовался Гордеев. — Вы снова в Москве?

— Слава Богу, — ответила старушка смиренно.

— А где вы живете? — в который уже раз повторил свой вопрос Гордеев.

— Да вот тут я и живу, — кивнула на дом, из которого как раз выводили Виноградова, старушка.

Гордеев взял ее за руку.

— А я вам денежек не дам, — сказал он. — Я вас лучше к внучатой племяннице отвезу. Вас ведь баба Зина зовут?

ОГЛАВЛЕНИЕ

Издательская группа АСТ

Издательская группа АСТ, включающая в себя около **50 издательств** и редакционно-издательских объединений, предлагает вашему вниманию **более 10 000 названий книг** самых разных видов и жанров. Мы выпускаем классические произведения и книги современных авторов. В наших каталогах — интеллектуальная проза, детективы, фантастика, любовные романы, книги для детей и подростков, учебники, справочники, энциклопедии, альбомы по искусству, научно-познавательные и прикладные издания, а также широкий выбор канцтоваров.

В числе наших авторов мировые знаменитости Сидни Шелдон, Стивен Кинг, Даниэла Стил, Джудит Макнот, Бертрис Смолл, Джоанна Линдсей, Сандра Браун, создатели российских бестселлеров Борис Акунин, братья Вайнеры, Андрей Воронин, Полина Дашкова, Сергей Лукьяненко, Фридрих Незнанский, братья Стругацкие, Виктор Суворов, Виктория Токарева, Эдуард Тополь, Владимир Шитов, Марина Юденич, а также любимые детские писатели Самуил Маршак, Сергей Михалков, Григорий Остер, Владимир Сутеев, Корней Чуковский.

Книги издательской группы АСТ вы сможете заказать и получить по почте в любом уголке России. Пишите:

107140, Москва, а/я 140

ВЫСЫЛАЕТСЯ БЕСПЛАТНЫЙ КАТАЛОГ

Вы также сможете приобрести книги группы АСТ по низким издательским ценам в наших **фирменных магазинах:**

В Москве:

- Звездный бульвар, д. 21, 1 этаж, тел. 232-19-05
- ул. Татарская, д. 14, тел. 959-20-95
- ул. Каретный ряд, д. 5/10, тел. 299-66-01, 299-65-84
- ул. Арбат, д. 12, тел. 291-61-01
- ул. Луганская, д. 7, тел. 322-28-22
- ул. 2-я Владимирская, д. 52/2, тел. 306-18-97, 306-18-98
- Большой Факельный пер., д. 3, тел. 911-21-07
- Волгоградский проспект, д. 132, тел. 172-18-97
- Самаркандский бульвар, д. 17, тел. 372-40-01

мелкооптовые магазины

- 3-й Автозаводский пр-д, д. 4, тел. 275-37-42
- проспект Андропова, д. 13/32, тел. 117-62-00
- ул. Плеханова, д. 22, тел. 368-10-10
- Кутузовский проспект, д. 31, тел. 240-44-54, 249-86-60

В Санкт-Петербурге:

- проспект Просвещения, д. 76, тел. (812) 591-16-81
  (магазин «Книжный дом»)

Издательская группа АСТ
129085, Москва, Звездный бульвар, д. 21, 7 этаж.
Справки по телефону (095) 215-01-01, факс 215-51-10
E-mail: astpub@aha.ru   http://www.ast.ru

Литературно-художественное издание

Незнанский Фридрих Евсеевич

Стая бешеных

Редактор *В. Вучетич*
Художественный редактор *О. Адаскина*
Технический редактор *Н. Сидорова*
Корректор *Н. Сидякина*

Подписано в печать с готовых диапозитивов 30.05.2001.
Формат 84×108^1/₃₂. Бумага типографская. Печать офсетная.
Усл. печ. л. 20,16. Тираж 3000 экз. Заказ 1774.

Общероссийский классификатор продукции
ОК-005-93, том 2; 953000 — книги, брошюры

Гигиеническое заключение
№ 77.99.14.953.П.12850.7.00 от 14.07.2000 г.

ООО «Издательство АСT»
Лицензия ИД № 02694 от 30.08.2000 г.
674460, Читинская область, Агинский район,
п. Агинское, ул. Базара Ринчино, д. 84
Наши электронные адреса:
WWW.AST.RU E-mail: astpub@aha.ru

КРПА «Олимп»
Изд. лиц. ЛР № 070190 от 25.10.96.
121151, Москва, а/я 92
E-mail: olimpus@dol. ru

При участии ООО «Харвест». Лицензия ЛВ № 32 от 10.01.01.
220040, Минск, ул. М. Богдановича, 155—1204.

Налоговая льгота — Общегосударственный классификатор
Республики Беларусь ОКРБ 007-98, ч. 1; 22.11.20.300.

Республиканское унитарное предприятие
«Издательство «Белорусский Дом печати».
220013, Минск, пр. Ф. Скорины, 79.